KB043027

마셰리 장편소설

마셰리 장편소설

베아트리체

Beatrice

D&C BOOKS

차 례

1. 그날의 기억

1. 그날의 기억

• • ◆ • •

어느 축제 날 밤이었다. 그녀와 함께한 매 순간이 아름다웠지만 그날은 더 특별했다.

알렉산드로는 그 밤의 모든 걸 기억했다. 선선했던 날씨, 가끔 불던 미풍, 숨을 들이쉬고 내쉴 때마다 느껴지던 차가운 밤공기. 제 손을 잡고 있던, 너무나 사랑하는 여자의 향기…….

모든 게 꼭 어제 일 같았다.

"그래서."

알렉산드로의 냉엄한 시선이 멀리 아래쪽을 향했다.

"안전에는 아무 문제도 없는 게 확실한가?"

축제가 한창인 도심의 뜨거운 분위기와 완전히 상반되는 반응에, 근위대의 표정이 확 어두워졌다.

"저 화약 말이다."

그가 답을 재촉하듯 깨알처럼 작게 보이는 포탄 몇 대를 턱짓으로 가리켰다.

"아이참. 대공님, '불꽃놀이'라니까요. 화약이 아니고요."

베아트리체는 걱정이 많은 제 약혼자를 나무라듯, 커다란 그의 손을 꾹 쥐었다가 놓았다. 그만 좀 하라는 뜻이었다.

"제국에서 이미 확인이 다 되었대요. 아버님께서도 칭찬이 자자하셨다는데, 아직도 이러면 어떡해요?"

화약을 공중에서 터뜨려 축제를 위한 불꽃놀이로 이용하자는 건 그녀의 아이디어였다.

제국에서 폭죽으로 전쟁의 시작을 알리는 경우는 종종 있었다. 하지만 축제에서, 그것도 절정에 달한 마지막 날. 이 야심한 밤에 폭죽을 터뜨리기는 처음이었다.

"불꽃놀이는 아름다울 거예요. 귀족들뿐만 아니라 모든 사람들이 즐길 수 있으니 얼마나 좋은가요?"

알렉산드로는 고개를 수그려 눈높이가 한참 아래에 있는 약혼녀와 시선을 맞췄다.

"하지만……."

위험할지도 모른다. 그가 난처한 표정을 지어 보였다.

다른 세계에서 살다가 이곳에서 환생하여, 총 두 번의 삶을 살았다는 베아트리체에겐 세상을 바꿀 만한 놀라운 생각들이 가득했다. 그녀의 그 새로운 아이디어는 언제나 환영이지만 만약 저 포탄이 갑자기 방향을 틀어 이 왕궁을 향한다면?

그럼 그때는?

'암살 시도가 불과 며칠 전이었는데.'

미수에 그쳤지만 독약, 암살, 납치 사건이 몇 번이나 있었다. 베아트리체는 맨 처음엔 꽤 놀랐지만 그마저도 적응이 되어 버렸는지 이젠 어떤 일이 생겨도 대담하게 넘겼다.

아직도 그녀의 권위에 도전하는 반역자들이 있어서 혹시라도 그녀의 안전이 위협받는 상황이 온다면, 그러면…….

"제가 장담해요, 대공님. 대공님은 깜짝 놀라실 거예요."

그를 설득하는 베아트리체의 눈이 반짝였다.

"불꽃놀이는 아름다울 거고, 지금 이 축제의 분위기하고도 잘 어울릴 거예요."

포도알 같은 저 눈망울에 넘어가서 안 되는 일을 가능하게 만든 이들이 벌써 여럿이었다. 저라고 그들과 다를 리 없었다.

"저를 믿으세요."

"……."

한숨이 나왔다. 그녀가 저렇게 나오면 절대로 고집을 꺾을 수 없었다. 뒤에선 아론과 근위대의 기사들이 안전할 테니 걱정 말라며 말을 건네었다. 그러나 썩 와 닿지는 않았다.

"대공님?"

어쩔 수 없었다. 알렉산드로는 결국 뒤편의 수하에게 고갯짓으로 발포 명령을 내렸다.

"이리로."

포탄에 화약이 채워지는 사이, 그는 베아트리체의 어깨를 더 가까이 끌어안았다.

"대공님은 걱정이 너무 많아요."

그녀가 불만스레 속삭였다.

"예전엔 안 그러셨던 것 같은데."

"오래 살고 싶어서 그래."

"그건 좋은 소식이지만, 걱정이 너무 많아도 좋지 않다고요. 대공님은 그런 걱정 없어도 충분히 오래 사실 거예요."

종알거리는 목소리에 피식 웃음이 터졌다.

"아마 저보다 20년은 장수하실걸요? 일단 신체적 조건이 월등하시니까요. 감기 한 번을 앓지 않으시잖아요."

"네가 옆에 없으면 아무 의미도 없는 얘기야."

알렉산드로는 조잘거리는 그녀의 머리를 소중히 감싸 안았다. 그러자 그녀가 웃음을 터뜨리며 빼꼼 눈을 들었다.

"왜 이렇게 겁쟁이가 되셨나요?"

모든 준비를 마친 포탄이 발사를 앞두고 그의 손짓을 기다렸다.

"그렇게 걱정되세요?"

"그래. 난 겁쟁이야."

"전 하나도 걱정되지 않는데."

나무라듯 그녀를 흘겨본 알렉산드로는 쯧, 혀를 찼다.

"매사에 그렇게 태평하게."

"옆에 대공님이 있는데 뭐가 두렵겠어요."

간만에 마음에 드는 소리를 한다. 그의 얼굴이 펴지려는 찰나, 그녀가 피식 웃으며 덧붙였다.

"죽기밖에 더 할까?"

"……."

굳은 그의 표정을 본 그녀가 놀리듯 까르르 웃었다. 얄밉지만 그 모습이 꽤나 귀엽고, 또 행복해 보여서 알렉산드로는 그냥 픽 웃어 버렸다.

"죽어도 우린 다시 만날 거예요. 그러니 뭐 어때요."

할 말을 잃은 알렉산드로는 지적 대신 그녀의 뒤통수를 꾹 눌렀다. 제 가슴에 완전히 얼굴을 묻게 하고, 그가 아론에게 눈짓했다. 그러자 왕궁에서 깃발이 흔들렸다. 발포 신호였다.

저 아래, 광장의 포수들이 횃불을 받아 들곤 포탄에 불을 옮겼다. 야밤에도 신나게 노래를 부르고 춤을 추던 사람들이 긴장한 채 일제히 몸을 낮췄다.

전부 그의 발밑에서 벌어지는 일이었다. 알렉산드로는 멀리 광장의 포탄 방향을 확인하며 손짓했다.

퍼펑! 포탄이 터지자 대지가 울렸다. 베아트리체가 움찔 놀라자 알렉산드로는 그녀의 몸을 더 꽉 끌어안았다.

"불꽃놀이를 봐야죠!"

그녀가 휙 고개를 돌려 하늘을 주시했다. 끝없이 쏘아진 불똥이 하늘에 다다라 사라졌다가 '펑!' 하고 한 번 더 터졌다. 그녀의 얼굴에 환희가 드리웠다.

"얼른 저것 좀 보세요!"

바쁘게 제 팔뚝을 두드리는 손길에 알렉산드로는 느지막이 하늘을 돌아보았다. 특별 제작된 화약은 꽤 장관이었다. 검은 종이에 하얀 물감을 뿌려 놓은 듯 불꽃이 별처럼 쏟아졌다.

첫 발이 성공하자 잔뜩 엎드려 있던 사람들이 일어나 크게 환호했다. 모두가 생전 처음 보는 마법 같은 광경이었다. 멀리서 바라보던 왕궁의 근위대와 귀족들조차 놀라움을 금치 못했다.

"보세요, 대공님!"

드물게 흥분한 그녀가 발그레해진 얼굴로 속사포처럼 소곤거렸다.

"제가 그랬잖아요. 그 어떤 축하연보다도 위력적이고 효과적일 거라고! 성공이에요. 다들 불쾌해하기는커녕 놀라워하고, 즐거워하고 있어요!"

그래. 대개 그녀의 말은 사실이었다. 새로운 제안을 던질 때마다 베아트리체는 마치 예언을 하듯, 그 효과와 사람들의 반응을 예측해 냈다. 이번에도 그녀가 옳았다.

"대공님도 보셨어요? ……안 봤어요? 안 봤죠?"

대번에 그녀의 눈가가 찌푸려졌다.

"봤어."

알렉산드로는 얼른 동조하며 광장으로 시선을 돌렸다. 포탄을 움직이는 이들의 수상한 낌새는 없는지 세밀하게 살피며 두 번째 폭죽에 대비해 그녀의 귀를 막았다.

"이번엔 꼭 보세요."

베아트리체의 당부대로 그는 포탄에서 눈을 떼지 않았다.

퍼펑! 두 번째 폭죽이 터짐과 동시에 그의 시선은 자연스레 옆으로 옮겨 갔다.

"와아, 세상에."

축제 날. 달아오른 분위기에 체통을 잊은 왕녀님은 감탄을 금치 못했다. 그녀의 작은 입술이 크게 벌어지고, 그 사이에서 다람쥐 같은 앞니가 쏙 나타났다. 매우 귀여웠다. 품속의 그녀가 너무 반짝이기 때문인지 감당치 못할 만큼 가슴이 두근거렸다.

'저 폭죽 때문이라고 생각할까.'

그녀에게도 전해질 테지. 이 떨림은…….

모두가 축제의 절정에 푹 빠져 있었다. 연달아 포탄이 터지는 소리에 알렉산드로는 저라도 정신을 차리려 길게 눈을 감았다 떴다.
"밤하늘이 환해졌어요."
베아트리체는 회상하듯 오래도록 하늘을 응시했다. 그가 모르는 그녀의 과거는 많았다. 가령 전생의 기억이라든가.
하지만 지금 이 황홀한 순간에는 그녀도 지나간 과거나 불확실한 미래가 아닌 현실에만 집중했다.
"정말 아름다워요. 그렇죠?"
"아름답다."
알렉산드로는 동감하듯 천천히 고개를 끄덕였다. 그의 입가에도 마침내 미소가 드리웠다.
"자세히 보지도 않았으면서."
"봤다."
"거짓말. 나를 보고 있었잖아요."
"네 눈동자에 전부 비쳤어."
움찔한 그녀가 휙 고개를 돌렸다. 누가 들었을까 놀란 눈치였다. 알렉산드로는 그런 그녀를 놀리듯이 말했다.
"얼마나 아름다운지 심장이 멎는 줄 알았다."
"대공님, 그건 너무……."
"네가 제일 아름다워."
알렉산드로는 그녀의 귓가에 입술을 가까이했다.
"내 세상에선 그래."
멀리 울려 퍼지는 폭죽 소리를 뒤로하고, 그가 느릿하게 입을 맞췄다. 보드라운 입술이 삼켜지고 따스한 숨결이 느껴졌다.
"알렌, 겁내지 말아요."

쫓아오는 그를 피해서 간신히 입술을 떼어 낸 베아트리체가 말했다.

"나는 언제나 당신 옆에 있을 테니까."

알렉산드로는 그녀를 믿었다. 사실은 그 자신보다도, 더 강력하게 그녀를 신뢰했다. 베아트리체는 결코 그 신뢰를 배신한 적 없었다.

"우린 헤어지지 않을 거예요, 대공님."

"……영원히?"

"네, 영원히요."

꼭 이렇게 귀로 듣고 확인을 받아야만 비로소 안심이 된다.

알렉산드로의 가장 행복한 순간에는 종종 이렇게 천둥처럼 불안이 닥쳐왔다. 너무나 행복한 나머지 이 모든 게 깨어지고 다시 혼자가 되면 어떡하나 하는, 아무에게도 말 못 할 지독한 겁쟁이 같은 두려움이었다.

그런데 정말 신기하게도 그녀는 이를 잘 알아챘다. 그리고 불안이 닥쳐오는 순간마다 그를 안심시켰다.

"사랑해요. 당신만을 영원히."

그녀의 뒷머리를 지분거리던 그는 동그란 이마와 콧등에 차례로 입을 맞췄다.

"정말 사랑한다."

귀가 터질 듯 시끄러운 폭죽 때문인가. 그날의 모든 게 선명했다. 아주 오래도록.

"영원히 너의 남자로 살게."

하늘에 새긴 그 맹세까지도.

2. 우연한 만남

2. 우연한 만남

· · ◆ · ·

제국 노스테로스, 국정력 127년.

대륙의 마지막 왕국 엘파사가 제국으로 흡수되고 이후 '통일력'으로 공식 채택된 역법이다. 그레이엄 1세가 황제로 즉위하고부터 쓰인 통일력은 대륙통일역사기록서에 근본을 두고 그 정당성을 얻어 국정력이 되었다.

그레이엄 황가는 대대로 품성이 어질고 그만큼 너그러운 정치를 펼쳐 대륙은 나날이 살기 좋은 땅이 되어 가고 있었다.

그레이엄 5세의 황제 즉위식이 있었다. 그레이엄 황가는 신민들

과 귀족들, 양쪽 모두에게 인기가 좋았기에 오늘은 그야말로 성대한 축제날이었다.

"흠."

알렉산드로 칼스버그는 감흥 없는 눈으로 발아래 펼쳐진 행렬을 지켜보았다.

"이봐, 알렉스. 칼스버그 대공께서 지금쯤 난리가 나셨을 것 같은데? 제국의 둘째가라면 서러운 개국 공신 가문의 차남이 뒷산에서 이러고 팔자 편하게 누워 계신 걸 알면 말이야."

절친한 이의 빈정거림이 들려오자 알렉산드로는 피식 웃으며 몸을 일으켰다.

"지금 그 말은 네 부친께 해야 하는 거 아닌가, 쿠피히트."

"난 널 따라온 거라고."

"그러니까 왜 날 따라왔느냔 말이다. 쿠히피트 공작가의 차기 후계자께서."

밀런은 머리를 긁적였다. 그는 쿠피히트 공작 가문의 막내였지만 친구의 말대로 가문의 후계자였다.

밀런 쿠피히트와 알렉산드로 칼스버그. 나이도 비슷한 둘은 가문끼리도 밀접한 관계였기에 누구나 아는 돈독한 친구 사이였다.

친구의 멀뚱한 모습을 보고 피식 웃은 알렉산드로는 저 멀리, 작게 보이는 황궁과 개미처럼 점점이 보이는 주택가, 그리고 한 떼처럼 보이는 수많은 인파들에게서 눈을 돌렸다. 굽이굽이 이어진 산의 능선이 그림처럼 아름다웠다.

그들이 있는 곳은 그리 큰 규모는 아니었지만 수도 외곽에 위치한 유일한 산인 날루수완이었다. 시끌벅적한 분위기를 피해서 도망쳐 올 만한 곳은 여기뿐이었다.

"기사 서약을 하지 않기로 했다며."

밀런은 누구나 부러워하는 조각 같은 친구의 옆모습을 바라보며 말했다. 살랑거리는 갈색 머리와 보석처럼 빛나는 파란 눈동자는 신이 빚어 낸 완벽한 미남이라 칭송받아 마땅했다.

"정말로 작위를 받지 않을 생각인 거야?"

"후."

알렉산드로는 가벼운 한숨을 내쉬었다. 귀가 아프도록 듣던 얘기였다.

"남들이 하는 것을 꼭 따라야 하나. 그저 허례일 뿐인 것을."

그레이엄 황가의 초대 황제는 귀족 출신의 뛰어난 기사였다. 그래서 귀족 가문의 내로라하는 영랑들 사이에선 기사 서약을 하고 서품을 받는 일이 몇 대째 유행처럼 번져 있었다.

그래 봐야 더 이상 전쟁이 없는 제국에서는 그저 이름뿐인 기사 서약이었다. 이를 알면서도 칼스버그 대공은 내심 알렉산드로가 기사 서약을 하길 바랐다.

하지만 알렉산드로는 굳이 따르고 싶지 않았다. '진짜' 기사였던 그의 눈에는 그저 허식일 뿐이었다.

"그래도…… 칼스버그 대공 각하께서는 네게 큰 기대를 하고 계시잖아."

"아버님께는 나 말고도 세 명의 아들이 더 있다."

칼스버그 대공은 자신의 공작 작위를 내심 알렉산드로에게 물려주려 했다. 장남은 아니지만 그는 아들들 가운데서도 두드러졌다. 문무가 모두 뛰어난 인재라고 모두가 천재라며 입을 모아 극찬했다.

하지만 알렉산드로는 공작 작위 따위에는 관심이 없었다.

"굳이 내가 아니어도 돼."

본심은 그랬다. 알렉산드로는 이제 성인이 되었으니 더 이상 가문에 얽매여 살고 싶지 않았다. 자유롭게 흘러가는 저 구름처럼, 그는 자신에게 주어진 운명을 스스로 찾아가고 싶었다.

"하, 위험한 말을 하는군!"

밀런은 기가 막힌다는 듯 탄식을 내뱉었다. 알렉산드로는 참으로 이상한 생각을 한다.

"남들은 평생 우러러보는 공작 가문의 도련님께서, 도대체 왜 그런 망상을 하는지 난 도무지 모르겠어."

알렉산드로는 살며시 웃었다. 이번만큼은 정말로 내키는 대로 살아 보고 싶었다. 한평생을 가장 높은 자리에서 살아 보았으니.

'원하는 삶을 사는 것.'

해야만 하는 것 말고, 그저 굴러가는 대로 사는 것 말고. 진짜 내가 원하는 삶을 사는 것. 밀런은 망상이라고 했지만 그가 이런 생각을 하는 데는 뚜렷한 이유가 있었다.

알렉산드로에겐 비밀이 있었다. 누구에게도 말할 수 없는 그만의 비밀. 말한다 해도 아무도 믿지 않을 것이다.

'나조차도 처음엔 믿지 못했으니까.'

그 일이 벌어진 건 열 살 때였다. 스무 해 남짓의 짧은 생이었으나 그 순간만큼은 어제처럼 또렷했다.

부친인 칼스버그 대공은 수도 변방의 영지를 자주 시찰 다녔다. 당시 알렉산드로는 어린 나이였으나 네 명의 아들들 가운데 가장 주목받던 아들이었기에 부친을 따라 그곳을 동행했다.

드넓은 제국의 중간쯤 위치한 아레한 백작의 영지였다. 사막 같은 황폐한 지형이 눈에 띄었다.

알렉산드로는 그곳에서, 한 그루의 꽃나무를 보았다.

'저게 대체…….'

흐드러진 붉은 꽃송이가 주렁주렁 핀 나무. 그 아래 짓이겨진 꽃들이 흉측한 모습으로 나동그라져 있었다. 바닥이 피처럼 붉은 그 모습이 알렉산드로에겐 끔찍해 보였다.

태어나 처음 보는 기묘한 종류의 꽃나무.

그런데 이상하게 눈에 익었다. 부친은 몸을 숙여 그에게 속삭였다.

'참으로 천박하게 생긴 꽃나무가 아니냐, 알렉스.'

알렉산드로는 동의하듯 고개를 끄덕였다. 기분이 좋지 않았다. 눈앞에 참혹한 전장의 모습이 그려졌다. 전쟁이라곤 생전 경험해 본 적이 없는데도.

그림 속에서 봤을까? 제국에는 그레이엄 대제와 그의 아들인 그레이엄 1세의 업적을 기리는 유화 작품이 많았다. 제국이 통일되기 전에는 전쟁이 많았으니까.

자꾸만 아른거리는 전장의 모습에 혼란스러운 그에게 아버지, 칼스버그 대공이 말했다.

'하지만 이 영지에 사는 이들은 좋아한다더구나. 백 명의 사람들이 있으니 취향도, 생각도 제각각 다른 백 가지인 게지.'

칼스버그 대공은 자신의 어린 아들에게 찬찬히 설명하듯 말했다.

'그러니 네가 보는 시선이 항상 옳다고 믿지 마라. 그것은 자만이다.'

전장을 연상시키는 꽃나무.

'아버님, 저 나무의 이름을 아십니까?'

알렉산드로는 자꾸만 들이치는 이상한 기억들이 궁금했다.

'카나리아 나무란다.'

카나리아 나무…….

그리고 더 이상 칼스버그 대공의 목소리가 들리지 않았다. 그저 의미 없는 메아리처럼 사라졌다.

대신 자신의 평생을 뒤흔들었던 한 여자의 목소리가 귓가를 맴돌았다.

—딱히 붉은 꽃이라기보다는…… 그냥 예뻐서요.

'알렉산드로 칼스버그'라는 이름으로 태어나 공작 가문의 차남으로 살아온 10년의 세월을 뒤로한 채, 단 한 번도 상상해 보지 못했던 온갖 것들이 순식간에 머릿속을 강타했다.

—대공님, 오늘 정말 감사드려요.

소녀같이 여린 여자의 목소리.

—이런 축제는 처음 와 봤어요. 이렇게 큰 달도 처음 봤어요. 정말 감사드려요.

처음 듣는 목소리였지만 마치 평생을 들어 왔던 것처럼 더없이 친근했다. 여리고 가냘프지만 더없이 자신을 편안하게 보듬어 주는…….

—소피아 그레이엄의 일기장이에요. 아직도 모든 게 의문이시라면…… 아마 그 안에 답이 있지 않을까요.

—알렌.

말을 치료해 주고, 함께 여정을 떠나고, 사랑을 깨닫고, 도피를 떠났다가…….

추억이라 정의될 만한 것들이 눈앞에서 아른거리기 시작했다. 그 여자를 제 옆에 두고 싶어서, 그녀를 행복하게 해 주고 싶어서 누구보다 치열하게 살았던 삶이었다. 평생 동안.

'이럴 수가.'

잠겨 있던 상자를 뒤집어 그 내용물을 전부 털어 내듯 모든 게 한꺼번에 쏟아져 나왔다.

—그런데 어떻게 그렇게…… 내가 뭘 좋아하는지 잘 알아요?

뒤죽박죽이었지만 오랜 시간 행복했던 한 남자의 인생. 그리고 그의 시선으로 보았던 사랑하는 연인.

—내게 어떤 짓을 저질렀어도…… 나는 분명히 당신을 사랑했을 거야.

'알렉스, 무슨 일이냐!'

알렉산드로는 큰 충격에 자리에 주저앉고 말았다. 그는 곧장 자신의 자아와 근간을 뒤흔든 목소리의 주인인 여자의 이름을 기억해 냈다.

'베아트리체.'

그레이엄 황가의 첫 번째 여자로 기록에 남은 인물.

노예 출신인 초대 황후. 그녀에 관해서는 온갖 추측이 난무했으나 그녀가 세웠던 공로와 더불어 사람들이 칭하길, 바로 '비운의 왕녀'였다.

그리고 우습게도, 그녀를 떠올린 후에야 생전 자신이 누구인지 깨달았다.

'그레이엄 1세…….'

알렉산드로 그레이엄.

알렉산드로는 마법 같은 일에 기막힌 탄식을 내뱉었다. 심지어 다시 태어난 후의 이름도 같다니. 우연이라기엔 기묘했다.

'내가 미친 건가?'

세상에 이게 말이나 되는 일이던가? 베아트리체가 전생을 기억한다는 말을 믿긴 했지만 실제로 제게 일어나니 그저 모든 게 혼란스러웠다.

'이게 대체 어떻게 된 일인가?'

공작가 차남의 정신이 이상하다 손가락질을 받을까, 누구에게 감히 말할 수도 없었다. 진실인지 거짓인지 온전히 스스로 판단해야 했다.

하지만 전생의 조각들은 이후에도 생생하게 떠올랐다. 수많은 전쟁. 전쟁만큼이나 격렬했던 사랑.

알렉산드로 칼스버그, 그 자신을 잠식하는 강렬한 생전의 기억들은 거부할 수도, 부정할 수도 없었다.

—저 때문에 후회하실지도 몰라요!

—제가 얼마나 대공님을 좋아하는지 아세요?

어느새 그는 칼스버그 가문의 차남이 아닌, 알렉산드로 그레이엄의 환생으로서 삶을 살아 내고 있었다.

'하지만 나는 왜 전생을 기억하는 건가. 내 운명은…….'

성인이 될 무렵. 그는 뒤늦게 깨달았다. 자신이 전생을 기억하게 된 이유를.

—만약에 다시 태어나면요.

—우리가 서로를 기억할 수 있을까요?

알렉산드로 그레이엄을 수식하는 칭호는 많았다. 제국의 영웅, 전쟁 귀신, 최초 통일 황제, 참된 애국자 등등.

하지만 그의 운명은 오직 사랑뿐이었다.

'베아트리체.'

운명.

그녀는 제게 주어진 숙제였다.

알렉산드로의 삶은 사랑을 빼면 남는 게 아무것도 없었으므로.

'다시 만나야 해.'

그래서 그는 전생에선 전해 주지 못한 카나리아 머리끈을 고이 사서, 항상 가슴 안쪽에 간직하고 다녔다.

"알렉스, 저길 봐!"

회상에 잠겨 있던 알렉산드로는 밀런의 외침에 문득 눈을 들었다.

"그레이엄 황가의 군마야."

밀런은 저 멀리를 손짓하며 두려움이 섞인 목소리로 중얼거렸다.

황가의 깃발. 제국 기사단의 갑옷을 걸친 용맹한 기사들이 정확히 각이 잡힌 채 그 뒤를 따랐다.

"서녘에 야만족을 토벌하러 간다던가?"

"……."

"와, 위에서 내려다보니 장관이 따로 없네."

혀를 내두른 밀런이 짧은 감상을 뱉었다.

"정말 무시무시하군."

"군부니까."

알렉산드로는 잠시 행렬을 바라보다 금방 눈을 돌렸다. 어쩌면 그에게는 더욱 가슴 뭉클한 순간일 수도 있었다. 하지만 그는 전생이나 지금이나 한결같은 사람이라 그저 남의 일처럼 느껴졌다.

무엇보다 그에겐 '그녀' 없는 전생의 삶이란 아무런 의미도 갖지 못했다.

"이봐, 칼스버그."

황제의 행렬에 압도된 밀런은 시선을 떼지 않고 인형처럼 입술만 움직였다.

"네가 평생을 모셔야 하는 분이라고. 알지?"

하지만 알렉산드로는 대꾸가 없었다. 순간 불안해진 밀런이 벌떡 일어났다.

"너 설마…… 그 소문이 진짜냐?"

"난 여색을 한다."

"그것 말고! 네가 어떤 직책도 맡지 않고 정계에도 나가지 않는다던데, 그게 사실이냐고."

팔을 뒤로 기대어 청명한 하늘을 바라보던 알렉산드로는 미련 없이 머리를 털어 냈다.

"……이만 가지."

자리에서 일어난 그는 잔뜩 성난 친구를 뒤로하고 자신의 말이 묶여 있는 곳으로 향했다.

"알렉스, 왜 내게도 말하지 않는 거야? 솔직히 말해 봐! 정말 그게 사실이야?"

밀런은 집요하게 그를 뒤쫓으며 캐물어 댔다. 알렉산드로는 한숨이 나왔다.

"네가 이러니 내게 또 그 소문이 따라다니는 게지."

"말 돌리지 말고 내 질문에 대답 좀 해 봐! 알렉스, 정말이냐?"

"정말이다."

"그럼 기사도 되지 않고, 정계에도 나가지 않는다면 넌 대체 뭐가 되려고……?!"

묵묵히 말을 묶어 둔 밧줄을 풀어내던 알렉산드로는 안쓰러운 친구를 향해 나직이 말했다.

"보름 뒤에 떠나기로 했다."

밑도 끝도 없는 얘기지만 밀런은 그 의미를 알아듣고 돌처럼 굳어 버렸다. 그들의 주위에 있는 모두가 똑같은 처지인데도 알렉산드로는 혼자 헛된 꿈을 꾸었다.

그가 믿는 것은, 일생일대의 운명 같은 사랑이었다. 친구는 자세하게 말해 주지 않았지만 밀런의 시선은 언제나 그를 향했기에 본능적으로 알아챌 수 있었다. 알렉산드로는 뭔가 달랐다.

"너 정말, 진짜로……."

신음 같은 그 소리에도 무심하게 말에 올라탄 알렉산드로는 이제 가지 않겠냐며 밀런에게 눈짓했다.

하지만 밀런은 본 척도 하지 않고 말의 앞을 막아섰다.

"정말로 수도를 떠날 생각이냐? 내게만 솔직히 말해 줘."

알렉산드로는 난감한 얼굴을 했다. 자신의 선택 때문이 아니라 밀런 때문이었다.

"그 정도는 말해 줄 수 있잖아!"

저토록 절망적인 표정은 처음이었다. 선량한 그의 초록색 눈동자가 금방이라도 눈물을 쏟을 듯 그렁거렸다.

밀런은, 오래된 제 친구를 닮았다.

"네 그 운명의 여인을 찾아서 평생 살아왔던 이 수도를 떠나겠다고……?"

그랬기에 알렉산드로는 그에게만은 솔직하게 말하기로 했다.

"그래."

동시에 밀런의 눈에 경악한 빛이 돌았다. 아마 누구도 예상치 못했을 테지. 밀런 역시도 놀랐을 것이다.

"그 여자가 수도에 있을 수도 있잖아. 왜 수도는 더 찾아볼 생각 않고 떠나겠다는 건데!"

"수도는 충분히 돌아봤다. 더 있다간 형님의 작위 승계에 방해만 될 거야."

알렉산드로는 아버지에게 자신은 후계가 아님을 확실히 하고 대신 제국을 유랑하기로 했다. 자기 자신이 누구인지 스스로를 찾고 돌아와 가문에 헌신하겠다는 그 말에, 칼스버그 대공은 한참이나 대답이 없었다. 차남이라도 알렉산드로는 칼스버그 대공가의 유력한 후계자였으니까.

'정녕 네 뜻이 그러하다면 앞길을 막을 수는 없지.'

결국 공작은 허락했다. 그 어떤 귀족 가문의 가주도 허락지 않을 일이었지만 칼스버그 대공만은 달랐다.

'그래서 네가 행복하다면 말이다, 알렉스.'

마치 자신의 오랜 스승을 빼닮은 관대함과 너그러움, 그리고 통찰력을 가진 이가 자신의 부친이라 알렉산드로는 하늘에 감사했다.

전생과 같은 것이라고는 외모와 이름뿐. 그것도 푸른 눈과 갈색 머리는 제국의 귀족들에겐 흔했다.

'베아트리체는 똑같은 얼굴로 태어나지 않았을 수도 있어.'

무엇보다 그녀는 전생을 기억하지 못할지도 모르고, 어쩌면 환생을 하지 않았을 수도 있다. 게다가 드넓은 이 대륙에서 자신이 찾는 한 사람을 다시 만나기란 불가능에 가까워 보였다.

'어쩌면 그녀를 찾지 못할 수도 있다.'

그럼에도 그는 마음이 가는 대로 따르기로 했다. 만날 수 있을지 없을지, 해 보지도 않고 지레 포기할 순 없었다.

그렇게 포기할 수 있는 인연이 아니니까.

평생이 걸린다 해도 그녀를 다시 만날 수만 있다면, 그렇다면 이 두 번째 삶이 결코 아쉽지 않으리라.

게다가 그녀에게 약속을 했다.

—다시 왕녀님을 찾아가겠습니다.

그러니 할 수 있는 최선을 다해야 했다.

어쩌면 먼 곳에서, 자신을 기다리고 있을지도 모르니까.

보름 뒤, 예고된 여정을 떠나는 길이었다. 가문의 모두에게 인사를 받을 때까지는 무감했다. 한데 따라 나온 유모가 눈물을 흘리자 그때는 영 마음이 좋지 않았다.

'그렇다고 사내로 태어나, 뜻을 굽힐 순 없지.'

그는 한나절 말을 타고 달렸다. 생각해 둔 경로를 가는 중에 시간이 늦어 야영을 하려 말을 풀어 두는데, 어디선가 거센 말발굽 소리가 들렸다.

익숙한 얼굴이 숨을 헐떡이며 그의 앞에 나타났다.

"나도 데려가라, 알렉스."

밀런이었다. 알렉산드로는 기가 차서 허리에 손을 얹은 채 황망하게 눈앞의 친구를 바라보았다.

"너……."

아무리 눈을 끔뻑여 봐도 밀런 쿠피히트였다.

"정말 미친 게 아니냐?"

일평생을 알고 지낸 사이라지만 밀런은 유별나게 자신을 따라다녔다. 원체 무심한 성격인지라 알렉산드로는 그러려니 했지만, 사실 그 때문에 둘에겐 망측한 소문도 돌았다.

'내 업보인가.'

그냥 그러려니 생각했다. 게다가 그 소문이 차라리 자신에게 도움이 꽤 된다는 것을 알았기 때문에 굳이 나서서 항변하지도 않았다. 그래도 밀런이 자신을 따라서 제국을 유랑한다니, 그건 안 될 일이었다.

"제발 돌아가라, 밀런. 네 부친을 뵐 면목이 없어."

알렉산드로는 단호한 얼굴을 했다. 쿠피히트 가문의 막내아들인 밀런은 저와 완전히 다른 입장이었다. 그의 위로 여자 형제들만 줄줄이 여섯이었다. 밀런 쿠피히트에겐 가문의 후계를 이을 책무가 있었다.

"게다가 반도라스 공작 영애는 어찌하고?"

일찍이 기사 서약도 마친 밀런은 심지어 곧 결혼할 약혼녀까지 있었다.

"네 여인이 될 여자에게 이따위 몹쓸 짓을 해선 안 돼. 돌아가."

"얼씨구."

밀런은 콧방귀를 꼈다. 꼭 저보다 훨씬 나이 많은 어른이 훈계하듯 말한다.

"넌 정략결혼도 안 하고 가문도 떠나서 출가를 한 주제에 지금 누구한테 훈계질이냐?"

"너와 난 상황이 달라."

"퍽도 다르겠다. 네 어머니께서 뒷골 잡고 쓰러지셨다고 하던데."

사실이었다. 칼스버그 대공과 자신의 형제들 역시 앞날을 빌어 주었지만 모친인 공작 부인은 아니었다.

알렉산드로는 한숨을 내쉬었다. 어머니의 가슴에 대못을 박고 집을 나와 버린 게, 유모의 눈물과 더불어 마지막까지 마음에 걸렸는데…… 밀런이 그걸 걸고넘어지니 할 말이 없었다.

결국 알렉산드로는 두 손을 들고 말았다.

"네 마음대로 해라."

밀런은 허락 같은 그 말에 함박웃음을 지었다. 금방이라도 환호성을 내지를 것 같은 그의 얼굴에 대고 알렉산드로는 엄한 목소리를 냈다.

"단, 날 따라오는 게 귀족 도련님이라면 그건 안 돼."

"뭐?"

"난 앞으로 내 신분과 이름을 드러내지 않을 생각이고, 나와 동행을 할 거라면 너도 그리해야 한다는 뜻이다."

"뭐 하러 그런 개고생을 하려고?"

밀런은 도저히 이해할 수 없다는 듯 놀라 되물었다.

"설마 너 돈 안 가지고 왔냐?"

알렉산드로는 제국에서 가장 명망 높은 가문의 자제였다. 그런 그가 부딪칠 만한 여자들은 한정되어 있었다. 하지만 베아트리체는 귀족으로 다시 태어나진 않았으리라. 그런 알 수 없는 확신이 들었다.

"마음에 들지 않으면 여기서 돌아가, 밀런."

"아, 알겠다고. 하여튼 성질하고는."

구시렁거리며 말에서 내린 밀런은 그를 따라서 야영할 준비를 했다.

'공작 가문의 고귀한 영식인 내가, 이런 숲속에서 야영을?'

단 한 번도 꿈꿔 본 적 없었다.

'난 대체 왜 이 고생길을 따라온 거야? 나 참.'

그냥 세상을 배우러 왔다고 생각하자. 부친도 같은 말을 하지 않았던가.

'천하의 쿠피히트가 거리에서 노숙을 하다니.'

그것도 가문의 후계자가. 속으로 구시렁거리던 밀런은 최대한 알렉산드로를 자극하지 않도록 조심스럽게 물었다.

"저기, 알렉산드로. 근데 계속 이렇게 길에서 잘 거냐?"

"그 이름으로 날 부르지 마라. 앞으로는."

"그럼 널 뭐라고 불러?"

그는 베아트리체를 대체 어떻게 찾아야 할지 많은 고민을 했다.

어떻게 서로를 알아볼 수 있단 말인가?

'마음 같아서는 그녀가 옆을 스쳐 지나가기만 한대도 알아챌 수 있을 것 같지만…….'

사랑은 그런 것이다. 당장 그녀가 보이지 않아도, 목소리가 들리지 않아도 여전히 심장은 빠르게 뛰었다. 그저 떠올리는 것만으로도 뜨거워지는 이 가슴은 분명히 사랑을 기억했다.

하지만 알렉산드로는 현실을 인지했다. 자신이 그녀를 찾았다 해도, 그녀가 자신을 알아보지 못한다면 어찌할 것인가?

"알렌이라고…… 불러라."

마음 같아서는 알렉산드로라는 이름을 그대로 쓰고 싶지만 그랬다가는 모욕죄로 황궁에 잡혀갈지도 모른다. 이 얼굴이 나이를 먹어 갈수록 전생의 얼굴을 매우 흡사하게 닮아 갔기 때문이었다.

머리색만 다를 뿐, 눈빛이며 이목구비가 거의 똑같았다. '알렉스'라는 애칭을 고집하는 것도 그래서였다.

"알렌? 알겠어. 알렌, 알렌이라……."

밀런은 몇 번 그 이름을 되뇌었다. 어쩐지 알렉산드로와 잘 어울리는 것 같았다.

"알렌!"

그가 환하게 웃으며 알렉산드로를 불렀다.

"……!"

순간 땔감을 모아서 불을 붙이던 알렉산드로가 우뚝 멈췄다. 말할 수 없는 큰 충격을 받은 그는 얼른 밀런을 돌아보았다.

"알렌?"

자신만큼이나 건장한 체격을 가진 밀런과 베아트리체가 겹쳐 보였다. 흠칫 몸이 떨렸다.

아니다. 남자로 태어났을 리는 없다. 아닐 거다. 알렉산드로는 얼른 말을 바꿨다.

"아, 아니, 알렉스로 하자."

알렌은 반드시 그녀에게만 불려야 할 이름이다.

"왜? 알렌도 잘 어울리는데."

"알렉스로 해. 절대로, 두 번 다시는 날 그렇게 부르지 마라. 알겠나?"

어딘가 굉장히 초조하게 느껴지는 그 말에 밀런은 영문도 모르고 알겠다고 대답했다. 알렉산드로는 이제 다른 게 걱정되기 시작했다.

"그런데 너, 부모님께는 말씀드리고 왔느냐?"

"물론이지!"

자신감이 느껴지는 목소리에 안도의 한숨이 나왔다. 그래, 아무리 철이 없어도 무턱대고 날 따라왔을 리가 없지. 그런데 뒤따르는 밀런의 천진난만한 말이 천둥처럼 귀에 박혔다.

"널 따라간다고 말했더니 1년 내로만 돌아오라 하시던걸?"

"뭐?"

알렉산드로는 못 들을 말을 들은 사람처럼 눈을 크게 떴다.

"지금 뭐라고……?"

"그게 그렇게 놀랄 일인가. 참, 파울 안테노르가 잘 갔다 오라고 축하 파티까지 열어 줬다. 어젯밤까지 술을 퍼먹었지."

자랑하듯 하는 말에 알렉산드로는 멍하니 허공을 응시했다.

"……너 지금 우리가 어떤 사이라고 소문이 났는지 정말 모르고 하는 말이냐?"

그가 별안간 신경질적으로 소리를 내질렀다.

"어쩜 그리 철이 없을 수가 있어!"

"아, 왜 소리는 질러!"

"날 따라간다고 말했다고? 머리가 있으면 생각을 좀 해라!"

"아, 나도 충분히 심사숙고하고 널 따라온 거라고!"

"차라리 네 부모님께 남색가라고 고백을 하지 그랬느냐!"

"……!"

밀런은 인형처럼 온몸을 굳히고 입만 벙긋거렸다. 아직 완전히 어둡진 않았기에 서로의 표정이 대낮처럼 확연히 보였다.

“네 약혼녀에게도 그리해서는 안 되었다!”

숲속을 쩌렁쩌렁 울리는 성난 알렉산드로의 목소리에도 밀런은 아무런 대꾸를 할 수 없었다.

“이제 모두가 우리를 두고 뭐라고 하겠느냐? 넌 네 가문과 부인이 될 여자까지 욕보였다! 이 머저리 같은 놈!”

막내라서 철이 좀 없긴 해도 그는 쿠피히트 공작 가문의 빼어난 후계자였다. 정석대로 기사 서약을 받고 수련까지 다녀와서 이제 곧 직책을 받아 황궁에서 활약할 인재.

게다가 밀런은 자신의 가문, 쿠피히트를 사랑했다.

단단히 열이 오른 알렉산드로는 한참을 자리에 서서 화를 삭였다. 저야 그런 소문이 돌아도 상관없지만 밀런은 그런 소문이 돌면 안 되었다.

“……알고 있었어?”

정신이 나간 것처럼 읊조리는 말에 알렉산드로는 목에 핏대가 설 만큼 큰 소리를 냈다.

“모를 리가 있나!”

“어떻게…… 어떻게.”

“부끄러운 줄 알아야지. 여자들도 그리 나를 쫓아다니진 않는다!”

그 말에 얼굴이 확 뜨거워진 밀런은 얼른 다른 곳으로 고개를 돌렸다.

“이제 정말로 우리 둘이 그렇고 그런 사이라고 떠들고 다닐 텐데, 그 뒷감당을 어떻게 하려고 나를 쫓아왔지? 아니, 뒷일을 생각이나 했느냐?”

“…….”

“안 되겠다. 넌 여기서 돌아가.”

“알렉스!”

밀런은 얼른 자리에서 일어나 그에게 매달렸다.

“너는 있을지 없을지도 모르는 운명의 여인을 따라 모든 것을 내던졌으면서, 나는 왜 안 된다는 거야?”

“우린 입장이 달라. 돌아가라.”

“딱 1년이다. 난 제국을 유랑하고 1년 뒤에 반도라스 공작 영애와 결혼하기로 약속했어. 부모님께, 그리고 나 자신에게도!”

알렉산드로는 답답했다. 제국에서 남색은 더 이상 유별난 일이 아니었다. 귀족들이 결혼을 해 놓고 정부를 두는 일은 흔하디흔했다. 남자들은 미동을 거느리고, 귀부인들은 애인을 시녀로 들였다.

귀족들의 정략결혼이란 어차피 가문과 가문의 결합일 뿐, 사랑은 없는 얘기였다. 그래서 알렉산드로는 자신을 따라오겠다는 밀런이 안쓰러웠다.

“이건 내 처음이자 마지막 반항이다.”

꼭 과거의 던칸이나 에반의 심정이 이랬을까 싶은 것이다.

“알렉스, 만약 네가 나 때문에 기분이 불쾌하다면 지금 돌아갈게. 하지만 단지 내 앞날이 걱정스러워 그런 거라면 그냥 널 따라가게 내버려 둬. 난 절대로 후회하지 않을 거니까.”

평생을 봐 온 밀런의 모습 중에서 가장 진지했다.

알렉산드로는 청량한 그의 녹색 눈동자를 잡아먹을 듯 뚫어져라 응시했다. 그 안에는 가문을 버리고 베아트리체와 함께 훌쩍 떠났던 자신도 있었고, 갓 성년이 된 엘리트 청년의 치기 어린 반항심도 있었다.

그리고 또 한 명이 보였다. 그를 생각하니 피식 웃음부터 나왔다.

알렉산드로는 하하하, 주변 공기가 울릴 만큼 대소를 터뜨렸다. 이렇게 진심으로 웃어 본 게 얼마 만인가.

간신히 웃음을 멈춘 그가 혼잣말을 하듯 뜬금없는 질문을 던졌다.

"어쩌면 그리 닮았지?"

갑자기 나온 알 수 없는 물음에 밀런은 이맛살을 구겼다.

"뭐?"

"너 말이다. 내가 오래전 알던 친구와 똑같이 닮았어."

네 하나부터 열까지, 그리고 지금 이 상황까지도.

"친구라니, 누구? 내가 모르는 네 친구가 어디 있어?"

"있다, 그런 놈이."

그가 자신을 따라서 전쟁터를 나가겠다기에 당시의 알렉산드로는 기사 서약도 하지 않은 네가 무슨 헛소리냐며 만류했었다. 그랬더니 그러는 것이다.

"내 저택의 집사를 시켜 달라고, 설마 너도 그런 말을 하는 건 아니겠지?"

"내가 미쳤냐?"

밀런은 황당한 얼굴로 되물었다.

"그리고 내가 언제 평생 널 따라다니겠다 하더냐? 공작가의 가주 자리를 두고, 뭐? 네 저택의 집사? 말 같지도 않은 소리를 참 정성스럽게도 지껄이는군."

씩씩대는 밀런을 보고 알렉산드로는 한결 가벼운 마음으로 대꾸했다.

"아니라면 됐다. 천만다행이군."

그리고 모아 온 땔감에 다시 불을 붙이는데 다시 실실 웃음이 나오기 시작했다. 이러고 있으니 마치 전생의 한 순간으로 되돌아간 것 같았다.

알렉산드로 칼스버그가 아니라, 알렉산드로 그레이엄으로.

"믿기진 않지만 네가 남색가가 아니라는 거, 나도 잘 알고 있어."

밀런이 쭈뼛대며 하는 말에도 알렉산드로는 그저 웃음만 나왔다. 일평생을 그 괴소문에 시달리고 죽어서까지 남색가였다고 알려졌으니 화가 날 법도 했지만 그리 기분 나쁘지는 않았다.

자신이 살았던 삶에 추호도 부끄러움이 없었기에, 남들이 자신을 두고 하는 말에 조금도 신경 쓰지 않았기 때문이었다.

"그러니…… 너무 기분 나빠하지 마."

"내가 기분이 나쁘다고 한 적 있었나. 그런 적 없다."

"네가 여자를 좋아하는 거 나도 잘 알고 있단 말이다. 그 운명의 여인이든 늙어 빠진 할망구든 간에 네게 여자가 생겨도 조금도 섭섭해하지 않을 테니 걱정 마라."

"그래, 안다."

"진심이야. 진심으로…… 네가 좋은 여자를 만났으면 좋겠어."

"그래."

알렉산드로는 대충 대답하고 금방 활활 타오르는 불길을 보고 돌을 옆에 쌓기 시작했다. 다행히 모래뿐이라 큰불이 날 일은 없어 보였지만 그래도 모를 일이었다.

"내가 이래 봬도 사내대장부가 아니냐?"

일을 마친 뒤 근처에 편하게 앉아서 불을 쬐던 알렉산드로는 그 말에 다시 크게 웃고 말았다.

"하하하!"

신나게 웃고 있는 그를 보고 밀런은 어리둥절한 표정을 지었다. 영문 모를 일이지만 일단 다행히도 알렉산드로가 허락한 것 같았다. 밀런은 아부를 섞어 말했다.

"알렉스, 네가 불도 피울 줄 알고. 정말 다시 봤다."

대공가의 도련님이면서 알렉산드로는 야영에도 꽤 능숙해 보였다. 적당히 땔감이 될 만한 나무를 찾아온 것도 그랬고, 불까지 피우는 데다 맨 바닥에 몸을 누이면서도 불쾌한 기색이 없었다. 원래가 무심하고 매사에 불평이 없는 남자이긴 했지만 일련의 행동들이 익숙해 보였다.

그의 눈치를 살피던 밀런은 슬쩍 도장을 찍었다.

"그럼…… 1년간 잘 부탁해."

"하아."

알렉산드로는 그대로 누워 달이 떠오르는 하늘을 응시했다. 밀런을 보내야 했지만 본인이 저렇게 의지가 강력하니 참 난감했다.

'앞으로 쿠피히트 공작을 어떻게 마주해야 하나.'

자신의 부친과 모친은 그 괴소문에도 별다른 말이 없었다. 그래도 이 여행에 밀런까지 따라왔다는 사실이 알려지면, 단둘이서 제국을 유랑한다는 얘기가 부모님께 들어가면 곤란해질 것이다. 하지만.

'내가 뭐라고 그의 인생에 참견한단 말인가.'

밀런도 제 나름대로 고민하고 내린 결정이었다.

'이미 엎질러진 물인 것을.'

게다가 그는 베아트리체가 어떤 신분의 여자라도 감수하고 다시 결혼할 생각이었다. 그러니 차라리 잘된 것 같기도 했다.

인생은 가끔 짓궂어서, 아주 별난 방법으로 길을 열어 주곤 했다. 지금은 알 수 없지만 어쩌면 이 역시도 미래에는 열쇠가 되리라.

"너도 다른 이름을 써라."

"뭐 얼마나 비밀스런 유랑을 한다고 이름까지……."

"아론은 어때?"

알렉산드로는 미소를 띤 채 밀런을 주시했다. 그러고 보니 밀런은 외모까지 아론을 닮았다. 그의 선조이니 그렇겠지만 체격도 얼추 비슷했다.

"알았어."

쉽게 그러 마, 하고 대답한 밀런은 짧은 한숨을 내쉬고는 자리에서 일어났다. 알렉산드로가 불을 피웠으니, 먹을 거라도 구해 와야 했다.

'날 버리고 가면 큰일이지.'

태어났을 때부터 친구라고 제겐 다정하기는 하지만 기본적으로 알렉산드로는 매우 까칠했다.

'지금은 그러려니 해도 조금만 귀찮게 굴면 길바닥에 버리고 갈지도 몰라.'

불안에 휩싸인 밀런은 열심히 제 할 일을 찾았다.

유랑은 별 탈 없이 계속되어 벌써 반년에 가까웠다.

그들은 어느새 제국의 동쪽에 다다랐다. 알렉산드로는 다른 영지로 넘어갈 때마다 크건 작건 마을을 들러 며칠간 머무르며 온갖 곳을 돌아다녔다.

논과 밭은 물론, 보육원이며 의료원까지 확인했다. 말 그대로 모래밭에서 바늘을 찾듯, 미친 듯이 돌아다니는 알렉산드로에 밀런은 혀를 내둘렀다. 스쳐 지나가는 여자도 얼굴을 확인하고, 심지어는 매음굴까지 찾아다녔다.

그 모습을 보고 기가 막힌 밀런이 넌지시 물었다.

'그 여자가 '거리의 여자'라도 상관없는 거냐?'

쿠피히트 공작가, 칼스버그 대공가는 그레이엄 황가와 가장 가까웠다. 귀족들 가운데서도 그들은 따지자면 가장 높은 위치에 있었다. 신분이 비천한 상대와는 품위가 상하기에 단순히 하룻밤이라도 함께 보내지 않는다.

'상관없다.'

그런데 주저 없이 나온 그의 대답에 밀런은 깜짝 놀라고 말았다.

미래의 아내를 위해서 제 정조를 지키겠다고 하는 이는 자신이 알기로 그가 유일했다. 알렉산드로는 그만큼 고귀한 성품의 남자였다. 그런데 자신이 찾는 여자는 길거리의 창부라 해도 괜찮다니……. 새삼 그가 얼마나 진지한지 깨달았다.

'칼스버그 가문이 좀 그렇긴 하지.'

혁신적인 생각을 가진 학자들을 많이 배출했지만 가문 자체는 매우 보수적이라, 황가에도 순종적인 충성을 바쳤다.

그 가풍을 따라서 저렇게 맹목적으로 한 여자만을 찾는가.

"근데 네가 찾는 그 여자 말이야."

비탈진 산길을 지나던 둘은 결국 가까운 민가를 찾지 못해 또다시 야영을 하게 되었다. 불을 피우기에 적합하지 않아 주위는 싸늘한 어둠과 적막으로 가득했다.

"네가 꿈속에서 봤다며."

알렉산드로는 밀런에게 그렇게만 설명을 해 두었다.

꿈속에서 본 운명의 여자. 자신의 하나뿐인 사랑.

아무리 절친한 친구라고 해도 '전생'에 대해선 말도 꺼내지 않았다. 더군다나 자신의 전생은 그레이엄 1세가 아닌가? 단순히 미친 생각이 아니라 이는 죄였다. 반역이고 모욕이었다.

"그런데 왜 인상착의도 몰라?"

"……잘 기억이 나질 않아. 어렴풋이 느낌만 생각난다."

거짓말이었다. 알렉산드로는 그녀의 머리부터 발끝까지 모든 것을 기억했다. 하지만 지금의 외모는 다를 수도 있었다.

"여려 보이지만 강인한 여자라고 했지? 사랑스럽고."

"그래. 불행 속에서도 행복한 여자."

그녀를 떠올리는 알렉산드로의 얼굴에 잔잔한 미소가 흘렀다.

"소심하지만 강단 있고……."

"진지하면서도 귀엽고?"

"그래. 따듯하지만 차가운."

"하, 나 참."

밀런은 어이가 없어 웃음만 나왔다. 이토록 추상적인 설명이 또 있을까?

"그런데 그 여자를 이 넓은 대륙에서 찾겠다고…… 너도 참."

쯧쯧, 밀런은 혀를 차며 고개를 내저었다. 친구가 안타까웠다.

"아버님께 약속한 1년이 되면 난 다시 수도로 돌아가야 해."

"그러도록 해라. 난 그녀를 찾을 때까지는 돌아가지 않을 거야."

"어이, 알렉산드로 칼스버그. 이만큼 떠돌았으면 슬슬…… 에이, 아니다."

밀런은 그만 포기하고 돌아가자는 말을 쉽게 꺼낼 수가 없었다. 그의 마음이 얼마나 거대한 것인지 옆에서 지켜보지 않았던가.

"난 괜찮다, 밀런."

물론 알렉산드로 역시 난감하고 절망스럽기는 마찬가지였다. 가끔은 설마 환생조차 하지 않은 여자를 혼자 찾아 헤매는 건 아닐까 하는 두려움이 엄습했다. 행여 그녀를 지나쳤으나 자신이 알아보지 못한 건 아닐까 하는 자괴감도 들었다.

어쩌면 자신이 기억하는 모든 것들이 실재가 아니라 헛된 망상은 아닐까 하는 걱정이 불쑥 솟아오르기도 했다.

그럼에도 그는 포기할 수가 없었다.

—그런데 아무리 생각해도 우리는 운명인 것 같아요.

그녀의 말이 계속해서 그를 움직이게 만들었다. 한평생 같이 살면서 느낀 바, 베아트리체의 말은 전부 옳았다.

그런 그녀가, 우리는 운명이라 말했다.

"그녀는 분명 어딘가에서 나를 기다리고 있을 것이다."

그를 둘러싼 모든 게 베아트리체와의 추억으로 이루어져 있었다. 밤하늘의 달과 별부터 길가에 피어 있는 꽃 한 송이, 매일같이 뜨고 지는 태양까지.

매순간 자신을 눈뜨게 하는 모든 것들이 바로 그녀였다.

"그러니 이대로 수도에 돌아가자는 말은 하지 마라."

"알았다. 에휴, 나중에 네 부모님께 뭐라고 말씀을 드려야 할지, 참."

"너 혼자 돌아왔으니 다행이라 생각하실지도 모르지."

알렉산드로는 장난처럼 말했지만 밀런은 장난으로 받아들이지 않았다.

"그래, 그럴 수도 있어."

둘은 마을에 들러 온갖 곳을 돌아다니다 마지막 날에는 신분을 알리고 영주의 저택에 머물렀다. 귀족 영애들을 만나기 위해서였다.

그런데 둘 다 아무리 아름다운 여자가 찾아와도 함께 밤을 보내지 않으니 가는 곳곳마다 그들을 의심했다. 심지어 어느 영주의 성에서는 둘에게 은밀히 한 침실을 권유했다. 참으로 기가 막히는 일이었다.

'황당하군.'

지금의 삶은 전생을 닮지 않은 듯, 교묘하게 닮아 있었다. 그래서 알렉산드로는 더더욱 포기할 수가 없었다.

"이봐, 무슨 소리 들리지 않아?"

말소리가 뚝 멎으니 고요하다고 생각했던 산속에 희미한 신음 소리가 들리기 시작했다. 이 야밤에, 어린 동물의 소리인가 했는데 아닌 것 같았다.

"한번 가 봐야겠어."

말릴 새도 없이 밀런은 벌떡 자리에서 일어나 끙끙대는 소리가 나는 곳으로 향했다.

"뭐지?"

밀런은 바위 틈 사이에서 정신을 잃고 쓰러져 있는 웬 젊은 여자를 발견했다. 바로 위는 깎아지른 듯 험한 절벽이었다.

'저 절벽에서 떨어졌나 보군.'

너무 험한 곳이라 밀런과 알렉산드로도 아침에 날이 밝으면 가려고 했다. 그런데 연약한 여자의 몸으로 왜 이 늦은 시간에 혼자 이곳을 헤매고 있었는지 알 수 없는 일이었다.

"이보시오, 아가씨. 아가씨!"

아무리 흔들어 깨워도 그녀는 눈을 뜨지 못했다. 얼굴과 몸을 꽁꽁 싸매고 있었지만 한눈에 보아도 상태가 좋지 않았다.

"이러고 잠들었다간 죽기 딱 좋겠는데……."

왜소한 저 체격 때문에 더 불쌍해 보이는지도 몰랐다.

밀런은 얼른 그녀를 둘러업고 돌아왔다. 바른 곳에 몸을 눕혀 두고 옆에 불씨를 피우기 시작했다. 몸이 따뜻해지면 정신을 차리지 않을까, 하는 생각이었다.

이제는 제법 익숙한 손놀림으로 장작을 모아다 불을 피우는 그를 보고, 알렉산드로는 힐긋 여자를 눈짓했다.

"책임이라도 질 생각인가?"

"그럼 죽게 내버려 둬? 죽어 가는 제국의 백성을 모른 척할 수는 없지."

당당한 발언에 알렉산드로는 속으로 혀를 찼다. 눈을 감고 있긴 했지만 대충 보아도 미인이었다. 이런 곳에서 만난 여자를, 그것도 몸도 성치 않은데 어떻게 데려갈 것인가?

"계속 가만있을 거야?"

나 몰라라 하는 그의 태도에 밀런이 채근했다.

"물이라도 좀 떠먹여 봐."

"……내가?"

"그럼 가녀린 여자가 죽어 가는 걸 쳐다만 보고 있겠다고? 시체를 봐야 마음이 편하겠어?"

결국 떨떠름하게 자리에서 일어난 알렉산드로는 자신의 식수통을 들고 여자에게 다가갔다. 그녀의 복면을 살짝 내리고, 물을 입술 사이로 흘려보내기 시작했다.

자세히 보니 그냥 미인이 아니라 아주 아름다운 미인이었다. 내려앉은 속눈썹은 길고 우아했고 눈썹은 단정했으며 코는 작지만 콧대가 곧고 피딱지가 앉은 입술은 도톰하고 붉었다. 몸을 전부 싸매고 있어 자세히 보이진 않았지만 머리카락은 갈색에 가까운 흑발이었다.

눈동자는 어떤 색을 하고 있을까. 혹시 내가 아는 그 사랑스런 눈망울은 아닐까…….

'내가 지금 무슨.'

알렉산드로는 고개를 흔들었다. 수많은 미녀를 봐 왔어도 감흥이 없었는데 갑자기 왜 쓰러져 있는 여자에게 이런 생각이 드는지 황당했다.

게다가 그녀는 베아트리체가 아니었다. 대충 보아도 귀족처럼 보였고, 무엇보다 그녀가 이렇게 뛰어난 절색으로 태어나진 않았을 것 같았다.

훗날 깨달았지만 베아트리체는 그저 '자신의 눈에만' 특별하게 예뻐 보이는 얼굴이었다. 다들 콩깍지라고 했다.

"으음……."

그때였다. 그녀가 고개를 뒤척이더니 천천히 눈꺼풀을 들어 올렸다.

순간 시간이 느릿하게 흘렀다.

보석 같은 그녀의 투명한 갈색 눈동자를 마주하는 그때. 알렉산드로는 온몸이 짜릿했다.

'혹시.'

심장이 뛰었다. 혹시 그녀가 베아트리체가 아닐까? 가만 보니 체격과 이목구비가 비슷한 것 같기도…….

"……헉!"

한데 그녀는 눈이 마주치자마자 얼른 몸을 일으켜 뒷걸음질 쳤다.

적대심 어린 눈빛.

낯선 타인을 보는 시선.

두려움과 경계심 가득한 그녀의 눈빛이 그를 아프게 찔러 댔다. 가슴이 아릿했다. 기대는 샅샅이 부서졌다.

베아트리체라면 이런 눈으로 저를 바라볼 리 없었다. 절대로.

"깨어났군! 아가씨, 겁내지 마시오."

잔뜩 놀란 여자를 보고 밀런은 두 손을 들어 그녀를 안심시켰다.

"우린 이상한 남자들이 아니라 그저 과객이오."

몸을 움직이다 다친 곳이 아팠는지 인상을 쓴 그녀가 사방을 둘러보기 시작했다. 밀런은 싱긋 웃으며 설명했다.

"여긴 안테노르 공작령이고, 이래 봬도 우리는 명망 높은 가문의 영랑이오. 그러니 품위에 어긋나는 행동은 하지 않소. 걱정할 것 없으니……."

하지만 여자는 경계심을 풀지 않았다. 멀리 떨어진 나무 아래로 도망친 그녀가 급히 돌을 쥐어 들었다.

"밀런, 네 호의의 결과다."

가만히 이를 지켜보던 알렉산드로는 힐난이 섞인 조소를 내뱉었다.

"목숨을 구해 줘도 고마운 줄 모르고 치한을 보듯 하는군."

"고, 고맙습니다."

여자는 그제야 감사의 인사를 했다. 하지만 복면으로 얼굴을 더욱 감싸 매고 눈치를 살필 뿐, 조금도 경계를 늦추지 않았다.

"귀족 아가씨가 맞소?"

밀런은 그런 그녀를 이해하는 듯 괘념치 않고 모닥불을 살피며 말을 걸었다.

"사정이 있다면 말할 필요는 없소. 우리도 때로는 신분을 숨기기도 하니까."

알렉산드로는 아무런 대꾸도 하지 않는 그녀를 샅샅이 살폈다. 대충 눈만 드러났지만 그럼에도 아름다운 여자였다. 시선을 뗄 수 없었다.

'이러면 안 돼.'

베아트리체를 두고 배반적인 마음이 들어 그는 일부러 고개를 돌렸다. 그러면서도 귀로는 그녀의 모든 것에 집중했다.

"으윽."

몸을 일으키려는지 부스럭대는 소리가 들렸다. 상태가 많이 좋지 않아 힘겨운 듯 끙끙댔다. 다행히 밀런이 이를 만류했다.

"밤이 너무 늦었으니 오늘은 그냥 여기서 아침을 맞고 길을 가시는 게 좋겠소."

"아닙니다."

꾸벅 인사를 한 그녀는 꼭 이 산을 벗어나야만 하는 것처럼 그대로 뒤도 돌아보지 않고 절뚝이며 산길로 향했다.

"쯧, 저러고 얼마나 갈 수 있을지."

안타깝지만 여자가 싫다는데 붙잡을 수는 없었다. 밀런은 그저 어깨를 으쓱하고 말았다.

알렉산드로는 말없이 여자가 사라진 곳을 응시했다. 기분이 이상했다. 위험하니 내일 함께 산을 나가자고 당장 그녀를 데려오고 싶은 마음이 굴뚝같았다.

'아니야, 난 베아트리체를 찾아야 한다.'

그게 마음에 걸렸다. 자신의 여자를 두고 그럴 수는 없었다. 지나친 호의는 죄였다.

결국 그는 뜬눈으로 밤을 지새우고 말았다. 그만한 미인은 수도에도 많은데, 그녀의 무엇이 그렇게 눈길을 끌었는지 도무지 알 수 없었다.

그저 여자가 자꾸 눈에 밟히고 걱정되어 불안하고 초조했다.

"어제 그 아가씨는 잘 갔으려나 몰라. 뭐 대단한 사연이라도 있는가 본데."

한적한 산속을 걸으며 무료했던 밀런은 어제 본 여자의 이야기를 꺼냈다.

슬쩍 친구를 살피니 역시나 안색이 좋지 않았다. 어젯밤 알렉산드로는 여자에게 말도 걸지 않았지만 내내 안절부절못했다.

"그리 예쁘진 않아도 웃으면 꽤 귀여울 것 같은데 말이야. 안 그래?"

"그만한 미인은 지천에 널렸다."

알렉산드로는 퉁명스레 대꾸했다.

"미인? 글쎄, 미인인지는 잘 모르겠는데…… 네 눈엔 미인으로 보였나 보군?"

"……."

"어떤 여자를 봐도 예쁘단 말이 없더니 네 나름의 보는 눈이 있었단 말이지……?"

곰곰이 중얼거린 밀런은 씩 웃으며 얼음장 같은 표정을 하고 있는 친구에게 다가갔다.

"대체 왜 그렇게 급하게 길을 가는 건지 물어볼 걸 그랬나? 너도 궁금하지 않아?"

"……."

"방향을 보니 콘래드 후작령으로 가는 것 같던데. 우리랑 가는 길이 같으니 가다 마주치지 않을까? 응?"

"……."

"미인이라며. 다시 만나고 싶지 않아?"

계속되는 밀런의 재촉에 알렉산드로는 짜증스런 한숨을 내쉬었다.

"언제부터 그렇게 생전 처음 보는 여자에게 관심이 많았지?"

"궁금하잖아. 그런 '미인'이 혼자 산속을 헤매는 게."

"두 번 다신 볼 일 없는 여자다."

알렉산드로는 일갈하고 자신의 말을 몰았다. 앞만 보며 길을 갔지만 머릿속엔 내내 여자의 생각뿐이었다.

"어?"

그런데 뒤를 따르던 밀런이 말을 멈췄다. 말에서 내린 그는 친구가 무심코 지나친 바위 뒤를 살피기 시작했다.

"하아, 하아……."

어젯밤 그 여자였다. 그녀가 큰 바위 뒤에 몸을 숨기고 밭은 숨을 내쉬고 있었다.

"이보시오! 아가씨!"

바위에 지친 몸을 기댄 채 잠들어 있던 그녀는 밀런의 외침에 번쩍 눈을 떴다. 흠칫 놀라며 사방을 둘러보는 모습이 누군가에게 쫓기기라도 하는 듯 몹시 불안해 보였다. 밀런은 미간을 좁혔다.

"아가씨, 혹시 콘래드 후작령까지 가는 거면 우리와 동행하시는 게 어떻소?"

제 친구에게 상의하지 않은 채 꺼낸 말이었지만 어차피 그는 반대하지 않을 터였다.

"난 서품을 받은 기사이니 무뢰한 이는 아니오. 다만 영애께서 성치도 않은 몸으로 이렇게 홀로 산을 넘어가시는 게 영 눈에 밟히는군."

밀런은 짐짓 점잖게 말했다. 그런데도 여자는 고개를 저었다.

"아닙니다."

"상태가 심각해 보여 그렇소. 승마를 배웠을 테니 내 말을 타시오."

알렉산드로는 묵묵히 뒤에서 두 사람을 지켜보았다. 밀런은 이제 막 성인이 된 청년이었으나 기사도 정신이 투철한 남자였다. 여자 형제만 여섯을 두었으니 더더욱 그냥 지나칠 수 없는 듯했다.

그런데 여자는 이번에도 완강히 거절했다.

"괜찮으니 길을 가시지요."

그녀를 지켜보던 알렉산드로는 저도 모르게 인상을 구겼다.

"융통성도 없군. 도적이나 산짐승을 만나는 것보단 나을 텐데."

"아가씨, 나도 내 친구도 그리 못 믿을 사람은 아니오. 그러니 동행을 합시다. 인적이 드문 곳이라 혼자서는 위험하오."

사실 밀런은 제 친구 때문에 그러는 것이었다. 그 자신은 모르는 듯했지만 여자를 보는 시선이 뜨거웠다.

알렉산드로가 저만큼 생물에 관심을 보이는 건 그의 첫 말이었던 작은 흑마뿐이었다. 아무리 제 눈에 '미인'이라도 저런 눈으로 사람을 보는 건 처음이었다.

"함께 갑시다."

밀런은 기왕이면 이 여자와 자신의 친구를 잘 엮어 주고 싶었다. 정체를 모르는 사연 있는 여자라고는 해도, 이름도 모르는 꿈속의 여자를 찾아다니는 것보단 훨씬 나았다.

게다가 차림새로 보아 여자는 귀족이었다. 칼스버그 대공 부부는 여자라면 누구든 알렉산드로의 짝으로 환영하겠지만 기왕이면 귀족인 게 나았다.

"됐습니다. 정말 괜찮으니 그냥 가세요."

하지만 연이은 거절에 결국 밀런은 몸을 일으켰다. 고집이 보통이 아니었다.

"정 그렇다면 어쩔 수 없군. 몸조심하시오."

다시 말에 올라탄 밀런은 그녀를 뒤로하고 말머리를 돌렸다. 찝찝하긴 해도 본인의 뜻이 저렇게 완강한데 납치해서 데려갈 수도 없는 노릇.

알렉산드로는 앞서가는 밀런을 따랐다. 그의 시선이 불안하게 흔들렸다. 머릿속이 복잡했다. 대체 무슨 사정인지 궁금했다.

'나와 상관없는 여자다.'

간신히 그렇게 생각하고 한참을 가니 다시 비탈진 길이었다.

"아주 쇠고집이구만."

여자들은 참 어렵다며 고개를 흔든 밀런은 순간 눈을 번쩍 떴다.

조용하던 산속에 갑자기 사나운 개 짖는 소리와 사람들의 말소리가 들렸다. 그가 뒤를 돌아보았다. 여자가 있던 방향에서 소리가 들려왔다.

"지금."

불길한 예감이 들었다. 고민하던 밀런은 친구와 눈을 마주쳤다.

"지금 저렇게 요란한 게 다 그 여자 때문인 것 같지?"

"……."

알렉산드로는 대답 대신 고삐를 쥐었다.

"가 봐야겠어!"

두 사람은 곧장 다시 길을 돌아갔다.

그러자 아니나 다를까, 몽둥이를 든 남자들과 그들에게 붙들려 안 간다며 심하게 반항을 하고 있는 여자가 보였다.

"이게 무슨 짓이냐!"

밀런과 알렉산드로는 주저 없이 칼을 빼어 들었다. 전후 상황은 몰라도 넘어진 한 여자를 두고 남자들이 발길질을 하는 게 정상은 아니었다.

"힘없는 여자를 지금……!"

"이보십시오, 나리."

앞에 나선 것은 멀쑥하게 생긴 귀족 남자였다. 그는 알렉산드로와 밀런의 행색을 빠르게 살폈다. 타고 있는 말부터, 들고 있는 칼까지 무엇 하나 빛나지 않는 게 없었다.

"보아하니 기사님들 같습니다만, 제 부인이니 신경 쓰실 것 없습니다."

알렉산드로는 그 말에 더욱 황당하여 물었다.

"네 아내를 왜 그렇게 다루느냐?"

그러자 남자는 흙에 침을 한 번 뱉고는 들으라는 듯이 여자를 향해 손가락질했다.

"글쎄, 이년이 결혼식 도중에 도망을 갔습니다."

"……!"

밀런은 깜짝 놀라고 말았다. 결혼은 가문끼리 이어지는 중대한 혼사인지라 생판 남인 자신들이 나서서는 안 되는 일이었다.

"저도 서품을 받은 기사입니다. 정말 이러고 싶지 않지만, 결혼한 계집이 도망을 갔으니 이걸 가만둘 수 있겠습니까? 예?"

게다가 여자가 도망을 갔다니. 이는 제국법상 중죄에 해당했다. 더욱이 남자가 기사이고 그녀가 귀족이라면 지참금 액수가 컸을 테니 양쪽 가문에 큰 수치였다. 남자 쪽 가문에도 누를 끼쳤을 것이며 여자 쪽도 불명예인 것은 마찬가지였다.

이를 증명하듯 그녀의 얼굴이 이미 울긋불긋했다. 한숨을 내쉰 밀런은 안타까움에 말했다.

"그래도 가녀린 여자에게…… 저렇게 폭력을 쓰다니."

알렉산드로 역시 거들었다.

"네 가족이 될 이가 아니냐? 어차피 더 이상 도망칠 수 없을 테니 자비를 베풀어라."

"예, 알겠습니다."

처음 본 타인의 참견이었지만 딱 봐도 그들은 높은 신분의 귀족 영식이었다. 여자의 남편은 속이 쓰렸지만 고개를 숙여 인사했다.

"산세가 험하니 경들께서도 조심히 하산하십시오."

불편한 마음을 뒤로하고 알렉산드로는 애써 칼을 거둔 채 자리에서 돌아섰다.

그런데 그 순간 무슨 힘인지 여자가 단번에 달려와 그의 다리를 붙잡고 늘어졌다.

"기사님! 제발 살려 주세요!"

눈물로 범벅이 된 멍든 여자의 얼굴을 마주하니 가슴이 미어졌다. 머리부터 발끝까지 척추를 따라 전기가 오르듯 아찔했다.

"이 결혼은 부정한 혼사예요!"

"어허, 이년이 아직도 정신을 못 차리고 감히 누구한테……!"

많은 사람들의 말소리며 기척이 있었지만 멀리서 둥둥 떠다닐 뿐, 세상에 오직 여자와 단둘인 것 같았다.

"제발 도와주세요, 기사님!"

그녀의 맑은 갈색 눈동자에 비친 자신은 앳된 청년이었다. 전생의 순간이 아닌데도 마치 그때로 돌아가 베아트리체의 눈에 비친 제 모습을 보는 것만 같았다.

"제발 살려 주세요!"

가슴이 미친 듯이 뛴다…….

실로 오랜만에 느낀 아주 기묘한 감정이었다.

알렉산드로는 그 정체를 알았다. 제 거친 삶을 버티게 만들었고 결국은 모든 걸 행복으로 이끌었던, 사랑이었다.

이 숭고한 감정은 죽은 듯이 제 깊은 곳에서 숨 쉬고 있다가 지금에서야 고개를 들었다.

이 낯선 여자를 향해서.

"기사님, 제발……!"

알렉산드로는 멍하니 그녀의 곳곳을 살폈다.

부디 제가 아는 그녀가 있기를. 저를 아는, 사랑하는 남자를 바라보는 그 애틋한 눈빛이 제발 그녀에게 있기를!

"기사님!"

하지만 그 어디에도 저를 사랑하는 여자는 없었다. 그랬기에 알렉산드로는 더욱 미친 듯이 그녀에게서 베아트리체의 흔적을 찾았다.

머리부터 발끝까지 눈으로 샅샅이 훑었다. 작은 체구, 작고 오뚝한 코, 작은 손, 또랑또랑한 저 눈동자…….

어쩌면, 어쩌면……!

"기사님! 제발 자비를 베풀어 주세요!"

"이년이 더 맞아야겠구나!"

"기사님! 기사님! 아악!"

"겁대가리를 상실했어, 네년이!"

여자를 잡아챈 우악스런 손길 때문에 알렉산드로는 저도 모르게 손을 내밀었다가 멈칫했다.

"저는 연인이 있는 몸이니 이 결혼은 할 수 없어요!"

"헛소리 말고 가자, 레이첼!"

그녀는, 베아트리체가 아니었다.

결국 레이첼을 두고 돌아섰지만 여전히 그의 머릿속엔 그녀뿐이었다.

알렉산드로는 미칠 것만 같았다. 당장 돌아가 데려오고 싶었지만 마음에 걸리는 게 한두 가지가 아니었다.

'오직 한 여자만을 사랑하겠다고 맹세하지 않았던가.'

사랑은 베아트리체에게만 느낄 수 있으리라 자신했던 스스로에게 부끄러웠다. 어딘가에서 저를 기다릴 그녀에게도 미안했다.

자신의 이 고귀한 감정은 영원히 변치 않고 그대로일 것이라 믿었기에, 더욱 창피했다.

혹시 레이첼이 베아트리체가 아닐까, 머리색은 조금 달라도 그렇지 않을까 했지만 그녀는 자신의 짝이 아니었다.

—저는 연인이 있는 몸이니 이 결혼은 할 수 없어요!

죽고 못 사는 연인이 있다지 않는가. 바로 그 연인 때문에, 남편을 등지고 도망친 게 아니던가.

이대로 포기해야 하지만 질투가 타올랐다. 얼굴조차 모르는 남자를 찾아가 죽여 버리고 싶을 만큼.

작고 가녀린 여자에게 그 고생을 시키고, 수모를 견디면서까지 혼자 도망치게 만든 그 남자가 밉고, 저주스러웠다.

"하!"

황당했다. 고작 길거리에서 만난 여자에게 무슨 생각을 하는 건지.

'베아트리체도 아닌데.'

훌훌 털어 버리려 고개를 흔들었지만 아무것도 변하지 않았다.

옆에서 그런 친구를 지켜보던 밀런이 결국 말을 멈춰 세웠다.

"어이, 알렉산드로 칼스버그."

껄렁한 말투였으나 밀런의 얼굴은 더없이 진지했다. 가문의 성까지 부르기에 알렉산드로는 그를 따라 자리에서 멈춰 섰다.

"쿠피히트, 무슨 일이지?"

친구의 선량한 얼굴을 보던 알렉산드로는 그가 이상하게 심각한 표정을 하고 있기에 재촉하려 다시 입술을 열었다. 하지만 밀런이 더 빨랐다.

"너 후회하지 않겠냐?"

밑도 끝도 없이 나온 질문이었으나 알렉산드로는 그의 의도를 이해했다.

"결혼식에서 도망친 부정한 여자다. 그런 부덕한 여자에겐 관심 없어."

도리에 맞는 답변이었다.

"그래? 정말이냐?"

"그래."

그와 대치하듯 한참 얼굴을 마주하고 있자 다시 사방이 고요해졌다.

"진심이다, 밀런."

"……."

완벽한 콧대와 푸른 눈동자, 그리고 고집스레 꾹 다물린 입술. 아름다운 친구의 얼굴을 들여다보던 밀런은 피식 웃으며 말머리를 돌렸다.

"넌 거짓말은 하지 마라, 알렉산드로."

밀런은 왔던 길을 돌아서 내달렸다.

"밀런!"

뒤에서 들리는 친구의 놀란 목소리는 무시하고, 더 고삐를 당겼다. 말은 힘차게 땅을 박차고 달렸다. 순식간에 속도가 붙었다.

"난 기사다! 여자가 저런 상황에 처한 걸 보고서도 그냥 지나칠 순 없어!"

우렁찬 그의 목소리에 알렉산드로는 재빨리 대답했다.

"그녀는 결혼식에서 도망친 신부다, 밀런! 가문끼리의 일이야! 우리가 상관할 일이 아니다!"

그를 말리려 했지만 도리어 밀런은 신이 난 듯 더욱 빨리 달리기 시작했다.

"도망친 신부인지 신전에서 일하는 신부인지 난 못 들었다!"

그러고는 달려 나갔다.

알렉산드로는 결국 자리에서 멈춰 섰다. 그를 끝까지 따라가서 말렸어야 했지만 그렇게 하지 못했다.

"젠장!"

베아트리체를 찾겠다 해 놓고는 다른 여자를 생각하느라 말에서 떨어지다니, 수치스러웠다.

내심 밀런이 레이첼을 데려오길 바라는 자신이 싫었다. 그는 실망스러움에 가슴을 두드렸다. 스스로가 이토록 답답하고 한심한 적은 처음이었다.

"네가 정말 미친 게 아니냐?"

알렉산드로는 주저앉아 목을 축이는 밀런을 보고 고개를 내저었다.

"진심으로 제정신인지 궁금하다. 머리가 있으면 생각을 좀 하고 움직여야 할 게 아니냐? 그런데 넌……."

싸늘하게 굳은 친구의 얼굴을 보면서도 밀런은 헤헤 웃었다.
"이거 왜 이래. 우리 아버님 빙의했냐?"
장난스러운 대꾸에도 알렉산드로는 심각한 표정을 지울 수 없었다. 그는 구석에서 몸을 웅크리고 있는 레이첼을 손가락질했다.
"대체 어쩌려고 저 여자를 데려왔지?"
"난 법대로 했어. 제국의 기사는 맞고 있는 여자를 내버려 둬선 안 돼."
"저 여자는 결혼식에서 도망쳤으니 죄인이다. 게다가 간음까지 한 부정한……."
"그 자리에 있던 이들은 모두 죽었어."
"뭐?"
"그 누구도 저 여자가 어떻게 되었는지 모른단 말이다, 알렉스."
몇 놈이 도망치긴 했지만 그 몸으로 멀쩡히 쫓아오진 못할 것이다.
"더 이상 헛된 꿈속의 여자는 그만 찾고, 네 현실을 돌아봐."
알렉산드로는 사납게 그의 멱살을 잡아 올렸다.
순식간에 몸이 완전히 일으켜진 밀런은 처음 보는 친구의 흉흉한 표정에 결국 입을 다물었다.
"내 여자에 대해서 더 이상 지껄이지 마라."
낮은 목소리가 경고하듯 흘러나왔다. 새파란 눈동자가 불길이 인 것처럼 활활 타올랐다.
"내 일은 내가 알아서 해."
알렉산드로는 그를 밀치듯 놓아주었다. 그리고 애써 화를 삭이며 레이첼을 눈짓했다.
"네가 데려왔으니 네가 책임져라."

"알겠어, 알았다고. 흠, 오늘은 날이 이미 저물었으니 여기서 머물러야겠군."

대충 고개를 끄덕인 밀런은 레이첼을 데려오면서 그녀가 했던 말을 떠올렸다.

—은혜는 평생 갚겠습니다, 감사합니다. 감사합니다, 기사님.

레이첼은 울면서 몇 번이고 머리가 땅에 닿도록 인사를 하며 감사를 표했다.

"내가 데려가지, 뭐."

그 말에 레이첼은 얼른 다시 몸을 일으켜 그에게 넙죽 엎드렸다.

"감사합니다, 기사님. 평생 은인으로 삼겠습니다."

알렉산드로는 몰골이 말이 아닌 그녀의 모습을 훔쳐보다 다시 고개를 돌렸다.

엉클어진 머리카락이며 핏물이 밴 옷자락을 보니 안쓰러워 미칠 것 같았다. 몸을 일으켜 주고 이제 다 괜찮을 거라고 다독여 주고 싶었다.

'말도 안 되는 생각.'

대신 주먹을 꾹 움켜쥔 그는 일부러 풀을 뜯고 있는 말에게 향했다. 하지만 귀는 여전히 그녀의 목소리를 쫓았다.

"그래, 네 처지가 불쌍해 데려오긴 했다만 도망친 신부라니, 이것 참."

"예, 게다가 저는 정인이 있습니다. 그러니 제발 저를 가엾게 여기시고 저를, 저를……."

그녀가 차마 뒷말을 잇지 못하자 밀런은 진즉 그 뜻을 알아챘다.

"난 여색을 하지 않는다. 내 친구 역시 정인이 있고. 보다시피 앞뒤가 꽉 막힌 놈이라 법도에 어긋나는 짓은 절대로 하지 않지. 그러니 걱정할 것 없어.”

“감사합니다, 기사님!”

레이첼은 황금이라도 발견한 사람처럼 번뜩 고개를 들었다.

“저는 잡일을 잘하니 데려가면 반드시 도움이 될 것입니다. 제발 저를 종으로 데려가 주세요.”

“그런데 너를 데려가서 어쩌지? 나도 약혼녀가 있거든. 성질머리가 아주 대단한.”

반도라스 공작 영애를 떠올린 밀런은 골치 아픈 듯 미간을 찌푸렸다. 파혼은 결코 쉽지 않았다.

“너, 우리 가문의 하녀가 되겠느냐?”

레이첼은 얼른 고개를 끄덕였다.

“네, 네. 좋습니다. 뭐든…….”

“그래. 네 신분을 밝힐 수가 없으니 시녀로 들이지는 못한다. 우리 가문은 꽤 까다롭거든.”

“하녀라도 괜찮습니다, 기사님!”

“그래. 참고로 우리 집엔 누님들만 여섯 분이 계신다.”

아무래도 상관없다는 듯 레이첼은 열심히 고개만 끄덕였다. 어차피 그녀는 결혼식에서 도망쳤으니 까딱하면 신분을 잃고 자유민으로 팔려 갈 판이었다. 이미 세 번을 도망쳤으니 그 전에 맞아 죽을 확률이 더 높았다.

무엇보다 이제, 돌아갈 곳이 없었다.

“감사합니다.”

레이첼은 귀족가의 영애였지만 신분 미상의 자유민 하녀가 되는 게 조금도 두렵지 않았다.

"정말 감사합니다, 기사님. 감사합니다."

눈물을 닦을 생각도 하지 못하고 연신 고개를 조아리는 그녀를 보고 알렉산드로는 마음이 쓰려 툭 소리쳤다.

"참 멍청하군!"

몸을 움찔한 레이첼은 처량한 눈을 하고 그의 눈치를 살폈다. 여기서 버려졌다간 안 봐도 뻔한 처지였다. 저 남자의 비위를 맞춰야 했다.

"신경 쓰지 마라. 네가 모시는 주인은 내가 아니냐?"

잔뜩 주눅 든 모습을 본 밀런은 얼른 그녀를 다독였다.

"이제 그만 울고. 얼굴도 닦아라. 자."

그는 원래 여자들이 우는 꼴은 못 보는 성정이었다. 그래서 일부러 더 자상하게 말을 건네며 손수건을 내밀었다.

"마음 같아서는 안전한 곳을 찾아 너를 데려다주고 싶다만 우리도 가야 하는 길이 있거든."

"갈 곳이라니요. 제 처지에 신분도 없이 떠돌면 어떤 꼴을 당하겠습니까?"

레이첼은 간절하게 밀런의 소매를 붙들었다.

"기사님을, 아니 주인님을 따라가는 것이 백번 낫습니다."

레이첼은 죄인으로 도망 다니며 사느니 차라리 어느 가문의 하녀로 사는 게 나았다.

"그래. 그들 중에 네 숙부와 남편이 있었지? 내가 그들에게 너를 산 걸로 하자."

이미 죽었으니 누가 알겠느냐, 하는 말에 레이첼은 그저 고개를 조아렸다.

"정말 감사합니다. 저를 다른 곳에 보내지만 않으신다면 품삯을 받지 않아도 좋으니 열심히 일하겠습니다."

이제 제국에는 노예 제도가 없다. 하지만 자유민 중에는 노예처럼 일해야 하는 하층민들이 존재했다. 하녀처럼 턱없이 적은 월급을 받으며 고된 일을 하는 여종이 그랬다. 주로 가난한 농민들이 돈을 받고 자식을 귀족 저택의 남종, 여종으로 보내곤 했다.

하녀의 취급이나 노동의 강도, 주인의 소유처럼 여겨지는 점에서 하녀는 기실 노예나 다름없었다.

"평생 기사님의 하녀로 일하겠습니다."

그건 자신을 결혼시키거나 밤 시중을 시키지 말아 달라는 간곡한 청이었다.

돈도 받지 않고 일하겠다니. 미련한 소리지만 그녀가 너무나 간절해 보였기에 밀런은 고민하지 않고 대답했다.

"그래, 알겠다."

또다시 감사하다며 고개를 숙인 그녀와 눈높이를 맞춘 밀런은 다정하게 덧붙였다.

"이제 우리 가문의 하녀가 되었으니 내 이름을 말해 주지. 난 밀런 쿠피히트다."

"쿠피히트요?"

깜짝 놀라 되묻는 레이첼의 얼굴을 보고 밀런은 그녀의 손에 있던 손수건을 대신 쥐고 눈가에 묻은 피를 닦아 주었다.

"너무 놀라지 마라. 내 친구는 알렉산드로 '칼스버그'니까."

"세상에나."

쉽게 들을 수 없는 수도 귀족들의 이름이었다. 레이첼은 정신이 아득했다. 제국의 역사에 관심이 많아서 이들을 잘 알고 있었다.

'칼스버그, 쿠피히트 가문은 황가와 가장 가까운 대귀족이잖아?'

이 거물들이 단둘이서 왜 이런 변방을 여행하고 있는 걸까? 궁금하지만 차마 물어볼 수는 없었다.

'이분들을 만나다니.'

어안이 벙벙했다. 책에서나 보던 개국 공신 가문. 레이첼은 쿠피히트, 칼스버그, 반도라스 가문을 좋아해서 가문에 얽힌 이야기들을 찾아보곤 했다.

저와 상관없는 먼 곳의 이야기지만…… 꼭 아는 사람들의 일처럼 관심이 갔다. 묘하게도. 그런데 그 가문의 도련님들이라니.

"네 이름은 무엇이지? 레이첼?"

"예, 저는 레이첼이라 합니다. 키아스 도미닉 백작의 세 번째 여식입니다."

"그래, 그렇구나."

대충 대답을 하긴 했지만 밀런은 모르는 이름이었다.

"예쁜 얼굴에 이렇게 흉이 졌으니 어쩌냐?"

그 자상한 말에 레이첼은 코끝이 찡했다. 그쳤던 눈물이 눈가에 가득 차올랐다. 그녀는 원래 눈물이 많은 성격은 아니었으나 이들의 가문을 알고 나니 더욱 설움이 북받쳤다.

이상하게 낯설지 않고, 제 가족을 만난 것처럼 안심되었다.

"그만 울거라. 난 여자가 우는 게 세상에서 제일 싫어."

레이첼은 열심히 눈물을 닦아 냈다. 그럼에도 계속해서 흘러넘쳤다.

제 인생은 대체 왜 이렇게 고달픈지, 어쩌다 이렇게 꼬였는지. 모든 게 서러웠다.

"네 신분을 잃는 게 아쉬워 그러냐?"

"아닙니다. 조금도 아쉽지 않아요. 절대 아닙니다."

"그럼 그만 울어. 더 울면 버리고 갈 거니까."

그 말에 레이첼은 목에 힘을 주고 눈물을 꾹 참았다.

그녀가 끅끅거리며 숨죽여 우는 소리를 듣던 알렉산드로는 불을 피우다 말고 장작을 내던졌다.

"멍청하고 미련하기 짝이 없어 차마 봐 줄 수가 없구나!"

갑자기 터져 나온 큰 소리에 밀런과 레이첼은 동시에 흠칫 떨었다.

"뭐? 돈을 받지 않고 평생 일을 하겠다? 네 신분을 잃는 게 조금도 아쉽지 않아?"

아예 그들을 향해 돌아선 알렉산드로는 저도 모르게 화를 냈다.

"하녀로 사는 게 얼마나 비참하고 처절한 인생인지 어찌 알고 그렇게 쉽게 말을 하느냐? 네가 대체 뭘 각오하고 그따위 소리를 해!"

"알렉스, 왜 그렇게 화를 내고 그러냐?"

목에 핏대가 설 만큼 사나운 친구의 모습에 밀런은 머리를 긁적였다.

"재가 괜찮대잖아. 본인이 그게 더 낫다는데 왜. 그리고 너는 뭐 하녀로 살아 봤냐? 얼마나 비참하고 처절한지 네가 어떻게 알아?"

밀런은 억울한 듯 주절거렸다.

"우리 집안 그렇게 박하지 않다. 누님들이 조금 까다로워서 그렇지……."

하지만 알렉산드로는 친구에게 시선을 두지 않았다. 그는 처음부터 레이첼에게서 눈을 떼지 않고 있었다.

"저 계집이 얼마나 발칙한지 봐라."

그가 어쩔 줄 모르고 땅을 헤매는 갈색 눈동자를 향해 힐난의 말을 내뱉었다.

"감히 결혼을 약속해 놓고도 뻔뻔스레 정인이 있다 말하고, 결혼을 깨고 도망친 것도 모자라 이제는 겁도 없이 하녀로 살겠다 하지 않느냐?"

레이첼은 두 무릎을 모아 푹 고개를 수그렸다. 그의 말이 맞긴 하지만 그녀에겐 저만의 사정이 있었다.

"네 까짓 게 평생 상상도 해 보지 못한 바닥 같은 삶이다."

그가 빠득 이를 갈며 말했다.

"구해 달라 그리도 애원을 했으면 편하게 살게 해 달라 말해야지, 아둔한 계집이 주제에 얼마나 교만하기에 장담하지 못할 말을 그리도 쉽게 지껄이느냐?"

자신을 비난하는 말에도 레이첼은 묵묵부답이었다. 알렉산드로는 그런 태도에 더욱 열이 받았다.

성큼 그녀에게 다가간 그는 작은 턱을 쥐고 고개를 들어 올렸다.

"입이 붙었나 보구나. 밀런에겐 잘도 나불거리더니."

레이첼은 덜덜 떨리는 몸을 움츠렸다. 싸늘한 그의 얼굴을 마주보기가 두려웠다.

밀런은 저를 구하느라 그 자리에 있던 모두를 죽이고도 어떤 감정 변화도 없었다. 아무렇지 않은 듯. 그랬던 그가 알렉산드로 칼스버그에게는 꼼짝 못 하는 이유가 있을 터였다.

"아니, 왜 애한테 화풀이를…… 어휴."

단순히 알렉산드로가 심히 긴장하여 위압적이기에 그런가 했는데, 눈앞에서 보니 기세가 여간 살벌한 게 아니었다.

"말해라. 네 그 잘난 정인을 따라가지 않고 결혼은 왜 했지?"

그의 악력에 붙잡힌 턱이 아팠다. 레이첼은 자신의 고단한 신세를 탓했다.

말하자면 참 길고도 복잡하고 다난한 삶이라, 대체 어디서부터 이 길고도 긴 삶을 풀어 놔야 할지 모를 일이었다.

아니, 이 삶은 어디부터가 제 것이고 어디부터가 제 것이 아닌지도 몰랐다.

"제 정인은…… 이 세상에 없습니다."

"하! 그럼 죽고 없는 남자 때문에 결혼식에서 도망쳤단 말이냐?"

참으로 우스운 얘기를 듣는다는 듯 자신을 비웃기에 레이첼은 순간 참지 못하고 그를 노려보았다.

그 누구에게도 제 사랑을 비웃음당할 이유는 없었다. 하지만 그에게서 날아오는 화살은 뾰족하고 날카로웠다.

"그럼 네 정인을 따라갈 것이지 결혼은 왜 했느냐?"

차라리 따라 죽지 그랬느냐는, 엄청난 말이었으나 알렉산드로에게는 그리 어려운 것이 아니었다. 그는 사랑한다면, 지조를 지키기 위해서 충분히 그럴 수 있다고 생각하는 남자였다.

"삶을 포기할…… 그런 용기는 없었습니다."

레이첼의 말에, 그의 입가에 비릿한 조소가 따라붙었다.

그러면 그렇지.

네 사랑은 고작 그 정도 아니냐.

힐난이 섞인 시선에 레이첼은 당황스러워 고개를 숙였다. 지조가 없다는 비난은 생전 받아 본 적이 없었다. 그런데 이 남자 앞에선 고작 사랑을 변명 삼아 도망친 겁쟁이가 된 기분이었다.

"네가 품은 그 비겁한 감정을 감히 사랑이라 말하지 마라."

그가 쳐다보기도 역겹다는 듯 눈살을 찌푸렸다. 레이첼은 번쩍 고개를 쳐들고 변명했다.

"하지만 결혼은 제 뜻으로 한 게 아니었습니다."

그러자 그가 기가 찬다는 듯 피식 웃었다.

"그렇다면 네 가문도, 네 남편의 가문도, 네가 사랑한다는 남자까지, 모두."

잔인한 말이 비수처럼 꽂혔다.

"배신한 셈이로군."

그녀의 처연한 갈색 눈동자를 가만히 들여다보던 알렉산드로는 부서질 것 같은 작은 턱을 놓아주었다.

"너같이 부덕한 계집은 상대할 가치도 없다."

싸늘한 말을 남기고 뒤돌아선 그의 뒷모습을 보며 레이첼은 눈물이 터져 나왔다. 서러워 죽을 것 같았다.

'나는 대체 왜.'

그녀가 사랑하는 남자는 누구인지, 정말 존재하는지, 어떻게 생겼는지, 자신을 아는지, 그를 대체 어디서 어떻게 찾아야 하는지…….

그녀는 아무것도 알 수 없었다. 아는 것은 그의 다정한 목소리뿐이었다.

—너를 사랑한다.

—너를 정말 많이 사랑한다.

레이첼은 아주 어릴 때부터 그의 목소리를 들었다.

—다시 태어나도 또 너를 사랑할게.

그 남자는 낮이고 밤이고 시시때때로 레이첼의 머릿속에서 속삭였다.

—나 자신보다도 너를 더 사랑해.

—사랑한다. 정말 많이…….

그는 세상에서 가장 다정하고 부드럽고 상냥한 남자였다. 어찌나 절절하고 조심스럽게 사랑을 고백하는지 레이첼은 그 굵고 낮은 목소리도 편안하게만 느껴졌다.

'대체 이 남자는 누구일까?'

무척 궁금하지만 레이첼에겐 그의 사랑 고백만 들렸다. 목소리 말고는 더 아는 게 없었다. 그의 이름도, 얼굴도, 심지어 그를 어디서 만났는지도 몰랐다.

'왜 자꾸만 이 목소리가 들리는 거야? 이 남자가 나와 어떤 관계이길래?'

자신이 미쳐 가는 건 아닌지 고민을 거듭하던 어느 날이었다.

—입맞춤으로…… 영원한 사랑을 맹세합니다.

갑자기 들렸다. 결혼 서약이었다.

'내가 이 남자와 결혼을?'

레이첼은 어렴풋이 예상했다.

몹시 애절하게 자신을 사랑한다는 한 남자. 어릴 때부터, 10여 년을 끈질기게 들려온 그의 목소리.

—다시 태어나도 또 너를 사랑할게.

정말 뚱딴지같은 일이지만 어쩌면, 만약 전생 같은 게 있다면 이 남자와 연인 관계였던 게 아닐까?

'하지만 현실이 아니잖아.'

레이첼은 나이를 먹어 갈수록 혼란스러웠다. 현실과 동떨어진 일이라 치부하고 무시하기엔 어릴 때부터 들어 온 그의 사랑 고백이 거의 세뇌 수준으로 머릿속에 박혀 있었다.

그렇다고 이름도, 얼굴도, 어디 사는지도 모르는 남자를 찾아갈 순 없는 노릇.

레이첼은 최대한 그를 잊으려고 노력했다. 그의 결혼 서약과 사랑 고백은 혼자만의 몽상에서만 존재하는 신기루 같은 일이었으리라, 마음은 아프지만 그냥 그렇게 치부하려 했다.

그런데 도저히 잊히지가 않았다.

시도 때도 없이 머릿속에서 불쑥불쑥 사랑 고백을 하는데, 다른 남자를 마음에 담고 사랑할 수 있을 리 만무했다. 그 남자를 두고 다른 남자와 결혼을 하고 연인이 된다는 게 상상도 되질 않았다.

결국 레이첼은 제 아버지에게 자신은 독신으로 살겠다고 선언했다.

다행히 아버지는 그 뜻을 따라 주었다. 하지만 아버지가 돌아가시자마자 숙부가 가문의 가주가 되어 그녀를 팔아 치우려고 했다.

저를 도와줄 이가 아무도 없는 것을 깨닫고 몰래 집을 도망쳐 나왔으나 붙잡혔다. 숙부는 반항하는 그녀를 벌주듯, 가장 많은 지참금을 주는 이와 결혼을 시키겠다고 했다.

결정된 그녀의 결혼 상대는 부인을 죽였다는 소문이 있는 미치광이였다.

'나더러 그의 네 번째 부인이 되라고?'

결국 두 번째 도망도 실패하고, 레이첼은 이번에도 실패하면 그냥 죽겠다는 다짐으로 세 번째 도망쳤다.

'대체 내 삶은 왜 이럴까.'

참담한 기분이었다. 고귀한 신분을 가졌으나 그녀는 조금도 감사하지 않았다. 농민의 딸이든 귀족의 딸이든 가장에 의해서 남의 집에 팔려 가는 신세는 똑같았다.

"그만 울어라."

낙심하여 뚝뚝 눈물만 흘리고 있는 그녀를 보고 밀런이 다가왔다. 그는 안쓰러워서 어쩔 줄을 모르고 혀를 찼다.

"쯧쯧, 나중에 얼마나 후회하려고 네게 저러는지 모르겠다."

다만 그가 안쓰러워하는 대상은 레이첼이 아니라 바로 알렉산드로였다.

"저놈이 저렇게 말이 많은 건 나도 처음 보는데."

밀런은 알렉산드로의 감정이 고스란히 보였다. 그의 시선은 언제나 친구를 따라다녔으니 모를 수 없었다.

마치 반듯이 펼쳐진 책의 한쪽처럼, 빤히 들여다보이는 감정을 왜 저렇게 힘들게 부정하려 하는지 도무지 이해할 수가 없었다.

하지만 그게 알렉산드로 칼스버그이기에, 밀런은 알 것 같았다. 평생을 옆에서 지켜봐 온 바.

'알렉산드로는 명예를 가장 중요시하지.'

거짓말, 배신, 규칙을 어기는 일. 이는 그에게 크나큰 죄였고, 그중에서도 최악은 간음이었다.

알렉산드로는 그 스스로에게도 가혹했다. 정조를 지키려다 남색을 한다는 소문이 났는데도 눈도 깜빡하지 않을 정도였다.

'꿈속의 여자에게 저토록 순애보를 바치다니.'

안쓰러웠다. 눈앞에 빤히 보이는 사랑을 두고, 상상 속의 여자 때문에 넘치는 애정을 애써 거부하려 발버둥치는 처절한 모습이 정말이지 가여웠다.

'불쌍한 놈.'

레이첼에게서 등을 돌린 친구의 뒷모습은 자신이 알던 강인하고 견고하던 그 남자가 아니었다.

'쯧, 그깟 사랑이 뭐라고…….'

똑똑한 척은 혼자 다 하더니 완전 바보가 됐다. 밀런은 절레절레 고개를 저었다.

전쟁 같은 하룻밤을 보내고 셋은 길을 떠났다.

알렉산드로의 쌩한 분위기 때문에 밀런은 말도 못 걸고 한참 무료했다. 그래서 제 허리춤을 붙든, 뒤에 앉은 레이첼에게 이것저것 캐물었다. 시작은 호구 조사였다.

"너 몇 살이냐?"

"전 이제 스물두 살입니다."

"오, 그래? 우리와 비슷하구나."

참 신기하다며 고개를 끄덕인 밀런은 일부러 알렉산드로에게 들으란 듯 큰 목소리를 냈다.

"넌 어쩌다 그렇게 늦게 결혼을 하게 되었지?"

"그게, 저는 원래 독신으로 살려고 했습니다. 그런데 아버지가 돌아가신 뒤에…….”

조용히 자신의 지난 일들을 말하고 나니 레이첼은 참 황당하고 기막혀 저도 모르게 웃음이 나왔다.

‘난 왜 이런 고생을 자처하지?’

그런데 이 온갖 개고생이 꼭 제 길인 듯 낯설지 않았다.

독신을 다짐하며 이렇게 험한 일을 겪을 줄 몰랐던가? 아니, 알았다. 여자가 독신이면 가문에 이름이 남는다. 가장 마음 편한 선택지가 바로 수도원행이었다.

거기서 갖은 구박과 고난을 겪으며 신께 몸과 마음을 위탁하며 사는 길만이 독신 여성의 가장 안락한 선택지였다.

레이첼은 이를 감수했다. 원치 않는 결혼을 하느니, 그게 더 나았다.

‘그래, 이 모든 건 내 선택이었는걸.’

어릴 때부터 그랬다. 꼭 산전수전을 많이 겪은 사람처럼 고생도 고생 같지가 않았고, 어떤 결과도 감내할 수 있으리란 자신이 생겨 매사에 담대했다. 배포가 크고 호기롭다는 소리를 많이 들었다. 하지만 그러면 뭘 하나.

‘나는 남자로 태어났어야 했어.’

남자는 작은 일을 해내도 칭찬을 듣고, 여자는 큰일을 해내도 시집 못 간다는 말이나 듣는 뭐 같은 세상.

꼭 여자에게 결혼이 전부인 것처럼, 그게 협박인 줄 알고!

‘시집 못 가는 걸 누가 무서워할까 봐?’

레이첼은 이런 사회가 마음에 들지 않았다. 입 밖에 냈다간 마녀라고 화형을 당할 혁명적인 생각들이 그녀에겐 가득했다.

왜 이런 불손한 마음이 드는지 정말 모를 일이었다.

"너도 참 고생이 많았구나."

밀런이 달래 주자 다시 코끝이 찡했다. 쿠피히트, 그녀에겐 이상할 정도로 익숙한 이름이었다.

'책을 많이 봐서 그럴 거야.'

레이첼은 개국 공신 가문에 관심이 많았다. 쿠피히트, 칼스버그, 반도라스 같은.

"이제 너를 해치고 못살게 구는 놈들은 없을 거다."

저보다 어린 청년이었지만 레이첼은 제 머리 위에서 들리는 말이 든든했다.

"그러니 죽은 옛 연인은 잊고, 앞으론 자유롭게 살거라."

"쉽게 잊히는 사람이 아니라서 그럴 수가 없습니다."

간신히 대답은 했지만 울컥했다. 밀런이 하는 말이 가슴을 울렸다.

"내 친구도 그렇지만 너도 참 순애보가 만만치 않구나."

일부러 들으라고, 알렉산드로에게 눈짓하며 말했지만 그는 레이첼이 말한 모든 이야기를 듣고도 눈 한번 깜빡하지 않았다.

도리어 듣기 싫다는 듯 그들을 앞질러 가며 그러는 것이다.

"부덕한 여자가 말하는 사랑은 믿지 않는다."

밀런은 능청스레 대꾸했다.

"남 일엔 관심도 없는 줄 알았더니, 다 들었냐?"

그가 히죽 웃으며 말의 배를 찼다.

산을 내려와 이제는 들판이었다. 친구의 옆을 나란히 함께 걸으며, 밀런이 물었다.

"그 남자의 뭐가 그리 좋았기에 잊질 못하는 거야?"

알렉산드로는 저도 모르게 귀를 기울였다. 죽었는데도 여전히 그를 잊지 못해 결혼식까지 도망쳤다니. 그만큼 사랑받는 남자가 부럽기도 했다.

그가 대체 어떤 남자기에, 신분까지 버리고 평생 하녀로 살겠다는 걸까…….

하지만 금방 고개를 흔들었다.

'바보 같은 계집.'

그런다고 죽은 그 남자가 기뻐할까. 네가 그런 모진 삶을 살길 과연 그가 바랐을까. 수모를 당하고, 온갖 고생을 하며…….

알렉산드로는 주먹을 움켜쥐었다.

'멍청한 계집!'

속에서 불덩이가 올라왔다.

"그 남자는…… 이 세상에서 저를 가장 사랑하는 남자예요."

"그런 남자는 또 있을 거야."

"하지만 그 사람은 제게 유일해요. 그래서 잊을 수가 없어요."

옆에서 듣던 알렉산드로가 끓어오르는 질투심에 퉁명스레 말했다.

"희대의 열녀 나셨군."

"너 왜 그렇게 유치하냐?"

밀런은 듣다 듣다 황당해서 헛웃음이 나왔다. 친구의 이런 모습은 그 역시 처음이었다. 원래 알렉산드로는 남이 뭘 하든 그러거나 말거나 조금도 관심 없는 사람이었다. 게다가 싫어하는 사람에겐 특히 무관심했다.

"그냥 레이첼이 좋으면 좋다고 해."

밀런이 제 친구를 곁눈질하며 쏘아붙였다.

“남자답지 못하게 그게 뭐냐? 사내대장부가.”

레이첼은 그만하라고 말리듯 밀런의 허리춤을 꼬옥 붙들었다. 아주 가시방석이었다.

‘왜 자꾸 나를 저 남자와 엮어 주려 하는 거지? 제발 그러지 말았으면 좋겠는데.’

밀런이 저런 소리를 할 때마다 가슴이 철렁했다.

물론, 알렉산드로 칼스버그는 무척 잘생긴 데다 큰 키에 근육질 몸매, 전체적으로 섹시한 인상에 위험한 매력이 철철 흐르는 매우 준수한 남자였다.

‘하지만 굉장히 못됐잖아. 저런 성격을 누가 견딜 수 있겠어?’

무섭기도 하고 성격이 보통이 아닌 데다, 하는 말을 들어 보면 세상에 사람이 얼마나 사나운지. 말에 가시가 아니라 칼날이 박혀 있었다.

‘억만금을 준대도 싫어.’

안 그래도 복잡한 삶. 레이첼은 저런 남자와는 절대 얽히고 싶지 않았다. 물론 저 남자는 저와 엮일 일도 없는 대귀족 가문의 일원이지만…….

“말도 안 되는 소리. 저속한 여자와 나를 한데 묶지 마라.”

친구의 쌀쌀맞은 대꾸에도 밀런은 포기하지 않았다.

“얘가 원해서 한 결혼이 아니라잖아.”

“원했든 원하지 않았든 약속을 했으면 지켜야 하는 것이다. 그런데 결혼을 깨뜨리고, 가정을 버리고 도망을 쳐? 벌을 받아도 마땅하지.”

그가 가장 혐오하는 부류가 바로 불륜, 간음 등 가정 파괴범이었다. 어쨌든 가정이 생겼으면 책임을 지든가, 그도 아니라면 아예 자신처럼 남색가라고 이마에 도장을 찍고 다니든가.

그깟 죽은 정인이 뭐라고 연약한 여자의 몸으로 저렇게 고생을 사서 한단 말인가?

지조가 뭐라고!

"밀런, 저 여자와 나를 엮는 건 모욕이다."

알렉산드로는 싸늘하게 말을 마쳤다.

"더 이상 나를 모욕하지 마."

"에휴. 알았다, 알았어."

친구의 옆모습을 바라보던 밀런은 이젠 저도 모르겠다는 듯 한숨을 내쉬었다.

"아무튼 결벽증이라니까."

밀런은 제 친구가 원래 좀 말이 안 통할 만큼 답답한 성격이라고 레이첼에게만 들릴 만큼 소곤거렸다.

"그래도 보다시피 절대 바람피울 일은 없어."

밀런은 저도 모르게 친구의 허물을 감싸듯 변명했다.

"충성스럽기로는 사냥개 못지않아."

"……."

그가 뒤로 고개를 젖혀 가며 몰래 하는 소리를 들으면서도, 레이첼은 자신과는 상관없는 얘기라 치부하고 한 귀로 듣고 한 귀로 흘렸다.

"대신 너도 절대로 바람은 안 돼. 그랬다가는 진짜 칼부림이 날지도 몰라."

"……."

레이첼은 뭐라 할 말이 없었다.

'대체 왜 저 남자가 나를 좋아한다고 저렇게 확신하는 거지?'

정말 모를 일이었다. 알렉산드로는 저를 좋아하기는커녕 혐오하는 것 같은데.

"알렉산드로는 칼을 정말 잘 다루거든. 내가 본 누구보다 뛰어나지."

그런데 저와는 일절 상관없는 얘기인 걸 알면서도…….

"유흥도 즐기지 않고, 밤에도 혼자 책만 읽는 좀 심심한 남자라 재미가 없을지도 모르지만 그래도 자상하고 섬세한 구석은 있어. 저래 봬도 말이야."

밀런이 설명하는 한 남자에 대한 성격이 그녀의 머릿속에 콕콕 박혔다.

"자기 사람에겐 다정하거든. 겸손하기도 하고."

듣고 있으니 심장이 울렁거리고 눈앞이 아찔했다.

"내 친구는 겉보기랑은 정말 다르게 꽃과 동물을 좋아하는, 다정하고 착한 남자야. 온갖 종류의 꽃을 좋아해서 칼스버그 저택 정원은 수도에서 가장 유명하지. 너도 보면…… 응? 아니, 왜 또 우는데!"

모르겠다. 이유도 없이 눈물이 뚝뚝 떨어졌다. 레이첼은 어깨를 들썩이며 서러운 울음을 터뜨렸다.

"나 참."

밀런은 맥이 탁 풀려서 어쩔 줄을 몰랐다.

"너 계속 울면 놓고 간다. 진짜야. 진짜라고."

아무리 으름장을 놓아도 레이첼은 뭐가 그렇게 슬픈지 쉽게 눈물을 그칠 기미가 없었다.

알렉산드로는 그런 레이첼을 지켜보다 애써 시선을 돌렸다.

그녀가 울 때마다 가슴이 터질 것 같고 속에서 열불이 났다. 이유 없이 화가 끓는 동시에, 그녀가 너무나 처량하고 가여워서 딱 미칠 것 같았다.

제 품에서 달래 주며 이 세상에 너를 아프게 하는 일은 더 이상 없을 거라고 보듬어 주고 싶었다.

'그녀는 베아트리체가 아니야.'

레이첼의 눈물을 볼 때마다 그는 확신했다.

베아트리체는 저렇게 가녀리고 약하기만 한 여자가 아니었다. 당장 달려가서 안아 주고 싶을 만큼 안쓰럽고 애통한 마음이 드는 불쌍한 여자가 아니다.

베아트리체는 저렇게 눈물이 많지도 않았다. 살면서 그녀가 우는 모습을 본 건 손에 꼽았다. 사실 눈물을 보였던 건 그가 더 잦았다.

베아트리체는 저렇게 일렁이는 호숫가 같은 눈망울을 하지 않았다. 그녀는 밤하늘의 별을 눈에 품고 사는 여자였다. 아무것도 없는 새까만 하늘을 가리키면서, 반짝이는 별을 발견해 내는 사람이었다.

제게는 행복의 불씨를 심어 주었고 이 제국과 신민들에게는 들불 같은 희망을 안겨 준, 담대하고 강인한 여자가 바로 베아트리체였다.

"으휴, 네 인생도 참 기구하다. 물 좀 마셔라. 그러다 탈수증이라도 걸릴라."

"흐윽…… 죄송합니다, 기사님."

둘의 대화를 들으면서 알렉산드로는 멍하니 눈앞을 응시했다.

산세가 우거진 숲속.

자신이 지금 눈을 깜빡이고 있는지, 제대로 숨은 쉬고 있는지 어떤 자각도 없었다. 아무것도 느끼지 못하는 목각 인형이 되었다고 애써 마음을 다스리는 그 순간이었다.

"……뭐야. 왜 갑자기 멈추냐?"

굳은 친구를 보고 밀런이 고개를 갸웃했다.

"알렉산드로?"

"쉿. 누군가 우리를 따라오고 있다."

알렉산드로는 주위의 기척을 살폈다.

"뭐? 누가?"

"여섯."

"여섯 명?"

그의 말대로 복면의 자객 여섯 명이 뒤에서 나타났다. 기척을 숨긴 채 일행을 뒤쫓다가 자신들이 들킨 걸 알고는 급습했다.

"뭐냐, 네놈들은!"

그러나 복면 자객들은 대답이 없었다. 그저 살기등등하게 칼을 세우고 일행에게 달려들었다.

"내 뒤로 와!"

알렉산드로는 재빨리 밀런의 앞으로 나섰다. 밀런은 급히 말머리를 돌렸다. 본능적으로 손을 뒤로 뻗어 레이첼을 보호하듯 감쌌다.

"걱정 마라. 말했다시피 내 친구는 검술이 아주 뛰어나거든."

"그래도 상대가 여섯이나 되는걸요?"

그녀가 걱정하자 밀런이 안심하라며 말했다.

"알렉산드로는 황궁 무투회에서도 우승했어. 저까짓 놈들은 별거 아니야. 저 봐라."

그가 앞서 펼쳐진 광경을 가볍게 눈짓했다. 무투회 우승자 출신이라는 말이 거짓은 아닌 듯, 알렉산드로는 그야말로 날아다녔다. 말에 탄 여섯 명을 우습게 요리하며 마구잡이로 쓰러트렸다.

"네놈들은 산적이냐?"

상황이 정리되자 그가 비교적 멀쩡한 이를 취조했다.

"보아하니 재물을 노린 게 아닌 것 같은데."

이 복면 자객들은 평범한 산적이 아니다. 목적이 있어 보이는 게, 고용된 용병 같았다.

"대답해라."

알렉산드로는 쓰러진 이의 등을 짓밟았다. 그러자 용병이 신음하며 몸을 꿈틀거렸다.

"으윽."

"목적이 무엇이냐. 왜 우리를 쫓아왔지? 언제부터?"

하지만 용병은 묵묵부답이었다. 쓰러진 다른 이들을 돌아보았지만 마찬가지였다.

"대답할 의지가 없는 모양이군."

알렉산드로는 거침없이 용병에게 칼을 꽂았다. 뒤늦게 한 명이 도망쳤지만 그 역시 알렉산드로에게 목이 잘려 죽었다.

"굳이 여섯 명을 다 죽일 필요 있어? 도망가는 놈까지?"

참사였다. 밀런은 붉은 피로 범벅이 된 주위를 둘러보며 혀를 찼다.

"그냥 산적 같던데."

"내버려 두면 귀찮아졌을 거다."

피 묻은 칼을 닦아 내던 알렉산드로가 짜증스레 말했다.

"저놈들은 산적이 아니야. 돈을 노리고 우리를 쫓아온 게 아니란 말이다."

"그럼?"

"저들은 네게서 눈을 떼질 않더군. 왜겠나."

"글쎄, 내가 너무 잘생겨서?"

그가 장난스럽게 농담을 걸었다. 하지만 신경이 날카로워진 알렉산드로는 이를 받아 주지 않았다.

"네 뒤의 계집을 쫓아왔겠지."

밀런은 움찔 놀란 레이첼을 향해 고개를 저었다.

"아니야. 그럴 리 없으니 걱정 마라. 설마 네 숙부겠어? 우리를 쫓아올 만큼 몸이 멀쩡해 보이지 않던데."

순간 멈칫한 알렉산드로가 죽음의 사자처럼 험악한 얼굴로 밀런을 돌아보았다.

"그 자리에 남은 놈들은 다 죽였다고 하지 않았나?"

밀런은 움찔했다. 알 만하다는 듯, 알렉산드로는 신경질적으로 인상을 구겼다.

"아니었나 보군."

"그게……."

"또 그 알량한 자비를 베푼 모양이지?"

찔리는 게 있는 밀런은 먼 곳을 응시했다. 알렉산드로는 긴 한숨을 내쉬었다.

"정말 쓸데없는 짓이다."

"아니, 패배를 인정하고 도망치는 이의 등에다 어떻게 칼을 꽂으라는 거야?"

"밀런 쿠피히트."

"기사가 돼서 그럴 순 없어."

"하!"

살벌하게 밀런을 추궁하던 알렉산드로가 코웃음쳤다. 기막혔다. 그가 기사 운운하는 게, 귀여우면서도 어이가 없었다.

"마음대로 해라. 네 마음대로."

완전히 전의를 상실한 알렉산드로는 더 할 말이 없어 고개를 내저었다.

"제국을 지키고 신민들을 보호하겠다는 서약을 했는데! 기사로서 그 정도 관용은 베풀어야 하지 않겠어?"

밀런의 말을 무시하던 알렉산드로는 '관용'이란 말에 멈칫했다.

"그래, 네 말대로 관용은 모두에게 베풀어야 하는 게 맞다. 우리는 귀족이니까."

"굳이 쫓아가서 죽이기엔 꼴이 너무 불쌍했다고."

"하지만 기사로서는 아니야. 진짜 기사는 관용이 없지. 실수하는 순간 죽을 수도 있기 때문이다."

"기사 서약도 안 한 주제에……."

"전쟁에 참여한 경험이 없어 몰랐던 모양이군."

밀런은 소심하게 '그러는 지는 있나.' 하고 중얼거렸다.

"오늘 배워라."

그러거나 말거나, 알렉산드로는 훈계를 멈추지 않았다.

"네가 관용을 베풀어 살려 준 놈이 우리의 뒤를 쫓아왔고, 그 탓에 네가 애지중지 모셔 온 계집이 죽었을 수도……."

그때였다. 밀런의 허리춤을 붙들고 안장에 올라 있던 레이첼이 별안간 축 늘어졌다. 그녀가 옆으로 쓰러지는 걸 보고 알렉산드로가 소리쳤다.

"밀런!"

몸이 바닥으로 곤두박질치는 일촉즉발의 상황. 알렉산드로가 급히 달려갔다. 다행히 밀런이 순발력으로 레이첼을 붙잡았다.

"아이, 깜짝이야."

천만다행으로 사고는 면했다.

"네가 자꾸 면박 주고 뭐라고 하니까 그러잖아. 안 그래도 조그만 애가 얼마나 무섭겠어?"

"……."

알렉산드로는 그만 다리의 힘이 풀렸다. 심장이 멎는 줄 알았다.

"레이첼, 정신 좀 차려 봐라. 레이첼!"

밀런은 그녀를 데리고 급히 말에서 내려왔다. 평평한 땅에 눕히고 흔들어 깨웠으나 레이첼은 완전히 정신을 잃고 미동도 없었다.

"구박 좀 들었다고 기절까지 하다니. 애가 많이 소심한가 본데 이제 그만 좀 뭐라 그래."

"……."

알렉산드로는 먼 곳으로 시선을 돌렸다. 그녀가 인형처럼 눈을 감고 있는 모습을 쳐다보기가 힘들었다.

"근처에 물가가 있나 본데. 물소리가 들려."

밀런은 레이첼을 안고 물소리를 따라갔다. 정말 근처에 냇가가 있었다. 조심스레 그녀를 제 무릎에 눕히고 차가운 물로 얼굴을 닦아 주는 걸 보며 알렉산드로가 비아냥거렸다.

"지극정성이군."

"네 여자를 챙겨 줘서 고맙다고? 그래, 나도 안다. 암, 고맙겠지. 고맙고말고."

"헛소리 마라."

밀런은 못 들은 척 열심히 레이첼을 깨웠다.

"그래, 레이첼. 너라도 내 노고를 알아줘야 한다. 그럼 돼."

은혜에 답하듯 파르르 속눈썹이 떨렸다. 곧 그녀가 정신을 차렸다.

"으응."

"오, 정신이 들었구나."

퍼뜩 놀란 레이첼은 허겁지겁 그의 무릎에서 일어섰다.

"너, 잘못하면 불구가 될 뻔했다."

"제, 제가요?"

"그래. 말에서 떨어지면 너처럼 콩알만 하고 비실한 애는 크게 다치거든."

밀런은 걱정스레 그녀에게 물병을 내밀었다.

"다시 말을 타고 갈 수 있겠느냐?"

"예, 그럼요."

레이첼은 그들의 짐이 되어 버려질까 무서워 열심히 고개를 끄덕였다. 멀찍이 서서 매우 못마땅한 얼굴로 제 쪽을 노려보는 알렉산드로의 시선이 가뜩이나 따가웠다.

레이첼은 지끈거리는 머리 때문에 눈살을 찌푸렸다.

"갈 수 있고말고요. 그냥…… 잠깐 어지러워서 그랬습니다. 걱정 마세요."

"이런, 코피가 난다."

"이런 건 아무것도 아닙니다. 금방 멎어요."

"아둔하고 고집스런 계집!"

멀리서 호통이 터졌다. 겁먹은 그녀가 밀런의 옷자락을 붙들었다.

"저, 정말 갈 수 있습니다. 절대로 말에서 떨어지지 않게 잘 붙들고 있을 거예요!"

"밀런, 왜 저런 걸 책임지겠다고 데려왔느냐? 짐만 되지 않아!"

"그래, 알렉스도 쉬었다 가재."

"밀런!"

밀런이 레이첼에게 회유하듯 말했다.

"저것 봐. 네가 너무 걱정돼서 도저히 안 되겠다잖아."

"너 정말 미쳤느냐?"

사색이 된 친구의 외침은 뒤로하고 밀런은 제 말만 했다.

"그냥 그렇게 해라. 알겠지? 마침 나도 피곤했다."

계속된 강요에 레이첼은 결국 고개를 끄덕일 수밖에 없었다.

"그래, 말을 잘 듣는구나. 착하다."

밀런은 모든 걸 통달한 사람처럼 웃었다. 손수건으로 코를 틀어막고 있던 레이첼은 힐끔 알렉산드로의 눈치를 살폈다.

"저런 쓸모도 없는 계집을 데리고 와선……!"

다행히 그는 씩씩거리기만 할 뿐 더는 잔소리가 없었다. 당장 칼부림이라도 할 줄 알았는데.

'다행이야.'

한시름 놓았다. 이젠 무슨 일이 생겼다 하면 자연스레 저 남자의 눈치부터 보게 된다.

'제발 저 사람을 더 열 받게 하지 않았으면 좋겠는데…….'

밀런은 괜한 말을 보태서 알렉산드로를 더 화내게 만들었다.

'약 올리는 것도 아니고, 싫다는데 왜 자꾸 저러는지.'

기절하기 전 본 참혹한 광경이 머릿속에서 떠나지 않는다.

목이 잘리고 팔다리가 분리된 검은 복면의 시체들. 밀런은 '모두 죽였다'고 했지만 사실 그는 제 숙부와 남편을 전부 죽이지 않았다. 도망치는 이들은 보내 주었고 쓰러져 움직이지 못하는 이들은 내버려 두었다.

'그런데 저 남자는…… 확인 사살까지 했어.'

가슴을 찌른 시체를 죽이고, 또 죽이고…… 레이첼은 알렉산드로가 얼마나 잔혹한 남자인지 실감했다.

"그런 끔찍한 광경을 보고 얼마나 놀랐겠느냐. 이해한다."

마침 말을 묶어 두고 온 밀런이 다정하게 웃으며 소곤거렸다.

"우리 셋째 누님은 토끼 사냥을 갔다가 죽은 토끼를 보고 실려 왔다. 밤새 울고불고하며 며칠이나 식음을 전폐했었지."

"그런 것 때문에 기절한 건 아닙니다."

레이첼은 이래 봬도 비위가 꽤 강한 편이었다. 남들은 시체나 피를 보면 식겁한다지만 신기하게도 레이첼은 별 거부감이 없었다.

"그럼 왜?"

"그게……."

"알렉스가 자꾸 뭐라고 해서?"

"아, 아닙니다! 절대 아니에요!"

식겁한 레이첼은 펄쩍 뛰었다.

"역시 맞나 보군."

"정말 아닙니다! 아니에요!"

아니나 다를까, 저 멀리서 알렉산드로가 이쪽을 흘끔 쳐다보았다. 눈이 마주치자 인상을 확 구겼다.

심장이 덜컥 내려앉았다. 이런 제 속도 모르고 밀런이 태평스레 웃었다.

“이제 좀 기운을 차린 것 같구나. 다행이야.”

그가 불을 피우려는 듯 땔감을 모았다.

“여기 가만 앉아서 쉬고 있거라. 알았지?”

“전 괜찮아요.”

가만 앉아 있는 게 더 가시방석이었다.

“가서 나무 열매라도 따 올게요. 근방에 먹을 만한 게 있을 거예요.”

그녀가 절뚝거리며 일어서자 어느새 다가온 알렉산드로가 무서운 눈으로 내려다보며 옆을 지나쳤다.

“어차피 네가 손댄 건 안 먹는다.”

“…….”

무심하게 내뱉은 말이지만 큰 상처였다. 순간 레이첼은 억울해졌다.

‘나를 저렇게까지 싫어할 수가.’

그것도 그렇지만, 사람을 싫어한다고 말을 저렇게 못되게 할 수가 있다니. 꼬여도 보통 꼬인 게 아니었다.

“알렉스, 너 후회할 말은 제발 그만 좀 해라.”

“너나 그만해라.”

“으휴, 유치한 놈.”

“뭐?”

알렉산드로는 귀를 의심했다.

‘유치하다? 내가?’

생전 처음 듣는 말이었다.

“안 그러더니 좋아하는 여자가 생겼다고 세상 유치해졌네.”

“밀런!”

기가 막혀 안색이 하얗게 변한 그가 밀런과 말싸움을 시작했다.
“대체 내게 왜 이러느냐?”
“너야말로 왜 그러는데? 감정에 솔직하기가 그렇게 어려워?”
“난 언제나 내 감정에 솔직했다. 한 번도 그러지 않은 적 없어!”
“우와, 이젠 거짓말까지 하네. 가문의 이름이 아깝다, 알렉스.”
“지금 날 모욕하는 것이냐?”
레이첼은 둘의 말싸움을 지켜보다 조용히 자리를 떴다.
‘그래, 내 착각이었어. 환상이 보인 거야.’
조금 전.
관용에 대한 밀런과 알렉산드로의 말씨름을 듣던 레이첼은 기묘한 경험을 했다.
—진짜 기사는 관용이 없지. 실수하는 순간 죽을 수도 있기 때문이다.
들어 본 말 같았다. 어디서 들었더라, 하면서 기억을 되새기는 순간.
이상한 장면이 눈앞에 아른거렸다. 갑옷을 차려입은 알렉산드로였다. 환상치고는 너무나 선명했다.
‘꽤…… 오래전 같아.’
그가 입었던 갑옷이 지금 제국의 갑옷과는 달랐으니까.
‘대체 어디서 그런 걸 봤을까? 그 남자는 알렉산드로가 맞는 건가? 에이, 아니겠지. 하지만 뒷모습이 똑같이 닮았는데…….’
고민하는 동시에 그의 목소리가 들렸다.
—너를 정말 많이 사랑한다.
심장이 덜컹거렸다. 갑자기 왜 또 환청이……. 머리가 깨질 듯 아팠다. 그리고 정신을 잃었다.

'대체 뭐였을까, 그건.'

레이첼은 알렉산드로를 볼 때마다 혼란스러웠다.

'환상이었겠지? 끔찍한 모습을 보았으니까…….'

그래, 그랬을 거다. 잡념을 떨치려 레이첼은 고개를 흔들었다.

—다시 태어나도 또 너를 사랑할게.

오래도록 제게 사랑을 속삭였던 그 다정한 목소리의 주인공.

결혼마저 파탄 내고 자신을 도망치게 만든 남자.

원망스럽지만, 평생을 기다렸던 제 운명.

"하녀랍시고 짐만 되는 계집을 데려와선!"

'……그 남자가 저런 남자일 리는 없어.'

레이첼은 잔상처럼 남은 낯선 갑옷의 알렉산드로를 털어 냈다.

3. 미련한 바보들의 비밀

3. 미련한 바보들의 비밀

냇가 근처에서 밤을 보낸 셋은 다음 날 이른 아침부터 길을 떠났다. 한참 가다 보니 누군가 불을 피우고 야영을 했던 흔적을 찾았다.

"흐음."

주위를 둘러보며 흔적을 살피던 밀런은 급히 지도를 꺼내 들고 말했다.

"말을 타고 가는 일행이 여기서 야영을 했다. 아무래도 콘래드 후작령까지는 며칠 더 가야 하나 봐."

밀런이 이상하다는 듯 고개를 갸웃하고는 금방 혀를 찼다.

"쯧, 예상대로라면 이틀 내로 도착할 것 같았는데."

말에서 내려 안장을 정리하던 알렉산드로가 퉁명스레 대꾸했다.

"네 하녀 덕분 아니냐."

레이첼 때문에 부쩍 느려진 그들의 이동 속도를 두고 하는 말이었다.

세 번이나 도망을 쳤으니 그녀의 남편과 숙부는 레이첼이 죽어도 아쉽지 않다는 마음으로 그녀를 때렸다. 걷고 뛰기에도 힘든 몸인 걸 알고 밀런은 제 뒤에 탄 그녀가 또 기절을 할까 봐 말을 험하게 몰지 않았다.

"그래, 알렉스. 나중에 나한테 실컷 감사해라."

그는 조심스레 레이첼을 말에서 내려 주며 말했다.

"이 모진 역경을 견디고 간신히 레이첼을 데려와 줘서 고맙다고 말이야."

능청스런 그 말에 당장 알렉산드로의 시린 눈총이 쏟아졌다. 그러거나 말거나, 밀런은 아무것도 보이지 않는 사람처럼 말을 이었다.

"다만 그 오합지졸보다 네 구박이 훨씬 사납다는 거만 알아 둬라."

순간 당황한 레이첼이 바닥에 발을 헛디뎌 옆으로 고꾸라지고 말았다.

"아!"

얼른 밀런이 그녀를 붙잡아 주었지만, 돌에 무릎을 찧었다.

"이런, 몸이 성할 날이 없겠다. 가서 좀 앉아 있거라. 내가 불을 피워 줄 테니."

상냥하고 자상한 말에 레이첼은 어쩔 줄을 몰랐다. 안 그래도 스스로가 짐짝처럼 여겨져, 언제라도 자신을 버리고 갈까 무서웠던 것이다. 게다가 밀런이 자꾸만 알렉산드로를 자극하는 탓에 항상 조마조마했다.

'언제 또 내게 화를 낼지 몰라.'

두려움에 레이첼은 얼른 도리질을 쳤다.

"아, 아닙니다. 제가 말을 물가에 데리고 가 목을 축이고 올게요."

"됐다. 그런 몸으로 어떻게 말을 끌고 간단 말이냐?"
"정말 괜찮습니다."
"그냥 쉬고 있어. 너 제대로 걷지도 못하는 걸 내가 안다."
"그래도 제가……."
"쓸모도 없는 데다 말까지 안 듣는 하녀를 데려왔군. 네 잘못이다."
알렉산드로가 한심하단 얼굴로 둘의 옆을 지나쳤다. 그러자 밀런은 금세 마음을 바꾸고 레이첼에게 말의 고삐를 들려 주었다.
"그래, 그럼 네가 다녀와라."
"예, 감사합니다!"
레이첼의 얼굴이 구원의 동아줄을 보듯 환해졌다.
"얼른 다녀올게요!"
안 그래도 알렉산드로의 눈치를 보느라 자리를 지키고 있는 게 고역이었다. 레이첼은 냅죽 고삐를 붙잡고 말을 물가로 이끌었다.
절뚝거리며 사라지는 그녀의 뒷모습을 지켜보던 알렉산드로가 기막히다는 듯 밀런을 노려보았다.
"참 대단한 기사도로군!"
"나도 안다."
밀런은 장작을 모아다 불을 피우며 아무렇지 않게 대꾸했다.
"나만 한 신사가 없지."
"하!"
"너도 누이가 한 명쯤 있어도 좋았을 것을. 그러면 여자 마음을 좀 알았을 텐데 말이다."
"……."
속이 부글부글 끓었다. 그는 말없이 레이첼이 사라진 곳만 주시했다. 알렉산드로는 주로 식사를 담당했지만 지금은 눈이 바빠서 손이 움직이지 않았다.

“내 누이들이 하나같이 말하길, 난 좋은 남편이 될 거라고 하더라.”

“…….”

“네 생각에도 그러하냐?”

“내가 어찌 알아. 네 하기 나름인 것을.”

성의 없는 대꾸에도 밀런은 웃기만 했다. 별로 마음이 상하진 않았다. 그는 불을 피우다 말고 금세 진지한 얼굴을 하고서 자리에 앉았다.

“적어도 난 내 아내가 될 여자에겐 최선을 다할 생각이다.”

“당연한 소리.”

“원하는 것을 사 주고, 부끄럽지 않도록 함께 연회도 다닐 거다.”

부인을 두고 남색을 하는 이들은 많았다. 남편을 두고 여색을 하는 귀부인들도 물론 많았다.

하지만 알렉산드로는 그런 결혼은 결혼이 아니라고 생각했다.

“그 누가 봐도 아내가 행복해 보이도록 할 거야. 모두들 부러워하게.”

“결혼을 했으면, 마땅한 도리다.”

두 팔을 머리 뒤로 받치고 아예 하늘을 향해 누워 버린 밀런은 스스로에게 다짐하듯 말했다.

“평생 내게 사랑받지 못할 테지만 대신 내가 가진 전부를 줄 것이다.”

선한 그의 눈망울에는 씁쓸함이 가득했다.

“그래서 돌아가면 반도라스 공작 영애와 약혼을 취소하려고.”

"뭐?"
"아무래도 그렇게 해야겠다."
"왜?"
내내 하늘을 향하던 그의 시선이 천천히 알렉산드로를 돌아보았다.
"반도라스 영애는 날 무척 많이 좋아해. 너도 알잖아."
"누군들 모를까."
반도라스 공작 영애는 공공연히 '밀런 쿠피히트는 내 남자'라고 못을 박고 다녔다. 그래서 밀런과 아직 약혼식을 치르지 않았는데도 모두가 당연히 그렇게 알고 있는 사이였다.
"그녀는 충분히 더 좋은 남편을 가질 수 있는 권세가 있다. 굳이 나와 결혼해서 불행해질 필요는 없지."
맞는 소리였다.
"내 뒷모습만 보며 살아야 할 텐데, 그렇게 괴롭히고 싶지 않다. 다른 여자도 아니고 날 좋아한다는 여자를."
그렇게 의지는 굳혔지만…… 밀런은 푹 한숨을 내쉬었다.
"일단 나는 결론을 내렸는데. 이제 어떻게 그녀를 설득해야 하지?"
벌써부터 걱정스러웠다. 반도라스 공작 영애는 그들보다 세 살이 많았다. 하지만 나이는 둘째 치더라도, 멧돼지같이 박력 넘치는 성정 탓에 대화가 힘들었다.
아름다운 귀족 아가씨와 함께 떠올리긴 어려운 동물이지만 그녀의 별명이 바로 멧돼지였다.
잘 다듬어진 조각 같은 친구의 옆모습을 주시하던 밀런이 물었다.
"알렉스, 어떻게 생각하냐?"
"왜 계속 내 생각을 묻느냐? 네 일인데."

가벼운 대꾸지만 오래도록 그를 봐 왔던 밀런은 친구의 마음을 헤아렸다.

"후회하지 않을 결정을 해. 그럼 된다."

알렉산드로는 두 사람의 인생이 걸린 문제이니만큼 함부로 말하기가 어려웠다. 밀런의 선택을 지지하고 싶었으나 쿠피히트 가문의 가주가 될 그에게 옳은 일인지는 확신하지 못했다.

칼스버그는 황가의 막강한 한편으로 대공이라는 명예 작위를 받아 그 위치를 견고히 했다.

하지만 쿠히피트 가문은 황제였던 아스트리드가 죽고 나서부터 황가와 미묘한 관계를 유지해 왔다.

반도라스 가문과의 정략결혼은 분명 유리할 터.

'반도라스 영애 또한 같은 계산을 했는지 모르지.'

그러나 밀런은 정치적 조언을 듣고자 그에게 질문한 게 아니었다.

"알렉스, 내가 왜 묻는지 정말 몰라서 하는 말이야?"

그 일은 결코 밀런과 반도라스 영애, 두 사람만의 인생이 걸린 일이 아니었다. 미안하지만 세 사람이었다.

"반도라스 영애의 2순위가 바로 너잖아. 알렉산드로 칼스버그."

"……."

밀런은 그의 속눈썹이 옅게 떨리는 것을 똑똑히 목격했다.

"멧돼지는 내가 남색을 하는 걸 알면서도 나와 결혼하려고 했어. 너라고 피해 갈 수 있을 것 같아?"

"쿠피히트, 예의를 지켜. 아직은 네 약혼녀다."

"아니, 괜히 별명이 멧돼지이겠냐고. 너 아직 한 번도 대화 안 해 봤지?"

금빛실처럼 아름다운 긴 머리카락, 백옥같이 하얀 피부, 초록색 눈동자를 가진 요정 같은 여자.

반도라스 공작 영애.

알렉산드로는 장남도 아닌 데다 연회를 별로 즐기지 않았기에 반도라스 영애와 길게 얘기해 본 적이 한 번도 없었다.

"모르면 말을 말아라. 안 엮이는 게 상책이야."

한숨이 가득 섞여 나온 말에 알렉산드로는 그냥 입을 다물었다.

반도라스 공작 영애…… 는 전생에서도 이름깨나 날렸던 인물이었기에 어쩐지 알 것도 같았다.

"난 보잘것없는 가문의 영애와 결혼해서, 신분과 돈이라도 쥐야겠다. 반도라스 영애가 내게 갖고 싶은 건 그런 게 아닐 테니까."

그때쯤 발소리가 들리고 레이첼이 돌아왔다. 밀런의 말을 잘 묶어 둔 그녀는 눈치를 살피다 조심스레 알렉산드로의 말고삐를 풀어내기 시작했다.

"그만둬라."

돌아보지도 않고 하는 말이었으나 그녀를 향한 것이었다.

레이첼은 고민하다 소심하게 대답했다.

"물가가 이 근처입니다. 피곤하실 테니 제가 가서 물을 먹이고……."

"내 말은 만지지 마라. 불쾌하다."

날카로운 알렉산드로의 타박에도 레이첼은 우물쭈물하며 쉽게 말고삐를 놓지 못했다. '쓸모없는 계집을 괜히 데려왔다'는 그의 힐난이 자꾸만 메아리쳤다.

그런 그녀를 의식하고 알렉산드로가 자리에서 벌떡 일어났다.

"고집 세고 멍청하기는 네가 제일이다! 누가 너더러 내 말을 신경 쓰라 했느냐?"

"워워."

흉흉한 기세에 얼른 뒤따라 일어난 밀런이 레이첼을 모닥불 가까이로 앉혔다.

"그러게 쉬고 있으래도."

알렉산드로와 가장 먼 자리였으나 하필 마주 보는 위치였다.

"두 번 다신 내 것에 손대지 마라."

그가 정확히 레이첼을 노려보며 경고했다.

"그래. 몸도 성치 않은데 굳이 그런 일을 할 필요 없대."

알아서 알렉산드로의 말을 해석해 준 밀런은 마실 물과 제 몫의 말린 고기를 나누어 주고 그녀를 다독였다.

"걱정되니까 그냥 앉아서 쉬래. 알았지?"

"정신 나간 놈!"

펄쩍 뛴 알렉산드로가 기함하며 소리쳤다.

"망할 입 좀 다물어라!"

"그래, 알아. 다 안다. 친구 좋다는 게 뭔지, 참."

"내가 언제…… 하!"

도무지 말이 통하지 않는다. 씩 웃는 밀런을 보고 알렉산드로는 포기하고 몸을 돌아앉았다. 활활 타오르는 불길 너머의 레이첼과 밀런을 등지고, 귀는 쫑긋 열린 채였다.

"다리에 상처 좀 보자. 심각한 것이냐?"

"아닙니다."

'아니기는.'

알렉산드로는 저렇게 미련한 사람을 본 적이 없었다.

레이첼의 팔이며 다리, 보이는 곳곳에 시퍼런 멍 자국이 들어 있었다. 얼굴도 난리였다. 걷는 것도 절뚝절뚝하는 것으로 보아 속은 더할 것이다. 그런데도 그녀는 일절 아프단 소리가 없었다.

"아니긴, 피도 철철 나던데?"

"지혈이 되는 약초를 따다 붙여 놓았습니다. 피는 금방 멎어요."

"오, 네가 그런 걸 알아?"

"아주 뛰어나진 않지만 약초에 대해선 꽤 잘 알고 있습니다. 그러니 절 데리고 다니시면 쓸모가 있을 거예요."

"오호, 그렇단 말이지?"

"그럼요. 거짓말은 하지 않습니다. 믿어 주세요."

"그래, 알았다. 버리고 가진 않을 테니 아무 걱정 마."

"정말 감사합니다, 기사님."

"암, 무척 고맙겠지. 이 은혜는 절대 잊지 말아야 한다."

"예."

알렉산드로는 슬쩍 고개를 돌려 둘을 주시했다.

은색 머리의 밀런, 순한 갈색 눈동자의 레이첼. 만난 지 며칠 되지도 않았으면서 퍽 사이좋아 보였다.

마치…… 연인처럼.

밀런을 올려다보는 그녀의 눈이 반짝거렸다.

"기사님을 은인으로 알고, 몸과 마음을 다 바쳐 성심으로 모시겠습니다."

"하하! 네 다짐이 비상하다. 이거 기대되는걸?"

"얼마나 어렵게 저를 데려와 주셨는지 뻔히 아는걸요……."

그러면서 레이첼은 모닥불 너머로 알렉산드로를 흘끔거렸다.

그녀의 기죽은 얼굴과 단번에 눈이 마주친 그는 순식간에 불쾌해졌다.

'왜 나를 저렇게 쳐다보는 거지?'

꼭 큰 맹수를 보듯 저를 본다. 그녀의 경계 어린 눈빛이 내심 충격이었다. 밀런을 보는 따스한 표정과는 완전히 천지 차이였다.

"너라도 내 노력을 알아주니 아주 고오맙구나."

"그럼요. 기사님께서는 제 평생 은인이셔요."

"평생 은인이라, 반드시 기억해 둘 것이다. 하하하!"

밀런이 신명나게 웃음을 터뜨리자 레이첼은 자신이 어깨라도 주물러 주겠다며 팔을 걷어붙였다.

"저까지 데리고 말을 모는데 얼마나 어깨가 아프시겠어요."

"몸도 성치 않은데 굳이 이럴 필요…… 으응?"

밀런은 예상치 못한 섬세한 손길에 깜짝 놀랐다. 뭉친 근육을 귀신같이 찾아서 꾹꾹 누르는데 정말 시원했다.

"생전에 어머니도 참 좋아하셨어요. 제가 안마를 잘한다고."

"그래, 그 작은 손이 참 시원하기도 하다. 하지만 너도 피곤할 텐데 이제 그만해라."

"아니에요. 이 정도는 수고도 아니니 괜찮아요, 기사님."

"글쎄, 힘드니 그만하래도."

밀런은 점잖게 그녀를 말려 세웠다. 그러자 레이첼이 감복한 얼굴로 말했다.

"기사님은 정말 다정하세요."

"질리게 듣는 말이다. 하하!"

"……."

알렉산드로는 애꿎은 장작만 들쑤셨다. 불 앞에 앉아서 주거니 받거니 하하호호 노는 꼴이 가관이었다.

'약혼녀도 있는 놈이.'

남색이든 어쨌든 밀런은 약혼까지 한 몸이 아닌가?

'저러고 다니는 걸 반도라스 영애가 알아야 할 텐데.'

그 성격에 가만있지 않을 텐데. 갑자기 아쉬워졌다. 밀런이 두려워하는 것으로 보아 보통내기가 아닌 것 같은데…….

"콘래드 후작령에 도착하면 네 다친 몸부터 치료해 주마."

"신경 쓰지 않으셔도 돼요."

"내가 너를 책임지겠다 했는데 어떻게 모른 척하느냐? 내 마음이 편치 않아서 그런다."

밀런의 얼굴엔 다정이 뚝뚝 묻어났다. 저 눈빛 때문에 여자들이 좋아하는 걸까. 레이첼도 그래서…….

"그리 알고 조금만 견뎌. 알겠지?"

"예, 알겠습니다."

"대답도 잘하고. 아주 마음에 든다."

밀런은 흡족하게 고개를 끄덕였다.

"어, 웃을 줄도 아는구나. 그래, 죽을상을 하고 다니는 것보다 훨씬 낫다. 아주 예뻐, 응?"

"……."

더는 듣기도 보기도 싫었다. 알렉산드로는 거칠게 자리에서 일어섰다.

"알렉스, 갑자기 어딜 가는 거야? 불이나 더 쬐지 않고."

"상관 마라."

"쯧, 까칠하긴."

알렉산드로는 아름드리나무 뒤로 몸을 옮겼다. 아예 눈앞에서 멀어지게.

'아무것도 안 들린다. 안 들린다…….'

눈을 감고 최대한 그들의 대화를 무시하려 했다.

곧 도착할 마을의 규모가 컸던가. 어디부터 베아트리체를 찾아야 하지? 고심하는 순간.

"……그랬구나. 그럼 너도 이상형이 있느냐?"

'이상형?'

정확히 그 단어가 귀에 꽂혔다. 알렉산드로는 살며시 옆으로 움직여 고개를 젖혔다.

"이상형이라니요? 그런 건 없어요. 제 처지에 무슨."

"아니, 네 처지가 어디가 어때서?"

밀런은 펄쩍 뛰었다.

"그렇게 과거에 연연해서 쓰겠어? 새 출발할 생각을 해야지."

"하지만……."

"과년한 나이가 문제겠느냐? 너를 예쁘다 생각하는 팔푼이도 있는데."

"예?"

둘이서만 편하게 했던 얘기를 저렇게 떠들 줄이야. 심기가 불편해진 알렉산드로는 들으라고 크게 헛기침을 했다.

뜨끔했는지 밀런이 얼른 말을 고쳤다.

"아니, 그런 팔불출도 세상에 있을 거다, 이 말이다. 다들 제 짝을 찾는데 너라고 못 할 게 뭐냐? 수절 과부도 아니고."

그래, 맞다. 맞는 말이다. 알렉산드로는 저도 모르게 고개를 끄덕였다. 이번에는 밀런을 응원해 주고 싶었다.

"그건 그렇지요. 언제까지 그 남자를 그리면서…… 그렇게 살 수는 없으니까요. 바보같이."

레이첼이 처연하게 중얼거렸다.

"그러니까 한번 생각을 해 봐라. 넌 어떤 남자에게 끌리는지. 응?"

그러자 주변이 고요해졌다. 레이첼이 이상형을 고민하는 모양이었다.

'말도 참 잘 듣는군.'

알렉산드로는 속으로 빈정거렸다. 언제부터 모셨다고 밀런의 말을 저렇게 철석같이 새겨듣는지. 날 때부터 하녀로 태어나기라도 한 것처럼 저렇게 넙죽.

"어릴 때는…… 기사님과 결혼하고 싶다는 꿈도 있었어요."

"구체적으로 말해 봐. 터프한 남자를 좋아하는 거냐?"

"음, 아니요. 저는 다정하고 착한 남자가 좋아요."

답을 들은 알렉산드로의 입가에 저절로 미소가 드리웠다.

다정하고 착한 남자. 이는 베아트리체에게 평생 들어 온 말이었다. 그는 자신이 세상 그 누구보다 다정하고 착한 남자라고 스스로 확신했다.

"다정하고…… 착한?"

밀런이 몹시 곤란하다는 듯 탄식했다.

"하, 이것 참. 다정한데 착하기까지 바란단 말이지."

머리를 긁적이던 그가 되물었다.

"차라리 아주아주 잘생기고, 키가 훤칠하고, 몸이 좋은 남자는 어떠냐? 근육질에 돈도 많아. 권력은 물론이고."

"아니, 아니요, 저는……."

"나이가 어려 아직 지위는 없지만 따 놓은 당상이다. 집안이 죽여주거든. 능력은 물론이고."

그러나 레이첼은 절레절레 고개를 흔들었다.

"끝까지 들어 봐라. 무력도 출중해서 어릴 때부터 무투회에 나갔다 하면 상을 쓸어 왔다니까?"

"아니요, 저는……."

"천재적인 검술이라고, 감히 가르칠 주제가 안 된다며 기함하고 떠났던 선생들도 많았다."

"기사님."

"응?"

"그런 분이 왜 저를 택하겠어요."

"그야…… 그거야 나도 의문이지만, 어쨌든 그래도 제 눈에 안경이라고 너를……."

"저는 누군가의 정부로 살고 싶지 않아요."

"으응?"

"집안의 '불쌍한 마님'이 되고 싶지도 않고요."

제 주제에 과분한 남자라 싫다는 줄 알았더니, 그게 아니었다.

"기사님이 말씀하신 그 고귀하신 분께서는 평생 저만 바라보면서 살진 않으실 테니까요."

"……."

"저는 한 남자의, 딱 한 명뿐인 여자로 살 거예요. 그게 아니라면 싫어요."

"……그래서 다정하고 착한 남자를 꼽았구나."

"네."

밀런은 고심했다. 알렉산드로는 순정적이기는 하나 '다정하고 착한' 남자와는 거리가 멀었다. '냉정하고 사나운'에 가까웠다.

어떻게든 끼워 맞춰 보려고 했지만 조금씩 어긋났다.

"하지만 네가 원하는 남편은 찾기 힘들 거다. 황실을 봐도 그렇지 않느냐. 정부가 없었던 경우가 어디 있어? 그레이엄 1세 말고는 없었지."

갑자기 제 이름이 나오자 알렉산드로는 눈을 크게 떴다.

"그마저도 그레이엄 1세는 남색을 했다."

저런 망할 놈. 알렉산드로는 속으로 욕설을 삼켰다.

"그레이엄 1세는 초대 황후를 너무 사랑해서 다른 부인을 두지 않았다는 설도 있잖아요."

남색을 했다는 의혹을 받는 이는 그레이엄 1세뿐만이 아니었다. 역사 속 유명인에 관한 의견은 언제나 분분했다.

"세상 모든 권력을 가진 남자가 그랬을 리 없잖아. 그레이엄 1세는 남색가였을 거야."

'네가 뭘 안다고……!'

그만 닥치고 잠이나 자라고 재촉하려던 알렉산드로는 순간 우뚝 멈췄다.

"하지만 그레이엄 1세는 초대 황후께서 작고하시자마자 뒤를 따라가셨잖아요."

레이첼이 그의 심정을 고스란히 대변했다. 참 답답하다는 듯이.

"그게 사랑이 아니면 뭔가요?"

꼭, 제 마음속에 들어갔다 나온 사람 같다.

"그건 사랑이에요. 오직 사랑만이, 그 모든 희생을 감수할 수 있는 거예요. 세상 모든 권력을 가진 남자라도 자신을 희생할 수 있게 만드는 게 바로 사랑이라고요."

"너 그레이엄 1세를 아주 좋아하는구나."

"이 제국에 그분을 존경하고 사랑하지 않는 사람이 있을까요?"

"그건 그렇지. 아무튼 네 애정이 특별해 보이니 말해 줄게."

밀런은 쿠피히트 가문의 일원인 만큼 황실의 주요 기록 일부를 접한 적 있었다.

"그레이엄 1세의 죽음에 대해선 외부에 알려진 바가 없지."

'그럴 것이다' 하는 추측만 돌았다.

"하지만 황실의 기록에는 정확히 '실족사'로 남아 있어."

……그레이엄 황가의 퍼스트레이디, 베아트리체 그레이엄은 초대 황후로서 마지막까지 황궁의 내정을 살폈다. 오랫동안 황궁의 안주인으로서 많은 이들의 사랑을 받았던 황후는 일찍이 황좌를 양위한 그레이엄 1세의 품에서 조용히 눈을 감았다.

그레이엄 1세는 황후가 세상을 떠나고 이튿날 황궁에서 실족사했다.

처음 듣는 얘기지만 레이첼은 '실족사'란 말이 그리 놀랍지만은 않았다.

"그냥 실족사라고 남겨 둔 거겠죠. 황실의 기록이니까요."

"그래, 네 말도 일리는 있어."

평소 제국의 황실과 주요 가문의 일화에 관심이 많았던 레이첼은 이만큼은 확신했다.

"행보를 봤을 때 그레이엄 1세는 남색이 아니라, 초대 황후를 사랑했을 거예요."

드물게 그녀가 단언했다.

"'진짜 사랑'이요. 그 사랑 없이는 살 수가 없으니까 그런 비극적인 선택을……."

"사랑, 사랑, 그놈의 사랑."

진지하게 그녀의 말을 듣던 밀런은 픽 웃어 버렸다.

"아주 지겹다, 지겨워."

난 모르겠다, 한숨을 내쉰 그는 깍지 낀 채 편하게 누워 버렸다.

"내 주위엔 죄다 사랑 타령뿐이구나."

밀런은 혼잣말하듯 불평했다.

"너희는 대체 뭐가 그렇게 진지한 거야? 사랑이 뭐라고 그렇게 어렵게 살려고 해?"

중얼거린 그가 따지듯 물었다. 스스로에게 하는 한탄도 섞여 있었다.

"그깟 사랑이 뭐라고……."

"……."

당황한 레이첼은 눈을 깜빡였다. 막상 그녀는 사랑하는 남자를 만나지도 못했다. 자신이 그를 사랑하는지도 모른다.

"사랑은……."

그 사람 없이는 살 수 없는 걸까?

"저도 아직 확신할 순 없지만."

레이첼은 곰곰이 생각했다. 일단 죽은 정인 때문에 결혼식에서 도망쳤다고 말했으니…….

'사실이긴 하지. 그 남자 때문에 결혼을 못 한 건 맞으니까.'

그렇다면 제 사랑은 무엇일까. 답은 생각보다 쉽게 나왔다.

"저의 사랑은, 그 남자가 아니면 안 되는 거예요. 이 세상에서 오직 그 남자하고만 살고 싶고, 그 사람에게만 사랑받고 싶고, 그리고 내가 그 사람에게 유일하길 바라는 거."

그래서 여기까지 와 버린 거고요. 레이첼은 부끄러워 웃어 버렸다.

"……진지하긴."

밀런은 항상 연약하다고만 생각했던 레이첼에게서 처음으로 강인한 눈빛을 확인했다. 어떤 상황에서도 결코 흔들리지 않을 고집스런 의지가 엿보였다.

어느새 주위가 고요해졌다.

"에이, 모르겠다."

밀런은 포기하듯 누워 버렸다. 밤하늘이 깜깜했다. 무릎을 꼭 끌어안고 사색에 잠긴 레이첼의 모습이 불길에 너울거렸다.

'알아서들 하겠지.'

알렉산드로가 환장하겠다고 펄쩍 뛰는 모습이 무척 재밌기는 하지만, 어쨌든 그는 지금 한 여자를 애타게 찾고 있었다.

레이첼이 아니라.

'그깟 꿈속의 인연은 잊어버리고 좋아하는 여자를 그냥 받아들이면 좋을 것을.'

안타깝지만 어디 남이 이어 줄 수 있는 게 인연이던가. 떨칠 수 없는 이끌림에 어쩔 수 없이 쫓아가게 되는 것이 바로 사랑이었다.

거인이 잡아당기는 끈에 매달린 사람처럼, 어쩔 수 없이 제 발로 끌려가게 되는 것이…… 사랑.

오래도록 잠이 오질 않았다. 머릿속이 복잡했다.

항상 갖고 다니는 빨간색 여자 장신구를 꺼내 들여다보던 알렉산드로는 레이첼이 잠든 걸 알고서야 나무 뒤에서 모습을 드러냈다.

'저 모자란 놈을 어쩐다.'

밀런은 모닥불 앞에서 부채질을 하는 알렉산드로를 흘끔거렸다. 잠든 레이첼이 연기를 안 쐬게 하려고 저런 수고를 하는 게 분명했다.

제 친구의 표정이 사뭇 비장하고, 처량하고, 또 쓸쓸해 보였다. 다 들었을 테지. 과부 사정 홀아비가 안다고…… 그 역시 사랑에 대한 개똥철학에 공감했을 것이다.

'멍청이들.'

저 두 멍청이들은 현실에 없는 외사랑을 하느라 제 인생이 망해가는 줄도 모른다. 바보처럼.

'잘되겠지. 운명이라면.'

밀런은 눈을 감았다.

별들이 쏟아질 것처럼 넘실거렸다.

며칠이 지났다. 지도와 다르게 마을은 코빼기도 비치질 않았다.

"아무래도 우리가 방향을 잘못 든 모양이다. 여긴 콘래드 후작령으로 가는 길이 아닌가 봐."

레이첼의 상태는 계속 악화되었다. 나아질 거라던 말과는 달리 안색은 점점 파리해졌고 숨소리에는 격한 기침이 섞였다.

밀런은 뒤에서 저를 붙든 손길이 갈수록 연약해져 마음이 조급했다.

"말에게 물을 좀 먹여야겠군."

마침 알렉산드로가 냇가를 발견하고 멈춰 섰다.

레이첼을 위한 휴식 신호라는 걸 아는 밀런은 얼른 멈춰 서서 말에서 내렸다. 전보다 짧은 휴식을 취할 때마다 밀런은 일부러 레이첼을 다독여 주었다.

"조금만 힘내거라. 곧 마을이 나올 거야. 아까 인적을 확인했다."

"예, 괜찮습니다."

그녀가 다 죽어 가는 목소리로 중얼거렸다.

"전 신경 쓰지 마셔요."

"그 입 좀 다물어라!"

옆에서 칼을 씻던 알렉산드로가 버럭 소리쳤다. 깜짝 놀란 레이첼과 밀런이 움찔했다.

"괜찮다 괜찮다, 아주 지긋지긋하다! 그런 얼굴로 말하면 누가 불쌍하다고 상이라도 주는가 보군!"

"깜짝이야. 요즘 왜 이렇게 소리를 치고 그래? 항상 점잖고 조용한 게 네 매력이었는데."

간신히 평정을 되찾은 밀런은 레이첼에게 안심하라며 고개를 끄덕거렸다.

"그래, 알렉산드로가 네 걱정에 잠도 못 잔다, 레이첼. 밤새 얼마나 뒤척이는지 나도 몇 번을 깼어. 그러니까 빨리 나아야 돼."

황당해진 알렉산드로가 들고 있던 칼집을 내동댕이쳤다.

"말 같지 않은 소리!"

"알렉스, 너 제발 말이랑 행동이랑 일치 좀 해라. 가문의 이름이 부끄럽지도 않냐?"

"너야말로 왜 없는 말을 지껄이느냐? 내가 언제 저 계집의 안위가 걱정되어 밤새 뒤척였다는 거야!"

"남자가 왜 거짓말을 해? 내가 못 본 줄 알아? 너 몇 번이나 일어나서 레이첼 얼굴을 들여다봤잖아."

"하, 아주 기막히군! 밀런 쿠피히트, 네가 지금……!"

"좋아 죽겠으면 좋아 죽겠다고 그냥 말을 해. 너 진짜 실망스럽다."

"저 계집을 내가 좋아한다고? 내가?"

"그래, 네가!"

"쿠피히트!"

"설마 부끄러워서 그래? 남자가 돼서는 부끄러워 가지고 그렇게 괴롭히고, 모른 척하고 그런 거냐? 치졸하게?"

"뭐? 치…… 치 뭐라고?"

둘 사이에서 이도저도 못 하던 레이첼은 민망한 나머지 밀런의 옷을 잡아끌었다.

"기사님, 제발……."

제발 괜한 말싸움을 더는 하지 말라는 뜻이었다.

'갈수록 유치해지고 있어.'

다 큰 성인 남자들이, 그것도 웬만큼 큰 것도 아니고 거인처럼 큰 둘이서! 네가 맞네, 내가 맞네 목청을 높이는 모습은 누가 볼까 무서웠다.

게다가 둘의 말싸움은 갈수록 수준이 떨어져, 이제는 눈을 감고 들으면 열 살 남짓 아이들의 다툼 같았다.

"치졸! 치졸이랬다!"

밀런이 목청을 높였다. 레이첼의 얼굴이 뜨거워졌다.

"그만하세요! 그러게 기사님께선 왜 자꾸 없는 소리를…… 쿨럭!"

올라온 기침을 참지 못한 그녀가 울컥 비린 것을 뱉어 냈다.

"레이첼!"

두 남자는 핏덩이를 토하며 쓰러진 레이첼을 보고 눈이 휘둥그레졌다.

밀런은 말다툼도 잊은 채 허겁지겁 그녀를 눕히고 입가의 핏물을 닦아 주었다.

"죽을병이냐? 죽을병이야?"

그가 당황하여 횡설수설했다.

"이대로 죽는 것이냐? 어린 나이에 호사도 한번 못 누리고 이렇게 허무하게 가면……!"

"좀 닥쳐라. 죽긴 누가 죽어!"

알렉산드로는 급히 망토를 벗었다. 혹시 감기인가 싶어 그녀의 몸을 단단히 여며 주었다.

"질긴 목숨이다. 이렇게는 죽지 않아."

그는 주변을 살펴 마을로 가는 정확한 방향을 가늠했다.

"서둘러야겠다."

"그래, 서둘러 달려가야겠어."

"네 하녀를 몸에 묶어라, 밀런."

"뭐?"

밀런은 제게 내밀어진 밧줄을 보고 흠칫했다.

"또 저번처럼 말 위에서 쓰러질지 모른다."

"내 몸에 묶으라고? 레이첼을?"

"네 하녀이지 않느냐?"

"……."

밀런은 착잡하게 말에 올라탔다. 레이첼을 제 뒤에 태우고 딱 붙여 기대어 앉히자, 몸에 묶는 걸 알렉산드로가 도왔다.

"참 친절하기도 하다."

이를 갈던 밀런이 신경질적으로 중얼거렸다.

'이런 스킨십은 생전 어머니와도 해 본 적이 없는데.'

뒤에서 느껴지는 부드러운 여체가 못내 찝찝했다. 결혼할 여자도 아니고 그래 봤자 하녀일 뿐인데 어쩌다 내가 이렇게까지…… 어휴.

'이게 다 저 칼스버그 때문이야.'

밀런은 이를 갈았다. 훗날 이 수고는 전부 받아 내고 말 테다. 이자까지 비싸게 쳐서!

잠깐 기절했던 건지, 다행히 레이첼은 금방 눈을 떴다. 흠칫 놀란 그녀의 움직임이 느껴졌다.

"기, 기사님? 제가 왜……."

"나도 이러고 싶지 않았어."

밀런이 한숨을 쉬며 말했다.

"그런데 알렉산드로가, 네가 또 말에서 떨어질까 봐 걱정이 되어 미치겠단다."

"미친 건 너겠지, 쿠피히트."

"……정말 이러기냐? 유치하게?"

말다툼이 시작될 기미가 보이자 레이첼은 급히 말을 돌렸다.

"저기 민가가 보입니다, 기사님!"

그 말대로, 산등성이 아래 민가가 보였다.

"다행이군. 그런데 저긴 어디야? 초록색 깃발이라…… 처음 보는데."

"가서 확인해."

"그래, 그러자구."

알렉산드로가 마을을 돌아다니는 동안, 밀런은 레이첼과 함께 의료원에 들를 생각이었다.

"우선 우리는 네 몸부터 의사에게 보이자."

자비로운 밀런에게 레이첼은 고맙다는 인사 말고는 할 말이 없었다.

"감사합니다, 기사님. 이 은혜를 어떻게 다 갚아야 할지……."

"누가 보면 내가 때린 줄 알 거 아냐."

밀런은 멋쩍게 대꾸했다. 사실은 그런 이유가 가장 컸다. 그녀를 책임지기로 했으니 수도까지 함께 가야 하는데, 사람들에게 불쾌한 오해를 사고 싶진 않았다.

"참, 우린 다른 이름을 쓰거든. 가문이 밝혀지면 좀 귀찮아져서."

마을의 초입에 들어서기 전, 밀런은 당부하듯 말을 꺼냈다.

"난 아론이라는 이름을 쓰고, 알렉산드로는 알렉스라고 불러."

'아론? 알렉스……?'

묘하게 익숙한 이름이었다. 레이첼은 고개를 갸웃했다.

'어디서 들어 봤더라.'

아무리 생각해도 주위에 그런 이름을 가진 사람은 없었다. 한데 이 익숙한 느낌은 무엇일까?

"알겠지?"

"네."

레이첼은 고개를 끄덕였다.

'혹시 이곳에 내 얼굴을 아는 사람이 있으면 어쩌나?'

도미닉 백작가의 셋째 딸.

결혼식에서 도망친 신부.

근방에선 꽤나 떠들썩한 이야기가 되었으리라. 주점에서 오며 가며 떠드는 안줏거리로 많이 알려졌을 텐데…….

그 걱정을 알았는지 밀런이 먼저 제안했다.

"너도 다른 이름으로 불리는 게 나을 것 같은데."

"그러는 게 좋을 것 같아요."

"뭐라고 불러 줄까?"

레이첼은 잠시 고민했다. 그러다 문득, 어떤 이름이 불시에 떠올랐다.

"클로이요."

입에서 나오는 동시에 거짓말처럼 제 것처럼 느껴졌다.

"클로이라고 불러 주시면……."

"뭐?"

설마 내가 잘못 들었는가? 민가를 살피던 알렉산드로가 휙 고개를 돌렸다.

그 매서운 시선을 받은 레이첼은 자라처럼 고개를 움츠렸다.

"클로이래."

밀런이 그녀의 대답을 대신했다.

"잘 어울리는데 앞으로 계속 그 이름을 쓰는 건 어때? 신분도 잃었는데 굳이 레이첼이라는 이름을 고집해야 할 이유도 없지 않느냐?"

"음…… 그 말씀도 맞습니다. 그럼 그렇게 할까요?"

레이첼의 얼굴이 환해졌다. 고향을 벗어나 이름도 다시 지으니 새롭게 태어난 기분이었다.

'과거는 다 잊는 거야. 쿠피히트가의 사람이 되었으니 내게도 기회가 있어.'

밀런은 분명히 수도로 간다.

'수도까지 착실히 따라가자.'

수도에 가면 또 다른 기회가 있을 것이다. 그녀가 스스로에게 다짐하듯 크게 고개를 끄덕였다.

"그래, 잘 생각했다. 이제 네 이름은 클로이가 되는 거야."

순간 알렉산드로가 말머리를 돌려 둘의 앞을 가로막았다.

"왜 네가 그 이름을 쓰느냐!"

레이첼과 도란도란 얘기를 나누던 밀런은 급히 고삐를 당겼다.

히이잉-! 깜짝 놀란 말이 앞발을 굴렀다. 거의 낙마할 뻔한 두 사람은 눈을 휘둥그레 뜬 채 알렉산드로를 응시했다.

"하마터면 엎어질 뻔……!"

"네가 왜! 어째서!"

뭐라 하려던 밀런은 목에 핏대가 선 알렉산드로를 보고 입술만 삐끔댔다.

고삐를 쥔 그의 커다란 손에 푸른 힘줄이 솟아 있었다. 너른 가슴이 쉼 없이 오르락내리락했다.

세 사람 사이에 정적이 맴돌았다. 눈으로 과녁을 맞힐 듯 레이첼을 노려보던 알렉산드로가 분노를 삼키듯 이를 꽉 다문 채 거칠게 말머리를 돌렸다.

그가 진정된 걸 보고 밀런은 겨우 다시 말을 몰았다.

"아니…… 얘가 다른 이름을 쓰는 게 그렇게 화낼 일이야? 클로이라는 이름이 어디 잘못됐나?"

하지만 알렉산드로는 뒤를 돌아보지 않았다.

"그냥 전부 다 마음에 안 드는 거지? 얘가 뭘 하든 전부 다?"

"……."

"아주 가지가지 하는구만."

그에게선 끝내 어떤 대꾸도 없었다. 밀런은 널찍한 친구의 등짝을 쳐다보다 영 어이가 없어 쯧쯧 혀를 찼다.

'저거 사춘기 아냐?'

하는 꼴이 딱 그랬다. 갑자기 버럭버럭 소리를 치질 않나. 별것도 아닌 일에 화를 내질 않나.

"다른 이름을 쓸까요?"

"그럴 것 없어."

밀런은 알렉산드로의 등짝에 눈을 두고 말했다.

"그냥 심술을 부리는 거니까."

그래 놓고 밀런은 슬쩍 고개를 뒤로 돌려 레이첼에게 속삭였다.

"아무 말 못 하는 거 봐라. 지금 소리쳐 놓고 자기도 당황스러울걸?"

"그래도……."

레이첼은 눈을 굴렸다. 뒷모습만으로는 그가 무슨 생각을 하는지 알 수 없었다.

"대체 왜 그러신 걸까요?"

"이해하려고 하지 마. 자기도 자기가 왜 저러는지 모를 거다."

밀런의 말이 옳았다. 버럭 화를 내긴 했지만 알렉산드로는 급격히 후회했다.

클로이라는 그 이름이 제게 무척 소중하긴 하나, 그렇다고 레이첼이 이제 제 이름으로 쓰겠다는데 이를 저지할 권리는 없었다.

"근데 왜 하필 클로이야? 혹시 어릴 적 예명?"

"아닙니다. 어릴 적 예명은 따로 있어요. 클로이는 그냥 갑자기 그 이름이 떠올랐어요."

"그래?"

"네. 그런데 갑자기 떠오른 것치고는 마음에 들어서……."

"잘 어울리긴 하네. 귀엽고. 어릴 적 예명은 뭐였는데?"

"베아트리체예요."

순간 알렉산드로는 고삐를 잡은 손에 힘을 주었다. 심장이 철렁했다. 우뚝 자리에 멈춰 선 그는 유유히 옆을 지나치는 레이첼을 응시했다.

"'축복받은 자'라는 뜻이네. 예명으로 많이들 쓰는 흔한 이름이긴 하군."

"어릴 때는 그렇게 불렸어요. 어머니가 돌아가시기 전까지는."

"하지만 네겐 클로이가 더 잘 어울린다."

"그렇죠? 저도 벌써 제 것 같아요. 이상하게 낯설지가 않고……."

"잘된 일이지. 이 기회에 과거는 다 잊어버려. 넌 이제 클로이로 새 삶을 사는 거야."

알렉산드로는 얼빠진 사람처럼 멍하니 클로이를, 아니 레이첼을 주시했다.

"그래도 될까요? 칼스버그 경께서 이 이름을 싫어하시는 건 아닌지……."

"칼스버그 경은 무슨, 서임도 안 받았는데. 아무튼 내버려 둬라.

지금 사람을 찾아야 하는데 사랑이 찾아와서 제정신이 아닌가 봐."
그러자 클로이가 가시방석에 앉은 사람처럼 움찔거렸다. 뒤에서 그 모습을 지켜보던 알렉산드로는 거의 넋을 놓았다.
더없이 불쌍하게 눈치를 살피는 저 볼품없는 모습…….
어떻게든 제 눈에 띄지 않으려는 초라한 저 작은 어깨…….
알렉산드로는 몹시 혼란스러웠다. 그가 말을 가까이 해선 그녀의 머리부터 발끝까지를 천천히 훑었다.
하필 체격과 전체적인 분위기도 매우 흡사했다. 외모까지도.
얼굴을 정면으로 한 번만 더 보고 싶은데, 그녀가 도통 제 쪽으로는 고개를 돌리질 않았다.
"왜 또 그렇게 무섭게 쳐다보는 거야. 아픈 애한테 이번엔 무슨 막말을 하려고?"
놀란 알렉산드로는 손을 뻗었다.
"내가 언제……."
한결 수그러든 그는 차마 말을 끝내지 못했다. 자신이 언제 무섭게 쳐다보았으며, 언제 막말을 했다는 건지. 억울해서 항변하고 싶었지만 밀런은 그에게 기회를 주지 않았다.
"가서 네 운명의 여자나 찾지 그래?"
흥! 밀런은 콧방귀를 끼고 그대로 말머리를 돌렸다.
"용건이 끝나면 마을에서 가장 큰 여관에서 보자, 알렉스!"
말문이 막힌 알렉산드로는 멀어지는 그들에게서 눈을 떼지 못했다. 당황스럽고, 머릿속이 어지러웠다.
그때 클로이가 흘끔 그를 돌아보았다가, 눈이라도 마주칠까 후다닥 고개를 돌렸다. 그마저도 꼭 어디서 본 것만 같았다.

알렉산드로는 그녀가 완전히 사라질 때까지 한동안 자리를 떠나지 못했다. 너무나 익숙한 여자의 뒷모습이었다.

제국은 넓었다. 동북부는 극한의 추위로 유명했고, 동남부에는 사막 지형이 있을 정도였다. 사람이 사는 곳은 한정되어 있지만 그래도 한 여자를 찾겠다고 돌아다니기엔 방대한 크기였다.

알렉산드로도 알고 있었다. 이 얼마나 무모한 짓인지를.

밀런의 표현대로, 어쩌면 바닷가에서 모래알을 세는 게 빠를지도 몰랐다. 벌써 반년째 그녀를 찾아 헤맸지만 포기가 안 되었다.

"이봐, 여기가 광장인가?"

그가 과일을 파는 노점상에게 물었다.

"맞습니다. 외부에서 오셨나 보군요."

작은 마을이라 그런지 노점상은 대번에 외부인을 구별해 냈다.

"이곳은 광장이 맞습니다. 광장이라 부르기엔 협소하지만요."

아름드리나무 한그루가 전부인 장소였다. 벤치에는 사람들이 꽤 있었지만, 그래도 초라한 규모였다.

"칼스버그 공작령으로 가시는 길인가요?"

순간 알렉산드로의 낯빛이 변했다. 노점상은 기민하게 반응했다.

"이런, 길을 잘못 오셨나 봅니다. 종종 그런 분들이 계시거든요."

노점상은 얼른 새 지도를 풀어냈다.

"자, 보이시지요? 여긴 안테노르 공작령에 속한 마지막 마을입니다."

외부인에게 지도를 팔아먹으려는 수작이었지만 알렉산드로는 개의치 않았다.

"조금만 더 가시면 칼스버그 공작령이 나오지요."

제 영지가 나온단 말에 알렉산드로는 한숨을 내쉬었다. 마차가 다니는 큰길로 온 게 아니라서 미처 몰랐던 것이다.

그러고 보니 영지의 사냥터 근방에 안테노르 공작령에 속한 작은 마을이 있다는 얘길 들은 적이 있었다.

"칼스버그 공작령은 높은 성곽이 있어서, 금방 아실 겁니다."

모를 리가. 알렉산드로는 수도에서 자라고 수도에서만 생활했지만 칼스버그 일가는 종종 영지에 들르곤 했다.

"칼스버그 공작령은 신원 단속이 철저하니 준비를 단단히 하시는 게 좋을 겁니다. 칼스버그 대공님께서 주로 수도의 일을 보시느라 영지를 비우는 일이 잦다고 들었거든요."

주인이 자리를 비운 땅. 그러니 신원 단속이 철저할 수밖에.

"도움이 되었다."

"별말씀을요. 지도는 얼마 안 합니다, 예. 어이쿠, 이렇게 큰돈을! 감사합니다."

계산을 치른 알렉산드로는 품속에서 초상화 한 장을 꺼냈다.

"이렇게 생긴 여자를 본 적이 있느냐?"

수도에서 가장 유명한 화가에게 부탁해서 그린 베아트리체의 초상화였다.

"흠, 눈은 동그랗고, 눈썹은 얇고 길고, 코는 작고, 입술은 동그란 데다 하얀 치아 두 개…….”

초상화를 받아 든 노점상은 여자의 얼굴을 살피다 허허 웃었다.

“꼭 다람쥐처럼 생겼군요.”

알렉산드로는 옅게 웃으며 고개를 끄덕였다.

“그래, 맞다.”

귀여운 그 얼굴을 떠올리자 애틋함이 커졌다. 알렉산드로는 이제 베아트리체를 떠올리면 이젠 돌아오지 않는 과거가 되어버린 현실에 씁쓸한 외로움과, 그리움이 변질된 아릿한 고통을 수반했다. 보고 싶어서, 그래서 외로워 견딜 수 없었다. 제발 얼른 만나고 싶었다.

“이런 여자를 본 적 없느냐?”

“글쎄요, 본 것 같기도 하고……. 아, 가죽집 딸내미가 이런 얼굴이었던가? 얼굴에 점이 있긴 한데…… 그런데 무슨 일로 찾으십니까?”

“수도에서 만난 인연이다. 불미스런 일은 아니다.”

노점상은 고심하는 척하며 자신이 마을의 마당발에게도 물어봐 주겠노라 대답했다.

“비슷하게 생긴 아가씨가 있는지 한번 찾아보지요. 내일 이 시간에 이곳으로 다시 오십시오.”

“고맙다.”

대충 값을 치른 알렉산드로는 과장을 둘러보다 적당한 곳에 마을 지도를 펴고 앉았다. 광장 아래쪽에 민가가 있었고 그 근처에 시장 하나가 있는, 아주 작은 마을이었다.

지도를 접은 그는 지나가는 사람들에게 시선을 던졌다.

작은 키의 여자. 상아빛 피부에 갈색에 가까운 검은색 눈동자를 가진……. 주위를 둘러보던 알렉산드로는 자연스레 레이첼, 아니 클로이를 떠올렸다.

그 클로이는 이 클로이가 아닐 것이다. '클로이'라는 이름은 우연이 분명했다. 비슷한 체구에 비슷한 이목구비를 하고 있지만 그 또한 우연일 테고…….

'내 클로이가 맞는다면 나를 기억하지 못할 리 없지.'

알렉산드로는 손으로 제 얼굴을 짚었다. 머리색도, 눈, 코, 입도 거의 흡사했다. 눈동자 색도 같았다. 키도 마찬가지였다.

혹시 체형이 달라지면 저를 못 알아볼까 봐 알렉산드로는 전과 같은 몸을 갖기 위해 어릴 때부터 검술을 게을리하지 않았다.

이런 저를 알아보지 못한다면 그건 그녀가 베아트리체가 아니라는 뜻이었다.

첫 만남부터 그렇지 않았던가?

'그래, 그 여자는 아니다.'

게다가 그녀에겐 이미 사랑하는 남자가 있다. 그 정인 때문에 결혼식에서 도망치기까지 했으니 얼마나 깊은 사랑을 했는지 알 만했다.

'베아트리체가 나를 두고 그랬을 리는 없으니까.'

지도를 구겨 버린 알렉산드로는 잡념을 떨치듯 자리에서 일어섰다. 이러다 괜한 여자 때문에 진짜 제 여자를 찾지 못할까 봐 마음이 불안했다.

그런 불상사가 벌어지지 않게, 이곳을 샅샅이 둘러봐야 했다.

알렉산드로가 여관을 찾아 들어온 건 저녁 무렵이었다. 꽤 오래 돌아다니긴 했지만 뭘 하고 왔는지 정신이 없었다.

"클로이는 지금 옆방에서 자고 있어. 푹 쉬면 나을 거래."

클로이. 또다시 나온 그 이름에 알렉산드로는 움찔했다.

이 클로이가 과연 내 클로이일까? 실은 하루 종일 그 생각이 떨쳐지지 않았다.

"의원이 말하길, 가벼운 감기랜다."

알렉산드로는 겉옷을 벗다 말고 멈칫했다.

"어떻게 가벼운 감기일 수가 있나. 피를 토했는데."

"나도 똑같이 물었지만 의사가 그렇다는 걸 어째?"

밀런은 제 책임이 아니라는 듯 어깨를 으쓱했다. 얄미운 그 모습에 알렉산드로는 미간을 찌푸렸다.

각혈을 했으면 그냥 잡병이 아닐 텐데, 뭐? 가벼운 감기? 그럴 리가 있나.

"돌팔이가 아니냐."

"돌팔이면 뭐 어떡하시려고. 이 마을엔 그 의사밖에 없다는데."

그의 말이 맞았다. 애초에 이런 변방의 작은 마을에서 실력 있는 의사를 기대한 게 잘못이었다.

"그나저나 어떡하면 좋지? 우리 완전히 길을 잘못 들었잖아."

밀런은 조심스레 친구의 눈치를 살폈다. 그 또한 여관 주인에게 이미 들은 터였다.

"직진했어야 했는데. 어쩌다 이쪽으로 와 버린 건지, 참……."

원래 목적지는 콘래드 후작령이었다. 하지만 이대로 가다간 제국의 동남쪽에 도착할 터.

칼스버그 공작령, 알렉산드로의 고향.

"들르지 않을 거야?"

밀런이 조심스레 제안했다.

"칼스버그 부인께서 수도에서 내려와 휴가를 보내는 기간도 아니잖아. 어차피 사용인과 가신들 몇몇만 대공저를 지키고 있을 텐데."

마주치면 곤란할 사람이 있는 것도 아니고.

"이 마을 의사는 영 신뢰가 안 가. 어차피 여기까지 왔으니 그냥……."

"어쩔 수 없군. 네 하녀가 그렇게 걱정이라면."

알렉산드로가 화를 낼까 전전긍긍했던 밀런은 안도의 한숨을 내쉬었다.

"남부에는 실력 있는 의사들이 꽤 있다."

"남부? 왜 그렇게 부르냐? 네 영지인데."

"아버님의 영지이지 내 것이 아니야."

"참 나. 땅 없어서 서러운 가문도 있는데 아주 배가 불렀군."

밀런이 장난처럼 하소연했다.

"에휴, 개국 공신이라고 이름만 오르면 뭘 하나. 땅은커녕 가진 흙도 한 줌 없구만."

뜨끔한 알렉산드로는 저도 모르게 변명했다.

"네 가문은 수도를 기반으로 하지 않느냐? 그리고 에반이 재차 거절하여 하사하지 못했을 뿐, 일부러 주지 않은 게……."

"에반? 하사하지 못했다고?"

밀런이 무슨 헛소리냐는 듯 인상을 찌푸렸다.

"설마 지금 우리 증조부님을 말하는 건 아니겠지?"

당황한 알렉산드로는 먼 곳을 응시했다. 머릿속이 복잡하여 나오지 말았어야 할 말이 불쑥 나와 버렸다.

"요즘 정말 이상하다, 너."

밀런은 취조하듯 알렉산드로의 주위를 빙글빙글 돌았다.

"내가 알던 알렉산드로 칼스버그가 아닌 것 같단 말이지. 툭하면 목청을 높이질 않나, 신경질을 부리질…… 어?"

순간 뭔가를 발견한 그가 창가로 다가갔다.

"저거 클로이잖아?"

그 말대로 클로이가 여관에서 나와 어디론가 가고 있었다. 행인들 사이에서도 절뚝이는 그녀의 걸음걸이 때문에 눈에 띄었다.

"눈도 좋군."

"아니, 재는 저 몸으로 혼자 어딜 가는 거야. 날도 어두운데. 클로이! 클로이!"

밀런은 창밖으로 그녀를 불렀지만 시끌벅적한 행인들 때문에 듣지 못한 듯했다. 클로이는 금방 사람들 사이로 사라졌다.

"저 애는 하여튼 꼭 이렇게 신경 쓰이게 만든다니까. 아주 손이 많이 가요, 누구처럼!"

밀런은 관심 없는 척 돌아선 '누구'의 뒷모습을 노려보았다.

"누구 짝 아니랄까 봐. 으이구!"

한탄한 그가 망토와 칼을 챙겨 들고 밖으로 향했다.

'내가 감기라니.'

마을 의사는 기침을 하는 걸 보고 감기라 말했지만 클로이는 자신의 병을 알았다. 머리가 띵하고 속이 거북하며 구역질이 나오고 피를 토하는 것이, 이는 감기가 아니라 오염된 물에서 오는 중병이었다.

귀족인 알렉산드로와 밀런은 챙겨 다니는 식수만 마시지만 클로이는 이를 나눠 달라 말하기가 어려워 몇 번 냇가에서 목을 축인 적이 있었다.

'그래도 다행이야. 약을 구할 수 있으니.'

이 마을 유일한 의사의 오진을 대놓고 말했다가 트러블이 생길까 봐 그녀는 아무 말도 하지 않았다. 까딱했다간 이방인인 자신들이 마을에서 쫓겨날 수도 있는데, 밀런에게 그런 폐를 끼칠 순 없었다.

'민가 근처에서 보았는데…….'

클로이는 약초에 해박했다. 병과 독, 약초 같은 것들이 재밌어서 공부를 꽤 했었다.

특히 호르헤 나나파가 편찬한 『약용식물도감』이 큰 도움이 되었다. 오래됐어도 내용이 훌륭하여 널리 알려진 책이었다.

클로이는 그 책을 달달 외울 정도였다. 세 권이나 되는 방대한 양이지만 예전에 읽어 본 사람처럼 글자가 머리에 쏙쏙 들어와서 공부가 쉬웠다.

"아, 저기 있다!"

클로이는 의원을 오가다 본 커다란 꽃나무의 위치를 기억했다.

'카나리아 나무.'

피처럼 붉은 꽃이 인상적이라 잊으려 해도 잊기 힘든 나무였다.

'주로 사막 지형에서 자란다고 했는데.'

저 꽃송이에는 특별한 효능이 있었다. 저처럼 오염된 물을 마시고 중병에 걸렸을 때 먹으면 병이 금방 나았다. 꽃을 생으로 먹어야 가장 효과가 크기 때문에 제국에선 변방에도 나무를 보급시키려고 노력해 왔다.

몇 년 전 재배에 성공해서 이 작은 마을에도 한 그루가 있었다.

'저녁 무렵이라 사람이 별로 없네.'

민가의 한구석, 보호하듯 쳐진 울타리 안에 카나리아 나무가 있었다. 클로이는 체면도 잊고 울타리를 넘었다. 구걸하는 걸인들이 두세 명 있었지만 다행히 오가는 행인은 적었다.

"아니, 저놈은 뭐야?"

"처음 보는 행색인데."

걸인들은 제 구역에 들어온 신입을 보고 신경을 곤두세웠다.

"어디서 굴러먹던 땅거지가 우리 구역까지 왔어?"

떨어진 꽃송이를 주워 먹던 클로이를 보고 하는 말이었다. 영역을 침범당한 줄 알고 분개한 걸인들이 소리쳤다.

"이봐, 신입! 그건 우리가 먹는 게 아냐!"

클로이는 꽃을 씹다 말고 놀라 흠칫했다. 챙겨만 가려다 탐스러워 보여 몇 개 입에 넣었는데 그걸 봤을 줄이야.

'얼른 자리를 떠야겠어.'

주섬주섬 꽃송이 몇 개를 더 챙겨 일어나려는데, 걸인 셋이 다가와 어깨에 척 하니 손을 얹으며 저지했다.

"어이, 거지 노릇도 자릿세가 있는 법인 거 몰라?"

"그래. 주워 먹든 빌어먹든 처먹었으면 값을 치러야지. 우리가 거지들이지 도둑은 아니잖아, 그치?"

"근데 어딜 그냥 가려고…… 이 콩알만 한 걸 확 그냥!"

걸인이 손을 치켜들었다. 몸을 피하려는 순간, '퍽' 소리와 함께 그가 저 멀리 날아갔다.

"뭐, 뭐야?"

다른 걸인들이 당황하며 주춤 뒤로 물러섰다. 집채만 한 근육질의 남자가 씩씩거리며 그들을 내려다보고 있었다.

"기사님!"

클로이의 외침에 놀란 걸인들이 서로를 돌아보았다. 기사라면…… 귀족 아닌가!

"이, 이봐, 귀족이래. 얼른 도망가자!"

뻣뻣이 굳은 밀런은 멀어지는 걸인들을 바라보다 클로이에게로 눈을 돌렸다.

"네가 어떻게."

그는 비통한 얼굴로 클로이의 어깨를 붙들었다.

"네가 어떻게 떨어진 것을 주워 먹느냐?"

그 참담한 어조는 질문이 아니었다.

"아무리 신분을 잃었다 해도 너는 귀족이 아니냐. 그런데 어떻게 걸인들과 같은 취급을 받을 짓을 할 수가……."

눈으로 본 것을 차마 믿을 수 없다는 듯, 밀런이 말끝을 흐렸다.

“기사님, 제가 사실은 감기가 아니라 어떤 중병에 걸려서…… 이게 약용으로 먹는 꽃이거든요. 치료제로 챙겨 가려고 했는데 꽃이 하도 싱싱하고, 또 탐스럽게 생겨서 한번 몇 개만 먹어 봤습니다.”

“…….”

“바로 효과가 나오는지 궁금해서…….”

하지만 밀런의 애잔한 눈빛은 변하지 않았다. 스스로도 궁색한 변명을 구구절절 떠든 것 같았다.

“그럼 나무에 붙은 것을 따 먹을 것이지, 왜 땅에 떨어진 것을 주워 먹어?”

“아직 나무에 붙어 있는 꽃을 뭐 하러 꺾겠습니까? 떨어진 것도 여전히 싱싱한데…….”

“…….”

밀런은 할 말을 잃은 듯 벙찐 얼굴이었다. 서로가 서로를 이해할 수 없는 눈으로 주시했다. 클로이는 순식간에 난처해졌다.

‘이 사람도 날 이상하게 생각하면 어떡하지?’

안 그래도 집안사람들에게 ‘귀족적이지 못하다’는 말을 수없이 들으며 자라 온 터.

그녀는 분명 귀족 태생이 맞는데도 언제나 남들과는 다른 언행을 하는 바람에 집안사람들의 골칫거리였다. 기술을 배우겠다, 상인들하고도 어울리겠다, 결혼을 하지 않겠다 등등.

제가 생각해도 이는 평범한 귀족 여인네들이 할 법한 생각이 아니었다.

하지만 어쩌겠는가? 그렇게 하고 싶은 것을!

클로이는 백작가의 여식이 아니라 졸부 상인의 딸 같다고, 어머니와 유모에게 많이 혼나며 자랐다.

"보는 사람이 없길래……."

"보는 이가 없으면, 그래도 된다고?"

"아까 제가 피를 토하면서 쓰러지는 거 보셨잖아요. 중병이에요."

그녀가 해명하듯 중얼거렸다.

"죽으면 다 무슨 소용이겠어요."

"의사는 가벼운 감기라고 했잖아."

"이게 어떻게 가벼운 감기인가요? 차라리 무거운 감기라고 했으면 유머 감각이 있는 돌팔이구나 하고 이해했을 거예요."

"……."

밀런은 난해한 눈으로 클로이를 내려다보았다. 그러다 문득 그녀의 이마에 손을 짚었다. 아직 미열이 느껴졌다.

'애가 아파서 그런가?'

친해질수록 따박따박 얼마나 대꾸를 잘하는지 밀런은 갈수록 그녀의 인상이 처음과 달라졌다.

첫 만남에는 '불쌍한 수절 과부'였는데, 그녀는 결코 자기 연민에 빠진 처량한 여자가 아니었다.

"……아무튼 가자. 이 마을엔 더 이상 못 있겠다. 쪽이 팔려서."

밀런은 몇 발자국 멀리서 바짝 굳어 있는 제 친구를 발견하곤 고개를 떨궜다.

'알렉산드로도 눈이 있으면 다 봤겠지.'

거지들과 영역 싸움을 하던 그 모습을.

클로이가 땅에서 뭔가를 주워 먹는 걸 보고 알렉산드로는 흠칫하더니 그 자리에 얼어붙었다. 얼마나 놀랐는지 들고 있던 손수건을 떨어뜨렸을 정도였다. 친구가 돌처럼 굳어 있는 걸 보고 밀런은 내심 죄책감을 느꼈다.

'이런 여자를 내 친구와 엮어 주려 했다니…….'

그것도 칼스버그 가문의 차남과.

밀런은 알렉산드로를 향해 절레절레 고개를 흔들었다.

'아무래도 얜 안 되겠어.'

그런 의미였다. 마침 알렉산드로도 저와 똑같은 생각인 듯, 경악에 휩싸인 얼굴로 클로이를 빤히 쳐다봤다. 전에 없이 애처로운 눈빛도 살짝 엿보였다.

'쯧, 많이 불쌍해 보였나 봐.'

저도 식겁했으니 그에겐 얼마나 충격이었을까? 눈으로 보지 않았다면 상상이나 했겠는가? 귀족 영애가 흙바닥에 떨어진 걸 주워 먹고 있으니…….

그 순간 인형처럼 굳어 있던 알렉산드로가 성큼 다가와 클로이의 팔을 낚아챘다.

"앗!"

"알렉스, 왜 그래?"

클로이보다 더 놀란 밀런이 본능적으로 제 몸을 앞세웠다.

"워워, 아픈 애한테 이러지 마."

알렉산드로는 화가 난 것 같기도 하고, 당황한 것 같기도 하고, 혼란스러워 보이기도 했다.

"무슨 일인지는 몰라도, 응?"

흥분한 그를 진정시키려 했지만 자신은 보이지도 않는지 그의 시선은 오직 클로이에게만 고정되어 있었다. 한데 가만 보니, 그는 실망을 하거나 화가 난 게 아니었다.

두툼한 가슴이 오르락내리락했다. 금방이라도 터질 듯 감정이 북받쳐 보였다.

마치 평생 찾던 보물을 앞둔 사람처럼, 그는 이루 말할 수 없는 격정에 휩싸여 있었다.

“너 이리 와.”

놓치기라도 할까, 그는 클로이를 꼭 붙든 채로 인적이 드문 골목으로 사라졌다.

클로이는 바들바들 두려움에 떨며 그의 뒤를 따랐다.

‘뭐지? 무슨 일이길래 이러는 거야?’

다행히 알렉산드로는 곧바로 손을 놓았다. 하지만 아직도 붙잡혔던 팔뚝이 얼얼했다. 저렇게 큰 손은 백작가의 유명했던 짐꾼 이후로 처음 본다. 그녀가 어릴 때 약간 관심을 가졌던 잘생긴 남종이었다.

‘내가 품위 유지를 못 했다고 체면을 상하게 해서 그런가? 왜 저렇게 화가 났지?’

더, 더 구석진 골목으로 들어선 그가 휙 몸을 돌렸다.

클로이는 얼른 힘없는 표정으로 어깨를 축 늘어뜨렸다. 최대한 불쌍한 척.

"무슨…… 무슨 일로…… 쿨럭쿨럭."

그러자 그가 마치 귀신을 보듯 저를 쳐다봤다. 새파란 눈동자가 흔들리고, 도톰한 입술이 살짝 벌어졌다. 짙은 눈썹 사이의 미간이 좁혀지며 조각 같은 콧날이 돋보였다.

강인하고 날렵한 턱 선이 앙 다물어졌다가 목젖이 묵직하게 울렁이는 게 매우, 매우…….

'잘생기긴 진짜 잘생겼다.'

저도 모르게 그의 얼굴을 뜯어보던 클로이는 내심 감탄하다 뒤늦게 정신을 차렸다.

'하마터면 빨려 들어갈 뻔했어.'

저 얼굴을 이렇게 정면으로 쳐다본 건 처음이었다. 세상에, 저렇게 생겼으니 밀런이 '아주아주 잘생겼다'고 그렇게 강조를 해 댔던 거다.

'너무…… 너무 잘생겼잖아.'

갑자기 얼굴에 열이 올랐다. 클로이는 당황스러워 고개를 푹 숙였다. 땅을 보며 이리저리 눈알을 굴리는데, 그가 불현듯 제 턱을 들어 올렸다.

"네 정인은 정말 죽었느냐?"

"예?"

갑작스런 물음이었다. 저는 분명 정인이 '세상에 없다'고 말했는데, 이를 '죽었다'고 받아들인 건 그였다.

"난 두 번 말하는 것을 좋아하지 않아."

"네……?"

클로이의 눈썹이 살며시 찌푸려졌다. 어디선가 들어 본 말이었다.

'어디서 들었지, 이런 말을? 누가 이런 말을 했더라……?'

분명히 들은 기억이 있는데.

갑자기 지끈지끈한 두통이 몰려왔다. 가끔 이렇게 날카로운 조각으로 찌르듯이 머리가 아플 때가 있었다.

"네 정인은 누구냐."

"제 정인은, 그러니까……."

그녀는 욱신거리는 관자놀이를 짚었다. 머리가 아프다 못해 어지러웠다.

"이름은?"

"그게."

클로이는 입술을 달싹였다. 정인이라 변명하긴 했지만 그 남자에 관해선 아무것도 모른다. 자신을 무척 사랑한다는 것밖에는…….

"머리색은? 눈동자는? 키는?"

알렉산드로가 초조한 사람처럼 자꾸만 질문을 던져 왔다.

"어느 영지의 누구지? 잘 알 것이 아니냐? 네가 그토록 사랑했던 남자라면."

"그건……."

클로이는 천천히 고개를 저었다.

"그건 말할 수 없습니다."

"어째서."

성큼 다가와 거리를 좁힌 그가 제 양 팔뚝을 붙들곤 다그쳤다.

"어째서 말할 수 없다는 것이지?"

클로이는 당황한 나머지 말문이 턱 막혔다. 왜 갑자기 이런 걸 캐묻는 걸까.

'세상에, 이 와중에 얼굴이 왜 저렇게…….'

알렉산드로가 진지한 표정을 지으니 꼭 움직이는 조각상 같았다.

그에게서 눈을 떼기가 어려워 자꾸만 흘끔거리게 된다. 더러운 저 성질머리 때문에 받아 줄 여자가 없다고만 생각했는데.

'글쎄, 꼭 그렇지도 않겠어.'

이 맹랑한 생각을 들킬까 봐 클로이는 먼 곳으로 눈을 돌렸다. 이런 상황에 얼굴 구경이나 하게 되다니 참 어지간히도 잘생긴…….

"어서 대답해!"

그가 붙든 몸을 흔들며 버럭 소리쳤다. 사색이 된 클로이가 영문을 모르고 그를 올려다보았다.

"왜 이러십니까?"

"아, 아니…… 나는."

그가 드물게 당황하며 얼른 손을 놓았다. 경악한 클로이의 표정을 확인한 그가 천천히 고개를 저었다.

"그게 아니라…… 그러려던 것이 아니다."

뭔가를 꾹꾹 눌러 참는 사람처럼 심호흡을 하고, 마른세수를 했다가 원망스레 하늘을 한 번 쳐다보곤 다시 눈을 마주쳤다.

"……내가 묻는 것에 대답해라. 어째서 그 남자에 관해 말하길 꺼리느냐. 어떤 비밀이 있기에?"

"무슨 이유로 제 정인에 관하여 캐물으십니까? 그것도 이제 와서."

그간 저 남자의 온갖 힐난을 듣고 참아 왔지만 이번엔 이런 말을 들을 이유가 없었다.

"이미 말씀드렸듯이 세상에 없는 사람입니다. 그러니 궁금해하실 것 없습니다."

“정말 죽었느냐?”

“……네.”

클로이가 눈을 피하며 대답하자 그가 코앞까지 다가왔다. 그러곤 거만하게 고갯짓했다.

“그럼 말해 봐라. 어떻게 죽었는지.”

심장이 내려앉았다. 클로이는 믿을 수 없는 눈으로 인상을 찡그렸다.

‘이건 너무 잔인하잖아.’

제 허구의 정인이 실제로 죽었는지 살았는지는 알 수 없었다. 그런데 알렉산드로가 저렇게 집요하게 추궁을 해 대니 괜히 서러웠다. 저절로 눈물이 차올랐다.

“제가…… 살아 있는 사람을 죽었다고 거짓말이라도 했을까 봐 그러십니까? 혹시 그가 이 마을에 있을까 봐서요?”

클로이는 그렁그렁한 눈으로 대차게 그를 노려보았다.

“누구인지 알면, 부정한 계집과 놀아났다고 찾아가서 단죄라도 하실 요량이십니까?”

눈물을 매단 채 쏘아 대자 그는 더 몰아붙이지 못했다. 그저 먼 곳을 보며 긴 한숨을 뱉어 냈다.

“그 남자는 없습니다. 만나고 싶어도, 만날 수가 없는 사람입니다.”

기어코 눈물이 흘렀다. 그것도 이 남자의 앞에서.

그 사실이 못내 억울하고 수치스러웠다. 알렉산드로가 손을 뻗을 것처럼 멈칫하자 클로이는 얼른 양손으로 제 눈물을 훔쳐 냈다.

“불쾌하고, 부덕한 계집이니 어디든 버려두고 가면 그만이라고 여기시는 것 잘 압니다. 정인을 찾으면 절 떼어 놓고 가시려 했는지 모르지만…….”

알렉산드로는 굳은 얼굴로 설핏 고개를 저었다.

“그런 이유로 물은 게 아니다.”

클로이는 믿지 않았다. 그간 저 남자에게 얼마나 구박을 당했던가?

“이유야 어찌 되었건 전 대답할 게 없습니다. 물으셔도 모릅니다.”

계속 입술이 마르는지 그의 목젖이 울렁이는 게 보였다.

“다시는 제 정인에 대해 묻지 마세요. 부탁드립니다, 칼스버그 경.”

“내 이름을…… 모르느냐?”

그가 묘한 어조로 되물었다.

이 와중에 그게 불만일까. 알지만 부르기 싫었을 뿐인데. 클로이는 대답 대신 그를 한 번 쏘아보곤 그대로 몸을 돌렸다.

‘그래, 이만하면 솔직했어.’

거짓말은 하지 않았다. 또 얼마나 구박을 당할지 뒷일은 걱정되지만 그래도 후련했다.

골목을 나서던 순간, 클로이는 다시 거센 손길에 붙들렸다.

“……!”

그것도 이번엔 팔 언저리가 아니라 손이었다. 뜨거운 남자의 열기가 고스란히 손바닥에 닿았다.

“왜, 왜 이러시는 겁니까?!”

소스라친 클로이가 힘껏 손을 뿌리쳤다. 다행히 그는 순순히 놓아주며 뒤로 걸음을 물렸다.

그녀는 방어하듯 두 손을 모아 쥐었다. 쿵쾅대는 가슴 때문에 얼굴에 열이 올랐다. 손이 달달 떨리고, 그와 닿았던 부분이 타는 것처럼 뜨거웠다.

"그게."

크게 당황한 그녀를 보곤 알렉산드로도 덩달아 놀라선 할 말을 잃었다.

"그러려던 게…… 아니다."

한결 기세가 누그러진 목소리.

간신히 숨만 몰아쉬던 클로이는 도망치듯 골목을 뛰쳐나왔다. 머리 꼭대기까지 피가 몰려 눈앞이 다 아찔했다. 어지러워 비틀거리던 클로이는 간신히 벽을 짚고 심호흡을 했다.

심장이 아직도 두근거린다. 주위를 둘러보던 클로이는 벽에 등을 대고 주르륵 주저앉았다.

'내가 왜 이러지. 겨우 손 한 번 잡았다고…….'

클로이는 두 손으로 얼굴을 덮었다. 크고, 단단하고, 뜨거운 그의 감촉이 다시 한번 상기되었다.

이대로 펑 하고 터져 버릴 것만 같았다.

이틀이 지났다.

"흠흠, 오늘도 마을을 돌아보지 않을 거야?"

밀런은 천장에 시선을 두고 멍하니 누워 있는 알렉산드로에게 물었다.

"그럼 여긴 더 남아 있을 이유가 없는 거지?"

"……."

그는 아무것도 못 들은 사람처럼 묵묵부답이었다. 벌써 며칠째였다. 클로이를 데리고 사라졌다가 나타난 이후부터 줄곧 저렇게 산송장 같은 상태였다.

"알렉스, 듣고 있어?"

밀런은 그의 눈앞에 대고 휘휘 손을 흔들었다.

평소 같으면 네 아비의 얼굴을 봐서라도 경망스런 짓은 자제하라고 훈계를 했을 텐데, 알렉산드로는 망부석처럼 아무 반응도 없었다.

"그러게 내가 잘해 주라고 했잖아. 후회할 짓을 왜 했어."

밀런은 클로이를 떠올리곤 픽 웃었다.

"쪼그만 게 성질이 꽤 있는 모양이지?"

그러자 스르르 알렉산드로의 눈에 초점이 맞춰졌다. 그가 어떻게 알았냐는 듯 밀런을 응시했다.

"평범한 영애가 결혼식에서 도망칠 수 있겠어? 걔는 맞아 죽을 각오를 하고 도망친 여자야, 알렉스."

맞아 죽을 각오를 하고 도망친 여자.

밀런이 가볍게 짚은 말에 알렉산드로의 가슴이 욱신거렸다. 그 이후로는 차마 클로이를 볼 자신이 없었다. 죄책감 때문이었다.

가엾은 그 처지를 모르던 것도 아닌데…….

"그 애는 겉으로 보이는 것처럼 그냥 콩알만 한 작고 귀여운 여자가 아니라고."

밀런은 여섯 명의 제 여자 형제 중 어느 누구도 감히 그런 짓을 못 하리라 장담했다.

"여장부라고 소문이 자자한 우리 첫째 누님도 그런 짓은 하지 못

할걸? 가족, 친구, 고향을 다 버리고 누가 도망칠 수 있겠어. 나도 못 해."

진심으로 밀런은 자신 없었다.

"근데 그 애는 했잖아."

그 조그만 애가, 겁도 없이. 혼자 그 몸을 하고 산기슭을 헤맬 때부터 밀런은 알아봤다.

"모르겠어? 클로이는 하란 대로 따르는 여자가 아니야. 설령 그게 부모의 결정이라도 말이지."

그가 답답함에 가슴을 두드렸다.

"그래서 내가 잘해 주라고 했잖아, 이 멍청아."

"……."

알렉산드로는 팩 돌아 누워 버렸다.

'그렇게 대해선 안 됐는데.'

맞는 말만 콕콕 짚어 대는 친구의 목소리가 짜증스러웠다. 모르겠다. 그녀가 맞는지, 아닌지도.

'아닐 거다.'

클로이가 베아트리체라면 나를 알아보지 못할 리가 없으니까.

'맞는다면 나를 알아봤겠지.'

나를 그렇게나 사랑했던 그 베아트리체라면, 우리가 함께했던 모든 아름다운 추억을 잊어버릴 리 없으니까. 함께한 그 시간들을, 그녀가 기억하지 못할 리가…….

"아니, 그 애가 떨어진 걸 주워 먹는 걸 보고도 아직도 정말 그렇게 좋단 말이냐?"

"……."

"정말 징그럽다, 징그러워. 알아서 해라, 응? 제발 그냥 알아서 해. 어휴."

귀족답지 않던 그 행동을 떠올리고 밀런은 기가 차다며 쯧쯧 혀를 찼지만 알렉산드로는 달랐다.

백작가 영애가 허례허식, 체면 같은 걸 별로 중요시하지 않는다는 점에서 그는 뭔가 의심이 들었던 것이다.

'어떤 귀족 영애가 그리한단 말인가.'

베아트리체는 평소 낭비를 싫어했다. 특히 입으로 들어가는 것에 유별났다. 죽으면 생전에 남겼던 음식들을 다 먹어야 한다나. 제국민들이 생각하는 바와 다르지만 그녀는 다른 세상에서도 살아 본 사람이었다.

—죽으면 다 무슨 소용이겠어요.

무심히 중얼거리던 클로이의 목소리가 그의 귓가를 떠나지 않았다.

베아트리체는 죽음에 대한 집착이 강했다. 돈이나 보석은 죽으면 어차피 가져갈 수 없으니 자신은 다른 걸 갖겠다며 평생 명예만 좇던 사람이 바로 그녀였다.

사랑, 우정, 행복, 명예.

눈에 보이지 않지만 그보다 더 선명하게 존재하는 것들. 베아트리체는 그런 것을 소중히 여겼다.

제 여자와의 지나간 추억을 더듬던 그의 얼굴에 결국 참지 못한 눈물이 한 줄 흘렀다.

"근데 걔, 이틀 사이에 상태가 많이 나아졌던데?"

불과 며칠 전만 해도 피를 토하던 클로이는 이제 밀런과 마을 산책도 다닐 정도로 상태가 호전되었다.

"약초에 대해서 잘 안다더니 없는 소리는 아니었나 봐."

가슴에 흐르는 서러움을 삼키던 알렉산드로의 몸이 움찔했다.

"클로이 말이야. 귀족이라는 건 다 뻥이고, 사실은 약방에서 일하던 하녀 아니었을까?"

"……."

풀썩 돌아누운 알렉산드로는 저도 모르게 앓는 소리를 냈다.

밀런의 말을 들으면 들을수록 괴로웠다. 클로이는 베아트리체와 지나치게 흡사했다.

'나와 약속했는데.'

다시 태어나도 서로를 기억하겠노라. 그리고 다시 사랑하겠노라. 분명 그렇게 서로 약속을 했는데…….

그 약속이 적어도 천 번은 되었다.

아직도 선명한 그 순간들을 떠올리자 또다시 눈시울이 뜨겁게 달아올랐다. 가슴이 미어졌다.

만약, 정말 만약의 경우에 클로이가 베아트리체라면 자신을 기억하지 못한다는 소리인데…….

'아닐 것이다.'

알렉산드로는 고개를 저었다. 그럴 리는 없다. 안 된다.

'그녀가 아니야, 절대.'

이 세상 어딘가에 저와의 추억을 여전히 보물처럼 간직하고 있는 베아트리체가 살아 있을 것이다.

그는 항상 가슴에 품고 다니던 카나리아 머리끈을 움켜쥐었다. 이미 너무 많이 닳아서 도저히 새것처럼 보이진 않았다.

그게 꼭 제 순정 같았다. 그리움에 깎여지고 서러움에 닳아 버린 제 가슴속 순정.

"처량하다, 처량해."

그 꼴을 지켜보던 밀런은 푹 한숨을 내쉬며 그의 너른 등을 두드렸다.

"이봐, 칼스버그. 정 안되겠으면 가서 나 좀 받아 달라고 빌기라도 해 보지 그래? 답지 않게 이게 뭐냐?"

이를 꽉 깨문 알렉산드로는 제 커다란 손으로 눈가를 훔쳐 냈다. 그리고 애써 아무렇지 않은 척 자리에서 일어섰다.

밀런은 절레절레 고개를 저었다.

"내가 아는 알렉산드로 칼스버그가 맞는지 정말 의심스러워."

"……빌다니. 내가 왜."

"그러지 말고 가서 미안하다고 사과부터 해. 여태 막말을 해서 미안하다고. 그래 봬도 백작가의 영애인데 자존심이 있지, 남자한테 그런 독설을 들었는데 너를……."

"내가 언제 독설을 했나."

"……."

"언제."

기가 막힌 밀런은 가만히 그를 올려다보았다.

"없는 소리를 하진 않았다."

의복을 단정히 하느라 턱을 치켜든 모습이 솔직히 왕자님 같았다.

'얼굴 말고는 정말 볼 게 없어.'

저 성격을 누가 받아 줄까? 그나마 집안이 끝내주니 망정이지, 돈과 권력이라도 없었으면 결혼은 고사하고 평생 혼자 늙어 죽을지도 몰랐다.

반도라스 영애가 왜 알렉산드로 칼스버그를 두고 남색인 자신을 찍었는지 아무리 고민해 봐도 그랬다.

제 친구지만 솔직히, 결혼에 저 성격이 무척 걸림돌이었다.

'칼스버그 가문에 어디서 저런 돌연변이가 나온 거지?'

칼스버그 부인도, 대공 각하도 자상하고 너그럽기로 유명했다. 알렉산드로만 빼고 나머지 세 형제도 굉장히 다정다감했다.

네 명의 아들 중에 차남인 알렉산드로만 결혼을 못 하고 약혼녀도 없는 건 바로 저 성격 때문이었다.

이미 혼기가 꽉 차고도 남은 나이에.

다른 영식 같았으면 집안에서 진작 정략혼을 밀어붙였을 텐데, 저 성격이 도무지 감당이 안 되니 대공 부부도 어쩔 수 없이 차남을 저렇게 방치하는 것이다.

'본인은 안 하는 거라지만…….'

사실은 못 하는 거다! 밀런은 근질거리는 입술을 깨물었다.

"……어딜 가려고?"

"이틀간 시간 낭비를 했다."

그 운명의 여자를 찾으러 다시 나가 보겠다는 뜻이었다. 밀런의 입술이 씰룩거렸다.

'으이구, 등신. 찾으면! 찾으면 그 여자는 널 받아 줄 것 같으냐?'

밀런은 합죽이처럼 입을 꾹 다물었다. 찌르면 툭 하고 비난의 말이 줄줄 새어 나올 것 같았다.

"내게 더 할 말이 있나?"

"아, 아니야. 잘 다녀오라고. 저녁에 봐. 내일 떠날 거지?"

"그래."

"그럼 우린 호수 구경이나 다녀와야겠네."

겉옷을 챙기는 그를 보고 밀런이 들으라고 말했다.

"여관 주인에게 치킨 샌드위치도 싸 달라고 해야지. 호숫가에 앉아서 같이 물수제비도 던지고. 아아, 재밌겠다."

알렉산드로는 못 들은 척 고개를 빳빳이 하고 문을 나섰다.

퐁, 퐁, 퐁……!

잔잔한 호수에 물결이 일렁였다. 밀런과 클로이는 조약돌이 물에 튀는 흔적을 눈으로 따라갔다.

이윽고 돌이 완전히 멀어지자 밀런이 기쁜 얼굴로 소리쳤다.

"이겼다!"

클로이가 피식 웃으며 그를 올려다봤다.

"저를 이겨서 좋으세요?"

"그럼, 좋다마다."

그녀의 옆에 쪼그려 앉은 밀런은 다시 고요해진 호수를 바라보았다. 꼭 제 눈동자 색깔 같은 호수를 들여다보고 있으니 많은 생각들이 범람했다.

단둘뿐이라 그런가. 자연스레 밀런의 입술이 열렸다.

"수도에는 유독 내 또래가 많았다. 행운인지 불행인지."

"행운 아닌가요?"

"글쎄. 친구들을 많이 사귈 수 있는 건 좋은 점이지만…… 난 끊임없이 그들과 비교돼야 했어."

알렉산드로를 포함해서 비슷한 집안의 또래 영식들은 다섯이 넘었다.

"늦게 본 자식인 만큼 아버지와 어머니는 내게 거는 기대가 크셨다."

담담히 속내를 내뱉는 그의 옆모습이 쓸쓸해 보였다. 클로이는 어쩐지 다음에 나올 말을 알 것 같았다.

"하지만 난 그분들의 바람처럼 뛰어나고 모자람 없는 아들이 아니었지."

"기사님은 충분히……."

"그래, 신전에서 기사 서품도 받고, 일찍이 글자를 깨우쳐 문맹도 아니니 이만하면 됐다. 나도 알아."

항상 장난스럽던 밀런의 눈가가 살며시 찡그려졌다.

"그런데 수도의 내 또래에 비하면 한참 부족해. 우리 아버지는 나보다 더 그 사실을 잘 알고 계시지."

"다른 사람과 비교하면 영원히 만족할 수 없을 거예요."

"네 말이 맞다. 하지만 비교가 되는 걸 어떡하란 말이야."

밀런은 반항하듯 거칠게 돌을 쥐고 물가로 던졌다. 전보다 훨씬 빠른 속도로 조약돌이 날아갔다.

"같은 개국 공신 가문에, 나이도 같고, 심지어 칼스버그 대공께선 황궁에서 일하고 계신다. 우리 아버지와 함께!"

"아……."

알렉산드로. 그와 비교가 된단 말이었구나. 순간 클로이는 할 말을 잃었다.

“나는 일곱 살에 처음 글자를 쓰기 시작했다.”

“굉장히 빠르셨네요.”

“선생을 향한 아버지의 닦달이 이만저만이 아니었지. 알렉스는 펜을 손에 쥐기 시작할 나이부터 자기 이름을 썼으니까.”

“세상에나.”

“그 집안은 원래 수재들이 많아. 처음 대공작의 작위를 하사받은 요하임 칼스버그부터 말이지. 괴짜라곤 하지만 천재가 아니냐?”

“그렇죠. 왕가의 자제들도 그분의 책으로 공부한다던걸요.”

요하임 칼스버그를 비롯하여 칼스버그 가문은 대대로 뛰어난 학자들이 많았다. 하지만 칼스버그라는 그 이름은 도서관에서나 유명했지 군부에선 전혀 아니었다.

“칼스버그는 황제께서 그들의 수명을 걱정할 만큼 약골 중의 약골이었어. 대대로 그랬지.”

신은 공평했다. 알렉산드로가 태어나기 전까지는.

“알렉스는…… 정말 달라. 어느 누구와도 비교가 되질 않아.”

밀런은 제 가족들의 눈동자를 닮은 푸른 호수에 시선을 두었다. 그의 얼굴에 두려운 기색이 서렸다. 저 호수의 깊이가 도무지 가늠되지 않는다.

“그 집안의 장남인 에이드리안 형님도 뛰어난 인재이긴 하지만 태어나면서부터 병치레가 잦았지.”

에이드리안은 열 달을 다 채우지 못하고 태어났다. 그러고도 무탈히 건강하게 잘 자라는 이들도 많았지만 불행하게도 에이드리안은 그렇지 못했다.

“그래서 칼스버그 대공님은 고심하다가, 이 제국 최고 영웅의 이름을 따서 차남의 이름을 지었다."

알렉산드로 그레이엄.

"군부의 수장이자 전쟁의 신이라고 여겨졌던 그만큼, 아니 그의 반의반만큼만 건강하기를 간절히 기도하면서 말이야."

그리고, 그 기도는 이루어졌다.

"알렉스는 남들이 겨우 뛰기 시작할 때, 스스로 말에 올라탔다. 우리가 겨우 말에 올라탔을 때, 그는 말을 타고 산을 뛰어올랐지."

가만히 얘기를 듣던 클로이의 몸에 전율이 일었다.

"내가 말 위에서 겨우 칼을 쥐었을 때, 그는 무투회에 나가서 우승했어. 이게 말이나 돼?"

스스로도 어이가 없어 밀런은 헛웃음을 터뜨렸다.

"넌 믿어지느냐?"

"정말…… 대단하긴 하네요."

"대단? 그 정도가 아냐. 알렉스는 그 집안에서도 빼어나다. 수도에서도 손꼽히는 정도가 아니지. 최고야."

대체 어디서 그런 괴물이 나왔을까.

클로이도 실제로 알렉산드로를 만나지 않았다면 믿지 못했을 것이다. 하지만 그의 활약을 눈으로 보지 않았던가? 소매를 걷어 올린 채, 거칠게 몸 다툼을 하던 그를 떠올리면 훈련받지 않은 야생마가 연상되었다.

날것 같은 눈빛, 그 탄탄한 근육질의 몸…….

"흠흠."

"아버지께서 내게 이 여정을 허락해 주신 것도 그래서야. 알렉스에게 많이 배우고 오라고."

밀런은 괴로운 듯 두 손으로 제 얼굴을 감쌌다.

"난 알렉스를 좋아한다. 친구로서, 남자로서. 인격적으로도 본받을 점이 많은 훌륭한 친구라 생각하지."

그가 끄응, 앓는 소리를 냈다.

"하지만 박탈감이 너무 심해."

클로이는 전적으로 그 마음을 이해했다. 밀런도 전혀 부족하지 않은 인재지만 알렉산드로에 비하자면…….

"나는 영원히 아버지의 마음에 드는 아들이 되지 못할 거다. 죽을 때까지."

이후로 두 사람은 말없이 지는 해의 노을을 감상했다. 푸른 호수는 벌겋게 물들고, 물비늘은 고요하게 빛났다.

"근데 그분은 마을을 돌아다니면서 대체 뭘 하시는 거예요?"

"알렉스?"

"네."

"왜, 너도 이제 슬슬 그가 탐이 나나 보지?"

"아니, 그게 아니라."

밀런은 씩 짓궂은 미소를 지었다.

"그런데 이걸 어쩌나. 알렉스는 이제 관심 없는 것 같던데? 너무 늦었어."

"……그냥 순수하게 궁금해서 물어본 거예요. 항상 혼자 바쁘게 돌아다니시잖아요."

묻지도 못하냐며 뚱해하는 그녀를 보고 밀런은 크게 웃음을 터뜨렸다.

"신께선 정말 공평하시다. 그놈은 바보거든."

"네?"

"알렉스는 어떤 여자를 간절히 찾고 있어. 꿈에서 본 운명의 여자를."

"운명의…… 여자요?"

"그래. 반드시 그 여자를 찾아서 결혼을 해야 한대. 얼굴도 모르는 여자를 말이야. 사랑이 죄지."

갑자기 머릿속이 혼란해졌다. 클로이는 도무지 이해되질 않았다.

"어디서 어떻게…… 설마 이 제국을 다 돌아다녀서 찾겠다는 건가요?"

"맞아."

밀런이 산뜻하게 고개를 끄덕였다. 클로이는 멍하니 호수로 시선을 돌렸다.

'그런 바보짓을 하다니.'

차라리 저 호수에 빠진 신발 한 짝을 찾는 게 빠르겠다. 이 넓은 대륙에서 사람을 어떻게 찾는단 말인가? 그것도 얼굴도 모르는 여자를.

'똑똑한 남자인 줄 알았는데.'

알렉산드로에겐 거침없는 야망이 어울렸다. 언제나 냉정한 그 모습을 보면 누구보다 계산적으로 자신의 잇속을 차릴 것 같았다. 수도에서 가문 간 정치에 뛰어들고, 제 가문의 명예에만 목숨을 걸 것 같은 그런 남자.

운명이니 사랑이니 하는 건 어울리지 않았다. 한데 그에게 그런 순정이 있었다니…… 굉장히 의외였다.

"그분은 왜 그런 짓을 하시는 걸까요?"

"무슨 짓? 미련한 바보짓?"

클로이는 작게 고개만 끄덕였다. '네.' 하고 대답하는 건 너무 무례하니까.

"그러는 너는?"

"저요?"

밀런은 순은처럼 반짝이는 제 머리카락을 쓸어 넘겼다. 그리고 재밌다는 듯 턱을 괸 채 클로이를 응시했다.

"미련하기는 너도 만만치 않다, 이 바보 천치야."

할 말이 없어진 클로이는 먼 곳을 응시했다.

'미련한 바보 천치.'

그래, 그건 그렇지…….

"부모의 말을 거역하고 결혼식에서 도망치는 영애가 세상에 어디 있어? 난 처음 본다."

"……부모님의 말씀이 아니라, 숙부예요."

"어쨌든 가주 아니냐? 두렵지도 않았어? 네 모든 걸 잃을 각오를 했을 텐데."

밀런은 멀뚱한 그녀의 옆모습을 빤히 쳐다봤다. 쭈그리고 있어서 그런지 오늘따라 더 작아 보였다. 딱 제 몸의 반만 했다.

"너야말로 정말 고집 세고 아둔하다. 미련하고, 멍청하고, 어리석고……."

바보 천치를 형용할 모든 수식어를 갖다 붙이던 밀런은 그녀의 발치에 조약돌을 하나 던졌다.

또르륵. 클로이의 주목을 끄는 데 성공한 그가 웃으며 말했다.

"그래서 네가 마음에 든다."

우직한 바보라서. 위험을 감수하고, 원하는 삶을 선택했으므로.

'나는 하지 못할 일이니까.'

물가에 다가가 물을 튀기던 밀런이 장난스럽게 그녀를 향해 물을 뿌려 댔다.

"하지 마세요."

클로이가 정색했지만 밀런은 듣지 않았다.

"시원하지 않아?"

고개를 돌려 물을 피하던 클로이가 결국 치맛자락을 붙들고 자리에서 일어났다.

"그렇게 시원한 게 좋으시면……!"

그녀가 물가로 다가가 첨벙첨벙 물을 튀겨 대자 밀런은 피하지 않고 찬물을 뒤집어썼다.

두 사람의 웃음소리가 고요한 호수를 울렸다.

알렉산드로는 미친 듯이 마을을 돌아다녔다. 항상 간절했지만 이번만은 더 간절했다.

"오, 이미 떠나 버리신 줄 알았지 뭡니까? 저기 저 아가씨가 제가 말했던 그 아가씨입니다."

노점상은 마침 광장에서 친구와 어울리던 가죽집 딸내미를 가리켰다.

"얼굴에 점이 있긴 하지만 비슷하게 생겼지요?"

알렉산드로는 멀리서 찬찬히 그녀를 훑어보았다.

동그란 눈, 작은 코, 작은 입술. 어찌어찌 비슷하게 생기긴 했지만 그녀는 베아트리체가 아니었다. 작은 키마저 닮았건만…… 느낌으로 알 수 있었다.

순간 알렉산드로는 가죽집 여식과 눈이 마주쳤다. 혹시 모르니 다가가서 질문이라도 해 볼까 고민하는 찰나. 그녀가 화들짝 놀라며 제 친구의 뒤로 숨어 버리는 게 아닌가?

불쾌해진 알렉산드로는 단번에 고개를 돌렸다. 하릴없이 여자나 훔쳐보는 괴한이 된 것 같았다.

맞기는 하지만…….

'어쩌다 내 신세가 이렇게 되었나.'

새삼 처량하고 비참했다. 기분이 정말이지 별로였다.

"허허, 쑥스러워하기는. 좋아서 저럽니다."

노점상은 제 친구 뒤에서 얼굴을 붉히며 연신 이쪽을 흘끔대는 가죽집 딸내미를 눈짓했다.

"이 마을엔 기사님처럼 훤칠하고 수려한 청년이 없거든요. 그러니 부끄러워서……."

"저 여자는 내가 찾던 이가 아니다."

"예? 하긴, 저 애는 수도 근처에도 가 본 적이 없으니까요."

아닐 줄 알았다고 노점상이 껄껄 웃었다. 실망한 채 광장을 둘러보던 알렉산드로는 마을의 뒷골목까지 가 보았지만 여전히 별 소득이 없었다.

결국 이곳에서도 베아트리체는 만나지 못했다. 알렉산드로는 여관으로 돌아가며 허탈함에 힘이 쭉 빠졌다.

'내가 뭐 하는 짓이지.'

이 넓은 땅에서 한 여자를 찾는 게 얼마나 무모한 짓인가. 괴한 취급까지 받아서 심적 타격이 상당했다.

아니, 사실은…….

제국 유람을 시작하기 전부터 알렉산드로는 한 가지 최악의 경우를 상상해 왔다.

그건 바로, 베아트리체가 자신을 기억하지 못하는 경우였다. 자신을 생판 모르는 여자에게 어떻게 다시 구애할 것이며, 또 그녀가 그때까지 결혼하지 않았으리라는 법은 어디 있는가?

아니, 전생에 둘이서 열렬히 사랑했던 그 모든 추억이 없다면…….

'그럼 그 여자를 정말 베아트리체라고 할 수 있을까.'

알렉산드로는 그 최악의 상황만큼은 절대로 바라지 않았다. 그 경우에는 지금처럼 열심히 그녀를 찾아다녀도 아무 소용없는 짓이 되어 버린다. 티는 안 냈지만 항상 두려웠다.

'그런 일은 없어, 절대로.'

언제나 옳은 소리만 하던 베아트리체였다. 내게 약속했으니, 꼭 지킬 거다. 또 그녀는 전에도 전생의 기억을 가진 채로 태어났던 사람이므로, 이번에도 분명 그럴 거다.

그렇게 애써 스스로를 안심시켰지만 시간이 지날수록 불안이 그를 좀먹었다.

'베아트리체는 약속을 지키는 사람이다.'

알렉산드로는 마음을 다잡았다. 이리저리 흔들리는 건 저답지 않았다.

'클로이는 그녀가 아니야.'

맞는다면 나를 기억하지 못할 리 없어. 이 세상 어딘가에는, 분명히 그녀를 사랑하던 '알렉산드로'를 기억하는 베아트리체가 있을 것이다.

저와 함께 쌓았던 추억을 온전히 기억하고, 다시 태어나서 저를 기다리고 있을 것이다. 그렇게 맹세했으니까. 그녀는 약속을 지키는 사람이니까.

알렉산드로는 미련한 제 사랑을 믿었다.

여관에 돌아오자 온기 없이 텅 빈 방이 그를 반겼다.

강 구경을 떠난 밀런은 재미를 보는지 저보다 늦는 듯했다. 알렉산드로는 내일 아침 일찍 떠날 채비를 마치고 조용히 몸을 눕혔다.

'영지에 들를 필요는 없겠군.'

클로이의 몸 상태도 호전되었다고 하니 굳이 칼스버그 공작령에는 들르지 않아도 될 듯했다.

알렉산드로는 심란하여 저녁 식사도 거른 채, 불도 밝히지 않고 고요 속에서 지끈거리는 머릿속을 잠재웠다.

그때였다. 사방이 조용한 가운데 나무 계단이 삐걱거렸다. 낯선 이들의 발자국 소리였다. 그와 동시에 방문이 열리며 구시렁거리는 소리가 들렸다.

"이 자식은 아직도 돌아오지 않은 모양이네. 하여간 쓸데없이……."

밀런이었다. 물비린내를 잔뜩 묻히고 돌아온 그가 탁자에 칼을 내려놓았다.

"그렇게 먹고도 또 저녁을 먹겠다니, 참. 밤톨만 한 게 먹성은 어찌나 좋은지."

클로이를 떠올리고 피식 웃은 밀런은 겉옷을 벗었다. 그 순간이었다.

"밀런 쿠피히트."

누군가 문밖에서 그의 이름을 음산히 읊조렸다.

"……응?"

상의를 벗다 말고 밀런은 고개를 빼꼼 내밀었다.

"지금 날 찾는 거요?"

문 틈 사이로 마주친 눈빛에 살기가 아른거렸다. 복면을 쓴 용병들이었다. 그들이 쥔 칼이 달빛에 반사되어 번뜩였다.

쾅! 재빨리 문을 닫은 밀런은 나무 문을 뚫고 들어온 시퍼런 단검 세 개를 보고 눈이 휘둥그레졌다.

밀런이 제 칼을 주워 드는 사이, 나무가 비틀리는 소리가 나며 문이 뜯겨 나갔다.

"피해!"

멀찍이 침대에 누워 있던 알렉산드로가 급하게 다가와 둘을 때려눕혔다.

"젠장! 칼스버그가 함께 있다! ……으윽!"

경고를 외친 이는 그대로 목이 따여 죽었다. 이대로 멈출까 했지만 나머지 세 명이 아래층으로 도망쳤다.

'아래층에는…….'

클로이는 저녁 식사를 한다고 했다. 아래에 있을 게 분명한 그녀를 떠올리고, 알렉산드로는 재빨리 계단을 뛰어 내려갔다.

혹시 그녀가 목표일까 하는 의심이 들었지만 그렇지 않은 듯했다.

"살려 줘! 살려 줘! 난 쿠피히트만 죽이…… 커억!"

세 명의 복면 용병들은 그를 상대하느라 누굴 목표로 하지도 못했다. 그저 아래층을 엉망으로 만들며 도망치기 바빴다. 거친 몸싸움으로 벽에 걸린 액자와 장식물이 넘어지고, 나무 계단에는 1층까지 핏물이 줄줄 흘러내렸다.

"꺄아아악!"

식사를 갖고 올라오던 종업원이 기겁하며 도망쳤다. 식당을 누비던 사람들도 앞다투어 도망쳤다.

와장창! 식기가 깨지고, 촛대가 부러졌다. 여관에 걸려 있던 안테노르 공작가의 휘장이 찢어지며 사람들이 비명을 질러 댔다.

"강도다! 여관에 강도가 들었다!"

"꺄아아악! 도망쳐요!"

조용하던 여관이 순식간에 아수라장이 되었다.

알렉산드로는 암살자들을 처리하는 동안 눈으로는 클로이를 찾았다.

'어디 있지?'

혹시 피신했을까 싶었지만 안타깝게도 그럴 확률은 적었다.

'그렇게 행동이 재빠르지 못해.'

도망치던 마지막 암살자의 목을 치는 순간이었다.

"끄아아아악!"

비명을 내지른 그의 머리가 식탁으로 날아갔다. 상판에 부딪쳐 철퍼덕! 바닥으로 떨어지는데, 순간 식탁이 덜컹거렸다.

그 밑에 뭔가 있는 것 같았다. 저벅저벅 다가간 알렉산드로가 한 손으로 식탁을 엎었다. 거대한 소리가 나며 식탁이 뒤로 넘어지면서 산산조각 났다.

“……!”

거침없는 그 행동에 밑에 숨어 있던 클로이가 온몸을 웅크렸다.

알렉산드로는 그녀가 거기 있을 거라곤 전혀 예상치 못했기에 솔직히 놀라웠다. 인기척을 참 잘 숨겼다. 자갈 밑의 소라게처럼 어찌나 꽁꽁 잘 숨어 있었는지 역시 한두 번 도망친 솜씨가 아니다 싶었다.

내심 감탄하던 그는 정신을 차리고 재빨리 몸을 돌려 계단을 올랐다. 그녀가 고개를 들기 전에. 자신을 발견하기 전에.

‘밀런은 괜찮겠지.’

뒤늦게 밀런을 걱정했지만 사실은 그녀와 눈을 마주치기가 두려웠다. 알렉산드로는 잊고 있었다. 자신이 오직 한 여자의 앞에서만 겁쟁이가 된다는 것을.

4. 해결사의 등장

4. 해결사의 등장

• • ◆ • •

아래층에서 홀로 식사를 하다가 목욕을 가려던 클로이는 위층에서 난리가 난 걸 보고 재빨리 식탁 밑으로 숨었다. 이는 가주가 된 뒤에 습관적으로 깽판을 쳤던 숙부 때문에 생긴 버릇이었다.

유모와 시녀들은 체면도 없는 짓이라며 처음엔 말렸다. 하지만 숙부의 깽판이 날로 심해지자 나중에는 그녀와 함께 숨었다.

유모는 벽장, 클로이는 식탁 아래, 시녀들은 침대 밑.

그때는 제 숙부지만 참 가관이구나 생각했는데 오늘 보니 그 정도면 양반이었다.

퍽! 소리와 함께 잘린 머리가 피를 뿜으며 제 발밑으로 굴러왔다. 죽은 자의 뭉개진 얼굴. 부릅뜬 눈과 시선이 마주친 순간, 클로이는 기절할 뻔했다.

하지만 그보다 더 무서운 소리가 들렸다. 저벅저벅. 묵직하면서도 재빠른 걸음이 가까이 다가왔다. 범인이었다.

'어쩌면 좋지. 혹시 나를 잡으러 온 거라면…….'

고민할 새도 없었다. 눈 깜빡할 사이에 클로이가 숨어 있던 식탁이 뒤로 나자빠졌다.

'난 이제 죽었구나.'

그 아래 웅크리고 있던 클로이는 벌벌 떨었다. 댕강 목이 잘리겠거니 하며 날아올 칼날을 기다리는데 이상하게 잠잠했다.

결국 클로이는 실눈을 뜨고 범인을 살폈다. 익숙한 신발이 보였다. 누가 이런 참극을 벌였을까 했더니…….

'알렉산드로.'

그가 쥔 칼끝에서 검붉은 핏물이 줄줄 흘렀다. 아군이 맞긴 한데 적보다 더 무서웠다.

'어쩜 저렇게 잔인할 수가.'

화난다고 물건 몇 개를 집어 던지던 제 숙부와는 차원이 달랐다. 다행히 알렉산드로는 제겐 볼일이 없다는 듯이 금방 위층으로 몸을 돌렸다.

멀어지는 그의 발자국 소리를 듣고 클로이는 긴 안도의 한숨을 내쉬었다.

'천만다행이다.'

빤히 내려다보고 있길래 재수 없게 굴었다고 화풀이라도 당할 줄 알았다. 사납다고만 생각했는데 알렉산드로는 그 정도가 아니었다. 잘생긴 저 얼굴로도 감당되지 않을 만큼 잔혹한 이였다.

밀런은 도망치는 이들에겐 자비를 베풀었지만 그는 무자비했다.

'나한테는 나름 자제한 거야.'

가끔 소리를 버럭버럭 질러 대긴 했지만 제게 손대지 않은 게 어디인가. 저 성격에.

허리에 꽂고 다니는 칼도 한 자루가 아닌 사람인데.

게다가 자신을 싫어하지 않던가? 그러니 많이 참았을 거다. 절친한 친구가 데려가려는 하녀니까, 하고.

'앞으로는 절대 덤비지 말아야지.'

이상하게 저 남자에게만은 말대답을 하게 된다. 그냥 숙부에게 했듯 속으론 무시하고 듣는 척을 하면 되는데…….

클로이는 웅크린 채 오들오들 떨면서 속으로는 수없이 다짐했다.

'앞으로는 없는 사람인 척하는 거야. 뭐라고 해도 절대 대꾸하지 말아야지.'

이제 마주치면 어색하겠구나 긴장했는데…… 전부 태평한 생각이었다.

'저 남자는 그런 인간적인 감정을 공유할 만한 사람이 아니었어.'

제 친구 말고는 사람이 고깃덩이로 보이는지 썰고 자르는 데 한 치의 주저함도 없었다.

'건방지게 굴었다간 언젠가 내 목이 날아가겠지.'

죽은 이들이 누구인지는 몰랐다. 복면은 벗겨져 있었고 얼굴은 참혹한 상태였다.

'이제 어떡하면 좋담.'

클로이는 폐허가 된 주위를 둘러보았다. 저절로 헛구역질이 나왔다. 여관의 사람들은 모두 도망친 뒤였다. 고민하듯 계단을 올려다보던 클로이는 어쩔 수 없이 걸음을 옮겼다.

'어차피 갈 데가 없잖아.'

레이첼 도미닉이라는 이름으로는 더 이상 살아갈 수 없었다. 신분 미상으로 떠도는 것보다는 밀런 쿠피히트의 하녀가 되는 게 백배 나았다.

그의 마음에 들도록 영리하게 행동하면 하녀장으로 진급할 수도 있고, 무엇보다 수도에 가면 어찌 되든 더 기회가 있다.

밀런은 너그러워 보였다. 귀족들은 원래 변덕스럽지만 그는 유순하고 동정심도 많아서 잘만 하면 숙부에게 구박당하는 신세보단 나을 듯했다.

'난 팔려 온 하녀도 아니니까. 혹시 밀런과 헤어지게 되더라도 이 마을은 아니야.'

이 마을은 너무 작아서 외부인이 정착하기엔 어려워 보였다. 게다가 안테노르 공작령에 속해 있지 않은가. 도미닉 백작가처럼.

'일단 여길 벗어날 때까지만.'

알렉산드로만 조심하면 된다. 그의 신경에 거슬리지 않게 조용히 지내기만 하면 버틸 수 있을 거다. 밀런은 곧 그와 헤어지고 수도로 간다고 했으니까.

굳게 마음먹은 클로이는 얼른 위층으로 뛰어 올라갔다.

"기사님, 이게 무슨 일인가요? 괜찮으세요?"

"그래, 난 무사하다."

하지만 밀런은 전혀 괜찮아 보이지 않았다.

"너도 무사해 보이니 다행이구나."

얼굴이 하얗게 질린 클로이가 저도 모르게 그의 상의를 더듬었다.

"세상에, 이 피……."

"내 것이 아니야. 괜찮다. 걱정할 것 없어."

밀런은 난처하게 웃으며 그녀를 다독였다.

"목욕을 간다고 하지 않았느냐? 어서 다녀오거라."

"이 와중에 제가 어떻게 목욕을 가요?"

말도 안 된다며 그녀가 고개를 흔들었다.

"내가 다 알아서 처리할 거야. 넌 아무 걱정 마라."

밀런은 어색하게 웃으며 클로이의 등을 떠밀었다.

"하지만……."

"찝찝하다고 하지 않았느냐? 우린 내일 아침에 길을 떠날 거고, 목욕을 다녀올 시간은 지금뿐이다. 자, 어서."

"그래도……."

"네가 있어 봐야 사실 큰 도움도 안 돼."

그렇게 말하자 클로이는 어쩔 수 없다는 듯, 못내 찝찝한 얼굴로 몸을 돌렸다.

"그럼 금방 다녀올게요."

그녀가 사라지고, 밀런은 용병들의 시체를 한곳에 모았다.

"하나, 둘, 셋, 넷……."

시체의 숫자를 세던 밀런이 물었다.

"다섯이었어?"

"여섯."

알렉산드로는 창밖을 가리켰다. 밀런은 밖으로 떨어진 한 구의 시체를 보고 쯧, 혀를 찼다. 복면을 쓴 자들은 정확히 여섯이 왔지만 알렉산드로는 그중에 한 명의 목숨만 살려 놓았다.

하지만 그 한 명은 자결했다.

"아니, 왜 이렇게 집요하게 클로이를 쫓는 거지?"

밀런은 도무지 영문을 모르겠다는 듯 머리를 긁적였다.

"내 이름은 또 어떻게 알고?"

"……."

"그것참 신통방통하네."

클로이 때문에 잠시 집중이 흐트러졌던 알렉산드로는 순간 말문이 막혔다.

"밀런, 넌 어떻게."

"응?"

친구의 순진하고 티 없이 맑은 표정을 보니 헛웃음이 나왔다. 어이가 없었다.

정신을 빼놓고 사는 건 저 혼자만이 아니었다.

"어쩜 그리 머릿속이 해맑을 수가 있어."

"엉?"

순간 밀런은 벙찐 표정을 지었다.

"저들은 내가 없는 사이에 너를 노리고 습격했다. 네 이름을 알고, 또 나를 알아."

"그렇지."

"네 하녀는 안중에도 없었다."

그녀는 무사했다. 복면을 쓴 자들은 클로이의 털끝 하나도 건드리지 않았다.

"그런데 왜 저들이 네 하녀를 쫓아왔다고 생각하느냐?"

"저거 전에…… 그놈들 아냐?"

알렉산드로는 고개를 저었다. 당시 밀런과 클로이는 함께 말을 타고 있었다. 그땐 복면 용병들의 목표가 그녀라고 생각했지만, 이제 보니 아닌 게 확실했다.

"마지막 남은 놈이 자결하는 것을 못 보았느냐. 용병이 의뢰인을 위해서 제 목숨까지 걸 리 없지."

기사도 아니고, 일개 용병이 말이다.

"네가 너무 무시무시해 보여서 그런 거 아냐? 살려 줄 수도 있는 걸 굳이 다 죽였으니…… 흠."

눈치를 살피던 밀런은 헛기침을 하며 말을 돌렸다.

"아니면 도미닉인지 도미노인지 하는 그 백작이 복수심에 불타서 큰돈을 지불했든가. 복수심이란 원래……."

"목표가 아니라, 배후의 계급이 다르단 말이다."

밀런의 안색이 급격히 어두워졌다.

"저들은 쿠피히트의 후계자를 노렸다. 그럼 그 배후가 누구겠느냐?"

이젠 알아듣겠거니 생각한 알렉산드로는 여관 주인에게 보상할 돈을 준비했다. 금화 하나로는 부족할 듯했다.

"나를 노렸다고……."

밀런은 피로 물든 소파에 털썩 주저앉았다.

"대체 누가."

위로 여자 형제만 여럿인 그는 태어나면서부터 쿠피히트의 후계자였다. 때문에 한 번도 후계 구도를 걱정해 본 적이 없었다. 이는 그에게 큰 충격이었다.

밀런이 전혀 감도 못 잡고 있자 알렉산드로가 툭 던졌다.

"드미트리 쿠피히트."

멍하니 바닥을 응시하던 밀런이 한 박자 늦게 고개를 들었다.

"네 백부."

"……백부님이?"

하지만 그는 이내 입을 꾹 다물었다. 얼마나 다정하고, 나를 사랑하는 사람이던가. 내 백부님은.

"절대 그럴 리 없어. 그럴 리가."

고집스레 고개를 젓는 밀런을 보고 알렉산드로는 더 이상 아무 말도 건네지 않았다. 다만 곧 있으면 밀런은 저와 헤어지고 혼자 수도로 돌아가야 하는데, 그저 그 길이 걱정이었다.

"알렉스, 정말 백부님을 의심하는 거야? 나를 죽이고 쿠피히트 공작이 되려고 여기까지 용병을 보냈다고?"

밀런은 괴로운 얼굴로 고개를 저었다.

"그분은 자식을 낳지도 못하시는 분이다. 그래서 미쉘 누님의 아들을 양자로 입적하고 싶어 했어! 그런데 어떻게! 어떻게 그런 욕심을……!"

잔뜩 흥분한 밀런은 실성한 듯 웃음을 터뜨렸다.

"아니다. 그분은 정말로 그럴 분이 아니야."

"밀런."

"큰아버지께선 결혼을 세 번이나 하셨지만 여태 친자식이 없는 분이다. 그런 본인이 어떻게 이 쿠피히트 가문의 가주가 되겠다고……!"

"목소리를 낮춰."

인상을 찌푸린 알렉산드로가 경고했다. 순진한 도련님의 징징거림에 짜증이 올라왔다.

"하지만 백부님은 정말 그럴 분이 아닌데……."

"한심해서 들어 줄 수가 없구나."

밀런은 길 잃은 강아지처럼 불쌍한 눈을 하고 그를 올려다보았다.

"공작 각하께 서신을 보내라."

"뭐라고?"

해답을 바라는 그에게 알렉산드로는 냉정한 충고만 건넸다.

"네가 수도로 귀환하는 중에 용병들에게 목숨을 잃는다면 큰 문제가 된다. 특히 내가 가장 곤란해지지."

밀런은 실망한 얼굴로 제 친구를 응시했다.

"너는 쓸모가 없을지 몰라도, 네 시체는 제법 가치가 있으니까."

특히 가문 간 정쟁의 도구로 얼마든지 이용될 수 있다고 그가 덧붙였다. 밀런은 서운함이 폭발했다.

"지금 할 말이 정말 그것뿐이야?"

목숨을 위협당하고, 백부에게 배신당했을지도 모르는 이 혼란한 상황에!

"내가 죽으면 네가 곤란해진다고? 위로는 못 해 줄망정……!"

"위로는 네 하녀에게 받아라. 난 그런 거 안 해."

무심한 그 때문에 맥이 확 빠진 밀런은 허탈한 한숨을 내뱉었다.

"그래, 아주 끝내주는 우정이다, 칼스버그."

젖은 소파에 몸을 기댄 밀런은 반항하듯 말했다.

"암살자가 백 명이 와 봐라. 어디 죽어 주나. 내가 그렇게 쉽게 죽을 것 같으냐? 이 내가?"

밀런은 또래 중에 가장 어린 나이에 기사 서품을 받은 뛰어난 인재였다. 알렉산드로도 물론 이를 잘 알고 있었다.

"그래, 아무나 죽진 않지."

그가 가볍게 말했다.

"하지만 너 같은 사람은 죽는다, 밀런."

제국의 수도는 치열했다. 알렉산드로가 그레이엄 대공이었을 때부터 그랬고, 지금도 마찬가지였다. 개국 공신 가문들은 서로를 견제하고, 또 각자 가문 안에서는 후계자 자리를 놓고 형제끼리 경쟁했다.

"무력은 물론 중요하다. 하지만 네 목숨을 더 길게 유지하려면."

알렉산드로는 피 묻은 옷가지를 정리하다 말고 제 관자놀이를 두드렸다.

"머리를 더 써라, 밀런."

"……."

"낙관주의? 좋지. 네가 상인이 될 거라면."

"수도에서 도망치고 아예 정치질을 떠나려는 네게 이런 소리를 듣고 있으니 기분이 영……."

"너와 나는 입장이 달라. 나는 후계자가 되길 원치 않지만, 너는 당연히 네 자리라고 생각하지."

"그야…… 그거야 정말 당연한 것 아니냐?"

밀런은 한 번도 이에 의심을 품은 적이 없었다. 쿠피히트 공작이 자신의 성을 남기고, 재물을 물려주려고 오랫동안 기다려 온 아들. 그게 바로 자신이었다.

"적장자인 내가 무슨 걱정을 한단 말이냐? 아버지의 유일한 아들이 바로 나인데."

"그래서 네게는 간절함이 없어. 그런 마음가짐으로는 결코 살아남지 못할 거다."

용병의 시체를 살피던 알렉산드로가 작게 중얼거렸다.

"군부를 장악한…… 독재자의 외아들 정도라면 모를까."

"무슨 소리야. 갑자기 독재자 얘기가 왜 나와?"

"실언이다."

밀런은 인상을 찌푸렸다. 답답함에 벌떡 일어난 그가 엉망이 된 방 안을 서성이다 물었다.

"그래서 네 말은, 드미트리 백부님이 날 노리고 있으니 편지를 보내란 말이냐? 그러지 말라고? 아버지께도 일러바치라고? 지금 당장?"

"우선 암살 미수가 있었다고만 해. 두 번. 배후는 모르고."

"백부님이라며?"

알렉산드로는 갑갑한 마음에 마른세수를 했다.

"네 서신이 공작 각하께 온전히 전해진다는 보장이 있나."

"그야 당연하지. 우리 집이 규모는 작아도 보안만큼은 얼마나 철저한데."

"밀런, 황궁도 그렇지가 않아."

알렉산드로는 고충을 토로하듯 깊은 한숨을 내쉬었다.

"하물며 고작 수도의 공작저가 안전하다고?"

"뭐? 고작 수도의 공작저? 너 우리 쿠피히트 가문을 대체 어떻게 생각하고……."

순간 밀런은 진중한 알렉산드로의 얼굴을 보고 말을 멈췄다.

깊은 고뇌와 그만큼의 지혜가 담긴 현명한 눈빛. 그저 총기로 가득하다 말하기엔 오랜 세월의 번민도 함께였다. 겨우 스무 살 청년의 눈빛이 절대 아니었다.

내가 지금 누구랑 대화하고 있는 거지……? 밀런은 이상한 기분에 휩싸였다.

"공작의 서신을 다른 이가 먼저 읽어 보지 않을 거라고 생각하나? 진심으로?"

"……."

시선을 피한 밀런은 입술을 깨물었다. 쿠피히트 공작은 많은 비밀을 꿰고 있는 사람이었다. 다른 공작저에 오가는 이야기들도 포함이었다.

그런 그는, 과연 다른 가문의 눈을 피할 수 있을까…….

"이 문제는 지금 그리 심각하게 고민할 일은 아니다, 밀런."

"공작가의 보안이 뚫렸는데 이게 심각하게 고민할 일이 아니라고?"

"오래전부터 그래 왔다. 이미 다들 알고 있어."

무슨 수를 써도 어차피 비밀은 지켜지지 않는다.

"대신 진짜 감춰야 하는 비밀을 어떻게 숨기는지도 그들은 알아."

이건 지금 당장은 밀런에게 중요한 문제가 아니었다.

"지금은 네 안위가 가장 중요하다."

"흠……."

마지막으로 공작저에 보낸 서신이 언제였더라. 고민하던 밀런은 멋쩍은 듯 팔짱을 꼈다.

"여기서 수도까지 거리가 좀 멀지……?"

그때, 복면 용병의 몸수색을 끝낸 알렉산드로가 눈을 치켜떴다.

"이것 봐라."

그는 밀런에게 금화 하나를 던졌다. 복면 용병 중 한 명이 소중하게 가슴에 품고 있던 돈이었다.

"뭔데?"

얼떨결에 받아 든 밀런은 금화를 확인하고 금세 안색이 달라졌다. 제 가문의 인장이 찍힌 돈. 쿠피히트 가문에서 보증한 금화였다.

드미트리 쿠피히트. 그 역시 쿠피히트 일가였다.

'백부님이 정말…… 나를 죽이려고.'

증거를 보니 가슴이 덜컥 내려앉았다.

"저들은 여기까지 널 따라왔다. 집요하게."

경악한 밀런은 번쩍 고개를 들었다.

"지금 네가 위협받는 건 네 아버지가 자비를 베풀었기 때문이다."

하등 쓸데없는 자비를.

"넌 상대에게 빌미를 남기지 마라. 절대."

"알렉스, 넌 어떻게 이런 암투에 대해 그렇게 잘 아는 거냐? 정작 후계 경쟁에선 쏙 빠져 놓고……."

알렉산드로는 얼빠진 제 친구를 보고 짧게 한숨을 내쉬었다.

"독서를 더 해라. 무지함은 죄가 아니니."

그때, 아래층에서 누군가 뛰어 올라오는 소리가 들렸다.

"멀쩡하게 생긴 청년들이라고 받아 줬더니 우리 여관을 이렇게 쑥대밭을 만들어 놨구먼! 이런 썩을 놈들!"

간간이 욕설이 섞인 하소연을 들어 보니 여관 주인인 듯했다. 잠시 마을에 들른 외부인 때문에 이 봉변을 당했으니 분노가 이만저만이 아닐 터.

아니나 다를까, 그들의 눈앞에 나타난 푸근한 인상의 중년 여인은 성난 황소처럼 씩씩댔다. 주위에 너부러진 시체와 핏자국은 안중에도 없었다.

순간 밀런의 안쓰러운 시선과 마주친 그녀의 눈에 물기가 차올랐다.

"잠깐 외출한 사이에 여관에 사달이 났다는 소식을 듣고 달려왔는데! 아이고!"

여관 주인은 귀족 청년을 붙들고 죽는소리를 했다.

"이게 뭡니까, 아이고아이고!"

멀쩡하던 여관에 시체 여섯 구가 늘어져 있으니.

"이제 누가 우리 여관에 오겠어요! 누가! 아이고, 내 팔자야!"

피 칠갑이 된 주위를 둘러보며 여관 주인이 털썩 주저앉았다.

"여보, 당신이 먼저 가서 내가 이 꼴을 보며 삽니다! 내가 그냥 당신을 따라갔어야 했는데!"

한탄하던 여관 주인이 눈물을 뚝뚝 흘렸다. 깜짝 놀란 밀런이 쩔쩔매며 그녀를 달래기 시작했다.

"이, 이보시오. 너무 그러지 말고…… 우리가 다 보상할 테니까 제발 눈물은 그치시오."

"보상? 보오상? 우리 집안 대대로 물려 오던 유서 깊은 이 여관이! 이렇게 박살이 났는데 보상은 무슨! 아니, 어떻게 보상을…… 아이고!"

여관 주인의 울음소리는 커져만 갔다. 당황한 밀런은 허리춤에서 돈주머니를 꺼내 가진 돈 전부를 탈탈 털어 주었다.

"이만하면 보상이 됐겠소?"

"흠흠."

금화 스물두 개를 받아 든 여관 주인은 언제 울었냐는 듯 안색을 싹 바꾸곤 그들을 깨끗한 다른 방으로 안내해 주었다. 그리고 시체는 자신이 치워 주겠다 말했다. 서비스로.

일련의 과정이 재빠르게 지나갔다. 한두 번도 아닌 듯 아주 능숙하게. 밀런은 어안이 벙벙했다.

'어쩐지 당한 것 같기도…….'

하지만 이미 건넨 돈을 다시 돌려 달라 할 수도 없는 노릇. 이는 도저히 체면이 용납하지 않았다.

'어떡하지? 가진 돈이 없는데.'

난감하여 알렉산드로를 돌아보았지만 그는 상관하지 않겠다는 듯 시종에게 심부름이나 시켰다.

"가서 내 말을 확인해라. 충분한 휴식을 취했는지, 오늘 떠나도 이상은 없는지 마부에게 물어봐."

"예! 알겠습니다, 기사님!"

시종은 알렉산드로가 서임을 받은 기사라 믿어 의심치 않는 듯, 거의 숭배하는 얼굴로 부담스럽게 올려다보다 아래층으로 사라졌다.

"저기, 알렉스."

얼마나 싹싹 긁어 줬는지, 밀런은 아버지께 서신을 보낼 푼돈조차 없었다.

"너 남은 돈이 얼마나……."

궁색하게 그에게 여비를 빌리려는데, 뒤에서 수건을 뒤집어쓴 클로이가 나타났다.

"기사님, 잘 처리가 된 건가요?"

목욕을 끝내고 그야말로 바람처럼 달려온 그녀의 머리카락에서 물이 뚝뚝 떨어졌다.

"안색이 너무 안 좋으세요. 무슨 일이세요?"

"아…… 목욕은 잘 마치고 왔느냐?"

"예, 그럼요. 지금 그게 문제겠어요. 일은 다 해결되셨나요?"

클로이가 아래층에서 마주친 여관 주인을 떠올리며 물었다.

"여관 주인이 횡재를 했다고 지금 도박장에 간다던데, 혹시……."

그러자 밀런의 순진한 녹색 눈동자에 놀란 빛이 번졌다.
"혹시."
"……."
혹시가 역시였다. 망연자실한 그 표정을 보니 안 봐도 뻔했다.
"얼마나 뜯기셨어요?"
밀런이 그걸 어떻게 알았냐는 듯 흠칫했다.
"여관 주인들이 얼마나 노련한데요. 여기서 오래 장사했으면 별의별 일을 다 겪었을걸요."
어쩐지 여관을 정리하던 사람들까지 싱글벙글하고 있어서 이상하다 싶었다. 대체 돈을 얼마나 후하게 받았길래.
"중년 여인이 대성통곡을 하기에 너무 안쓰러워서……."
"에이, 이런 일은 사실 드물지도 않을 텐데요. 여긴 접경 인근이잖아요."
가문 간 영지의 접경 지역은 도적이 들끓었다. 외부인 손님이 강도로 돌변하는 일도 비일비재했다.
"그래서, 얼마나 주셨나요? 설마 금화를 주신 건 아니죠?"
돈 생각을 하니 그가 어지러운 듯 눈가를 찡그렸다.
"설마 금화를 주셨어요? 몇 개나요?"
밀런이 대답이 없자 클로이는 자연스레 그의 허리춤을 뒤적거렸다. 이젠 이 정도 스킨십은 우스웠다.
한데 아무리 돈주머니를 찾아도 이상하게 만져지는 게 없었다.
"한 개 주셨어요?"
"……."
"아니면 두 개?"

그가 넋을 놓고 있자 뒤에서 알렉산드로가 대신 대답했다.
"가진 전부를 줬다."
기겁한 클로이는 밀런의 상의를 들추고 벨트를 확인했다. 뒤에서 저를 빤히 쳐다보는 알렉산드로가 느껴졌지만 지금은 이를 신경 쓸 때가 아니었다.
'돈주머니가 매달려 있긴 한데…….'
꺼내 보니 흐물흐물한 것이, 딱 보기에도 텅 빈 것 같았다.
"스물두 개를 전부 다?!"
경악한 그녀는 돈주머니를 뒤집어 탈탈 털었다. 하지만 나오는 건 아무것도 없었다.
"세상에, 기사님……."
클로이는 믿기지 않는 얼굴로 밀런을 응시했다. 평소와 달리 축 늘어진 어깨와 비 맞은 강아지 같은 표정 때문에 더 불쌍해 보였다.
'그렇다고 가서 다시 내놓으란 소리도 못할 텐데.'
자존심이 있지. 귀족들에게 체면이란 얼마나 중요한가. 더군다나 밀런은 기사였다.
"정말 비싼 값을 치르셨네요."
체면을 지키기란 원래 비싼 법이지만 그래도 너무 과했다.
"금화 스물두 개면 여관이 아니라 이 마을을 보수할 수도 있을 정도로 큰돈인데."
그 말을 듣곤 밀런도 아차 싶은지 한숨을 푹 내쉬며 한탄했다.
"수도에 돌아갈 여비도 안 남겼다. 이를 어쩌면 좋으냐."
밀런은 그러면서 알렉산드로를 돌아보았다. 하지만 그는 남 일인 양 신경도 안 쓰는 눈치였다. 저도 모르게 그를 흘끔대다 눈이 마주친 클로이는 얼른 고개를 돌려 시선을 피했다.

'사람이 참 인정머리도 없지. 친구가 옆에서 멍청이 짓을 하는데 안 말리고 뭘 했대.'

밀런은 좋게 말하면 돈을 잘 쳐 주고, 나쁘게 말하면 호구였다. 함께 마을을 돌아다니면서 보니 그는 큰돈을 턱턱 건네면서 거스름돈도 챙기지 않았다. 이를 대신 받아 온 게 몇 번인지 셀 수도 없었다.

"우선 이거라도 갖고 계세요."

클로이는 그간 챙겼던 돈 중에서 은화 몇 개를 건네주었다.

"아니, 네가 돈이 어디 있다고……."

"얼른 받으세요."

밀런은 처음엔 떨떠름히 이를 받아 들었지만, 그나마 안색이 좀 나아졌다. 사실 지금은 이마저도 감지덕지였다.

"나머지는 제가 가서 돌려받아 볼게요."

"돌려받겠다고? 네가?"

"네. 금화 스물두 개는 솔직히 너무 과해요."

여관 주인도 참 염치가 없었다. 두 개만 챙겨도 감지덕지일 텐데, 스물두 개?

"기사님은 그냥 모른 척하고 계세요. 아셨죠?"

옆에서 못미더운 눈을 한 알렉산드로가 뭐라 말하려는 게 보였다. 클로이는 야무지게 두 팔을 걷어 올렸다.

"이번엔 저를 믿으세요."

밀런이 미처 말릴 새도 없었다. 그녀는 바람처럼 사라졌다.

'아직 몸도 성치 않을 텐데.'

걱정이 되었던 알렉산드로는 결국 클로이의 뒤를 좇았다.

"후우, 저 애가 저렇게 발이 빠를 줄이야."

밀런도 그의 옆을 따랐다. 클로이가 대체 어떻게 제 돈을 돌려받아 줄지 궁금했던 것이다.

"여관 주인이 어디로 갔는지 아나 봐. 근데 이 마을에선 겨우 며칠 지냈을 뿐인데 어떻게 벌써 길을 다 아는 거지?"

클로이는 정말 날쌔게 움직였다. 밀런은 감탄하며 열심히 그녀의 뒤를 밟았다.

"골목을 요리조리 누비는 게 꼭 다람쥐 같지 않아?"

"쉿."

알렉산드로가 검지를 입가에 가져갔다. 하지만 밀런은 투덜거림을 멈추지 않았다.

"내가 무슨 비밀공작을 한다고 얼굴도 가리고 이렇게까지…… 어휴."

제 하녀의 뒤를 밟다니. 구시렁거리던 밀런은 '그럼 가든가.' 하는 알렉산드로의 말에 얼른 말을 돌렸다.

"너도 참 너무하다. 내가 돈주머니 탈탈 털어 줄 때 옆에서 왜 안 말렸어?"

"어디까지 하나 했다."

“어휴…… 그래, 내가 누구 탓을 하랴.”

이윽고, 골목을 누비던 클로이가 끝자락에 있는 허름한 하우스로 쏙 들어갔다.

대충 기둥만 세우고 천막을 둘러 만든 이 허술한 공간은 입구도 문이 아니라 천으로 가려져 있어서 누구든 출입이 용이해 보였다.

예상대로 밖까지 왁자지껄한 게, 안에 사람이 많은 듯했다.

“우리가 저길 들어가도 될까?”

두 사람은 고민하며 주위의 동태를 살폈다. 다행인지 그 하우스에는 남녀노소 오가는 발길들이 많았다. 저마다 복장도 각양각생이라 그다지 눈에 띄진 않을 듯했다.

‘오늘은 잃었네, 어제는 땄네’ 하며 사람들의 희비가 갈리는 걸로 보아선, 도박판이 열린 듯했다.

“염병! 이 계집은 뭐야?”

“내 돈을 싹 긁어 가려고 작정을 했군!”

하우스 안에서 거친 욕설과 희뿌연 연기가 새어 나왔다. 알렉산드로는 별 고민도 없이 걸음을 옮겼다.

“어딜 가? 미쳤어?”

밀런이 그런 그를 턱 붙들었다.

“너 같은 도련님이 어떻게 저런 근본 없는 놈들과 어울리겠다고…….”

허가받지 않은 곳에서의 도박은 불법이었다. 누구에게든 신분을 들켰다간 개망신을 당할 텐데.

“정말 저기 끼려는 건 아니지?”

“안 될 건 뭐지?”

과연 알렉산드로가 제정신인지 싶었다.

"아니, 왜 자꾸 답지 않은 짓을 하고 그래!"

그의 소심한 만류에도 알렉산드로는 뭔가에 씐 사람처럼 거침없이 움직였다. 출입구의 두꺼운 천을 들어 올린 그는 밖으로 나오는 사람을 지나쳐 자연스럽게 안으로 들어섰다.

"진짜 미쳤나."

밀런은 개탄하며 그의 뒤를 쫓아 하우스로 들어갔다.

도박장 안은 그야말로 가관이었다. 곳곳에 테이블이 있었고 그 테이블마다 서너 명이 앉아서 도박을 즐겼다. 한쪽에선 주사위를 돌리고, 다른 쪽에선 카드놀이를 했다. 카드는 제각각이었고, 테이블마다 동전이 가득했다. 주로 은화지만 종종 금화도 보였다.

"어이, 카드 똑바로 안 뒤집어?!"

"밑장빼기를 했다간 손목을 날려 버릴 줄 알아."

"지금 어디서 훈수질이야!"

저마다 노름질을 벌이느라 하우스에 누가 들어왔는지 별 관심도 없는 눈치였다.

'개판이군.'

알렉산드로는 경멸 어린 눈으로 주위를 둘러보았다.

"공작령에서 곧 축제가 열린다며?"

"그러게, 아주 성대하다던데. 수도의 건축제도 저리 가라래."

"칼스버그 공작령에서 열리는 축제 말이야? 어차피 우린 못 가."

"맞아. 축제 기간에 얼마나 출입 경비가 삼엄한데."

"아쉽게 됐어. 거기 사는 점쟁이가 그렇게 용하다던데."

"점쟁이? 점쟁이는 왜? 언제쯤 결혼할 수 있나 물어보려고?"

신나게 떠들던 몇 명이 한바탕 웃음을 터뜨리며 옆을 지나갔다.

'점쟁이?'

그들의 대화를 듣고 밀런의 눈이 가늘어졌다.

'공작령에서 축제를 한다고?'

잠시 한눈 팔렸던 밀런은 얼른 알렉산드로의 뒤를 쫓아갔다. 가장 구경꾼이 많은 중앙 테이블이었다.

그곳에 경건한 표정을 한 클로이가 패를 들고 앉아 있었다.

'아니, 저 애가 도박을?'

놀란 밀런이 알렉산드로와 시선을 교환했다. 당황스럽기는 그 역시 마찬가지인 듯, 눈이 휘둥그레진 두 사람은 구경꾼을 헤치고 들어갔다.

클로이의 손에는 작은 빨간색 패가 들려 있었고, 여관 주인은 그녀의 뒤에 서서 초조한 얼굴로 그 카드를 내려다보고 있었다.

"동쪽 대륙에서 온 카드야."

밀런이 이를 알아보고 속삭였다. 꽃과 동물 그림이 그려진 빨간색의 작은 패. 평민들 사이에서 주사위 다음으로 유행하는 카드놀이였다.

"자자, 아주머니. 이번 판은 이분이 끼신다니까 광팔이로 빠지세요."

클로이는 매우 익숙하게 돈을 챙기고 판을 정리한 뒤 카드를 가져갔다.

"아가씨, 정말 처음 해 보는 거 맞아?"

클로이 옆에 앉은 대머리의 중년 사내가 매우 불만스런 얼굴로 빈정거렸다.

"아니, 꾼 아니냐고! 어떻게 생전 처음 해 보는 사람이 이렇게 잘할 수가 있어!"

"저 손 움직이는 것 좀 봐요, 세상에!"

그 감탄처럼 클로이의 앞에는 열 개가 넘는 금화가 쌓여 있었다.

"정말 처음이라니까요. 하늘에 맹세해요. 자, 그럼 돌립니다."

그러면서 그녀가 화려한 손길로 패를 섞고, 몇 장씩 카드를 나눠 주기 시작했다.

"그쪽이야말로 일부러 지금 잃어 주는 거 아니에요? 나중에 내 돈 다 따 갈려고 그러죠?"

"참 나."

대머리는 어이가 없는 듯 쥐고 있는 카드에 집중했다. 새 그림이 그려진 알록달록한 카드였다. 그때 클로이가 안쓰럽다는 듯 쯧쯧 혀를 차며 고개를 저었다.

"쌌네, 쌌어. 어쩜 좋아."

"……!"

식겁한 밀런은 저도 모르게 의자 밑으로 눈을 내렸다. 하지만 어떤 액체가 흐르거나 하진 않았다. 카드놀이의 은어인 듯했다.

'그림 맞추기로군.'

판이 돌아가는 걸 한참 구경하던 알렉산드로는 이 카드놀이가 생각보다 간단한 규칙이라는 걸 알게 되었다.

가장 먼저 일정 점수 이상을 얻은 참여자는 게임을 더 진행할 것인지 말 것인지를 결정할 수 있다. 클로이는 그 규칙을 정확히 이해하고 점수를 계산하면서 카드게임을 이끌어 갔다.

"났네. 또 났어."

세 명 중의 한 명이 진절머리가 난다는 듯 손에 쥔 카드를 내던졌다.

"에이, 젠장!"

"자, 여기서 스톱할게요."

대머리가 억울하단 듯이 소리쳤다.

"이거 봐, 아주 꾼이라니까!"

신경질적으로 제 앞의 돈을 모두 밀어 준 대머리가 자리에서 일어섰다.

"그만해, 그만! 이 아가씨가 처음이라고 우리를 다 속인 거야, 알아?!"

대머리는 재수가 없다는 듯 퉤, 하고 침을 뱉었다. 클로이는 사색이 되어 손을 내저었다.

"정말 처음이에요."

"근데 어떻게 계속 그렇게 돈을 따 가냐고! 딱 한 번 보고 그렇게 패를 돌리는 사람이 어딨어?!"

"그건, 그건 정말 저도 모르겠어요. 저는 진짜 모르는데, 제 손이…… 아는 것 같아요."

본인도 당황스럽다는 듯 클로이가 얼떨떨한 얼굴로 제 두 손을 내려다보았다.

'연기야, 뭐야?'

이를 지켜보던 밀런은 혀를 내둘렀다. 만약 저게 연기라면 클로이는 하녀가 아니라 극단의 배우가 되어야 했다.

"젠장, 여관 아줌마한테 딴 돈을 다 잃었군!"

"정말 더 안 하실 거예요?"

"아가씨랑은 안 해!"

"아직 돈이 더 있으시잖아요."

"글쎄, 안 한다고!"

대머리가 매몰차게 돌아서자 클로이는 강수를 던졌다.

"그럼 이번 판은 이 돈을 다 걸게요."

그러자 대머리가 멈칫했다.

"금화 열두 개를 한 판에 전부 걸겠다고?"

"네. 몇 점이든, 나는 사람한테 다 몰아 줄 거예요. 그래도 더 안 하실래요?"

대머리는 지금까지 잃은 걸 다 만회할 수 있단 생각에 고민하다 에잇, 하며 다시 자리에 앉았다.

"……마지막이야."

어쩔 수 없다는 듯, 그가 돈주머니를 뒤적여 금화 두 개를 더 꺼냈다. 그렇게 다시 판이 돌아갔다.

"어머 내가 났네."

"이런, 제기랄!"

돈을 감당하지 못한 사람들은 판이 바뀔 때마다 계속 바뀌어 갔다. 클로이와 대머리를 제외하고.

"세상에, 또야. 오늘 무슨 날인가?"

"아악, 진짜!"

"자꾸 이러니 죄송하네요."

"지금 사람 놀리는 거야, 뭐야!"

클로이는 여섯 번인지 일곱 번인지를 더 해 먹었다. 믿을 수 없게도 그녀가 모든 판을 전부 이겼다.

"또 났네……."

클로이의 옆에는 금화가 스무 개쯤 쌓였다. 돈을 잃은 사람들의 눈빛이 점점 흉흉하게 변해 갔다.

"이만 가 봐야 할 것 같네요."

"가긴 어딜 가? 내 돈 다 따먹고 튀겠다는 거야, 지금?"

눈이 벌겋게 변한 대머리가 따져 물었다.

"더 이상 걸 돈도 없잖아요."

"빌려서라도 해! 한다고!"

대머리는 언성을 높이며 여기저기서 돈을 빌리기 시작했다. 하지만 그에게 돈을 빌려주는 사람은 아무도 없었다.

"흠, 오늘 재미 다 봤군."

"그러게, 저렇게 패를 잘 돌리는 꾼은 처음 보는데……."

"아무튼 아쉽게 됐어."

서로 난감한 상황에 구경꾼들은 하나둘씩 자리를 피했다.

"이런 경우가 어딨어! 어딨냐고! 아아악! 내 돈! 내 돈 내놔!"

대머리가 행패를 부리기 시작했다.

"이봐, 정당하게 돈을 잃었으면 인정할 줄 알아야지."

조용히 있으려다가 차마 보다 못한 밀런이 나섰다.

"사내가 돼서 연약한……."

"그게 어떻게 네 돈이야? 내 돈이지!"

뒤에서 여관 주인이 밀런을 밀치며 나타나 소리쳤다.

"아주 꼴 좋-다!"

"아줌마는 잃었으면 빠져!"

"그럼 너도 잃었으니까 빠져!"

말싸움을 하던 두 사람은 붉은 머리의 거한이 나타나자 약속한 듯 조용해졌다. 이 하우스의 주인이자 '해결사'였다. 그가 척하니 클로이에게 손을 내밀었다.

"수수료."

"수수료요?"

하우스의 룰에 대해 전혀 몰랐던 클로이는 난감함에 눈을 깜빡였다.

"해결사 릭이야."

여관 주인이 잽싸게 달려와 설명했다.

"수수료는 딴 돈의 1부를 주면 돼. 어서 줘."

"1부라니, 고리대금 이자도 아니고……."

"어서 돈을 줘. 안 그랬다간 큰일 나!"

아깝지만 어쩔 수 없었다. 클로이가 돈을 계산해서 건네자 붉은 머리의 남자는 그녀를 흘긋 보곤 사라졌다.

해결사 덕분에 하우스는 아무 일 없다는 듯 다시 평화를 되찾았다.

'저 대머리 아저씨도 찍 소리를 못 하는 걸 보니 대단한 사람인가 봐.'

클로이는 돈을 주머니에 챙겼다. 한데 여관 주인이 그녀의 곁에서 서성였다. 시선은 돈주머니에 꽂혀 있었다.

"아가씨, 더 안 해?"

"이제 안 해요."

여관 주인은 큰돈을 가졌다가 대머리에게 전부 잃은 게 아쉬웠다. 미련을 버리지 못한 그녀가 사정했다.

"그러지 말고, 내가 돈을 빌려 올 테니까 나랑……."

"이게 다 아주머니 때문이에요. 원래 도박 같은 건 할 생각도 없었다고요."

클로이가 미간을 찌푸리고 되물었다.

"우리 기사님이 보상금을 후하게 주셨죠? 솔직히 스물두 개를 다 받아 간 아주머니가 정말 너무했어요. 양심이 있으면, 그렇잖아요?"

클로이는 원래 도박으로 돈을 돌려받을 생각은 없었다. 한데 여관 주인에게 아무리 사정해도 못 돌려주겠다길래, 그 옆을 지키다가 그녀가 실시간으로 돈을 전부 잃는 걸 보고 홧김에 뛰어들었다.

"나도 가진 돈 전부를 잃을 줄은 몰랐지. 으흑."

여관 주인은 눈물을 글썽였다. 푹 한숨을 내쉰 클로이는 주머니를 뒤적였다.

"기왕 이렇게 된 거……."

도박으로 딴 돈은 정확히 금화 스물두 개와 은화 서른 개 남짓. 그중에 금화는 전부 여관 주인에게 나온 것이었다.

"아주머니, 이거 받으세요."

클로이는 수수료를 내고 남은 돈에서 금화 두 개를 꺼냈다.

"기사님이 주신 보상금이 이만큼이었다, 그냥 처음부터 그만큼만 받았다, 그렇게 생각하세요. 그럼 마음이 좀 편하실 거예요."

"이걸…… 정말 주는 거야?"

"네. 사실 금화 두 개도 보상금으로 충분하고도 남는 돈이잖아요?"

"그렇지!"

화색이 된 여관 주인은 재빨리 금화를 주머니에 넣었다.

"다시 달라고 하기 없어. 알지?"

"달라고 안 해요. 이렇게 얻은 돈은 별로 자랑스럽지도 않아요. 지금은 사정이 급하니 이렇게 됐지만, 아주머니도 더는 이런 거 하지 마세요."

클로이가 자리를 털고 일어나려 하자 여관 주인이 살살거리며 매달렸다.

"근데 어떻게 그렇게 패를 잘 돌려? 어디서 배운 건데?"

"글쎄 처음 해 봤다니까요."

"그러지 말고 나한테만 말해 봐, 응?"

"아이참."

간신히 여관 주인을 뿌리치고 하우스를 나오던 클로이는 익숙한 인영 둘을 발견했다.

"기사님?"

"쉿!"

밀런이 그녀의 손을 잡고 구석으로 데려왔다. 이런 곳에서 신분이 밝혀지기 싫다는 의미였다.

"어떻게 기사님이 여기 계세요?"

"조용히 하라니까 그래."

"왜요? 기사님도 카드놀이 하셨어요? 아니면 주사위?"

"내가 기사인 걸 사람들이 알게 되잖아!"

"네?"

클로이는 어이없는 웃음을 흘렸다.

'나름 정체를 감추려고 노력한 건가?'

두 남자는 온몸을 가리는 검은색 후드를 뒤집어쓰고 있었다. 하지만 밀런과 알렉산드로가 귀족이란 걸 모를 사람은 아무도 없었다.

"걱정 마세요. 이미 다들 알 거예요."

우선 큰 키 때문에 두드러졌고, 밀런이 입은 후드의 옷감이 너무 고급이었다. 광택이 도는 벨벳. 게다가 한 명도 아니고 두 사람이라 더 눈에 띄었다.

"여긴 귀족들도 멀리서 많이 온대요."

소문난 원정 도박장이었다.

"아무튼 얼른 가요."

클로이는 밀런을 붙들고 얼른 골목으로 나섰다. 그리고 하우스가 멀어질 때까지 걸음을 빨리했다.

"어떻게 그렇게 돈을 딴 거야? 그런 건 어디서 배웠어? 백작가 영애께서."

"저도 처음 해 봐요. 여기요."

클로이는 돈주머니를 그에게 안겨 주었다.

"이걸 다 내게 주려고?"

"그럼요. 원래 기사님의 돈이잖아요."

"하지만 네가 얻은 돈이지 않느냐?"

"도박 같은 부정한 방법으로 얻은 돈은 전혀 탐나지 않아요."

말을 마친 클로이는 주위를 살폈다. 다행히 광장까지 따라온 사람은 없는 것 같았다.

"많이 해 본 솜씨던데."

"기사님도 절 의심하세요? 정말 처음 해 본다니까요."

"어허, 그게 말이 되나. 내게만 솔직히 말해 봐. 발랑 까졌다고 놀리지 않을 테니까."

다시 기분이 좋아진 밀런이 그녀의 어깨를 툭 쳤다.

"정말 처음이에요. 저런 카드가 있는지도 오늘 처음 알았고요."

"그게 말이 돼? 카드를 섞는 손길이 전혀 그렇지가 않던데."

"태어나서 처음 만져 보는 카드에요. 그런데……."

잠시 우물쭈물하던 클로이가 조금 전의 상황을 떠올리며 손을 쥐었다 폈다 했다.

"그런데 마치……."

그녀가 비밀을 말하듯 속삭이자 밀런이 얼른 몸을 낮췄다.

"언젠가 이 카드놀이를 해 본 것처럼 패가 손에 쫙쫙 붙더라고요."
본능적인 감각이라고 할까?
"이상하게 낯설지가 않고, 그림을 맞추는 것부터 점수를 세는 것까지 모든 게 익숙했어요. 신기하죠?"
"뭐야. 정말이야?"
"네, 정말이요."
그녀가 자신하자 밀런도 황당한 듯 웃었다.
"어떻게 그럴 수가 있어?"
"그러니까요! 너무 신기하죠? 저도 그래요!"
"천부적인 재능인가 본데."
돈도 되찾았고, 그 하우스에서도 무사히 나왔다. 클로이는 안도의 미소를 지었다.
"아무튼 이 세상에는, 설명할 수 없는 신기한 일들이 있다니까요."
그러자 옆에서 듣고만 있던 알렉산드로가 스르르 고개를 돌려 클로이를 응시했다. 설명할 수 없는 신기한 일. 그 말이 꼭 제게 들으라고 하는 소리인 듯 귓가에 맴돌았다.
밀런은 친구의 가라앉은 분위기를 미처 살피지 못하고 웃음을 터뜨렸다.
"넌 참 잡기에 능한 것 같다."
"부끄럽지만 그런 말 많이 들었어요."
"부끄럽기는, 내 돈을 전부 되찾아 주었는데. 마땅히 자랑스러워해도 된다."
돈을 되찾아 기분이 훨씬 나아진 밀런은 수고했다는 듯 클로이의 등을 두드려 주었다.

“이제 아버님께 서신을 전할 수 있겠어.”

알렉산드로의 시선은 밀런의 손끝을 향했다.

‘두 사람이 저렇게 친했었나.’

하루 종일 같이 말을 타고, 내내 주거니 받거니 대화를 나눈 두 사람은 급속도로 친해졌다. 더군다나 잃은 줄 알았던 돈까지 찾아 줬으니, 클로이를 향한 밀런의 신뢰도는 단번에 수직 상승했다. 하다 하다 이젠 그녀의 어깨까지 주물렀다.

“네 덕분에 걱정을 덜었다.”

“아이참, 기사님도. 별것도 아닌데 자꾸 이러시면 부끄러워요.”

“넌 내 복덩이다, 복덩이.”

밀런의 손이 그녀의 볼로 향했다. 차마 더는 볼 수 없었던 알렉산드로는 고개를 돌렸다.

그가 자책하듯 질끈 눈을 감았다. 후회스러웠다. 왜 이제 와서 죄책감이 드는지는 모르겠지만……. 심장 부근이 이상하게 아려왔다.

‘불쌍한 여자니까.’

그래, 아마 그래서일 거다. 가여운 처지인 건 맞으니까.

‘오죽 내가 싫었으면.’

아니, 내가 뭘 그리 잘못했다고!

머릿속이 뒤죽박죽 엉망이었다. 온갖 생각들이 꼬리에 꼬리를 물고 이어졌다.

더는 고민하지 말자. 그렇게 결론 낸 알렉산드로는 홀로 여관으로 향했다. 묶어 둔 말을 꺼내 와야 했다.

“아, 시원하다. 네 손은 참 대단하단 말이지. 안마도 잘하고 도박도 잘하고.”

“도박은 이제 안 한다니까요.”

“그래도 재주는 재주…… 알렉스, 혼자 어딜 가?”

파발꾼을 찾으려던 밀런이 급히 뒤따라오며 물었다. 알렉산드로는 그런 그를 쳐다도 보지 않은 채 답했다.

“떠날 거다. 오늘.”

“오늘? 어디로? 네 영지?”

“그곳엔 가지 않아.”

“어째서?”

“굳이 그럴 필요 없어 보인다. 네 하녀도 멀쩡하고.”

확실히 클로이는 더 이상 의사를 찾아갈 필요가 없었다. 그녀가 혼자 마을에서 약을 사다 먹고 바르고 했던 효과가 빛을 발했다.

“저, 오늘 마을을 떠나실 거라면 잠깐 광장에서 뭐 좀 사 와도 될까요?”

그녀가 조심스레 묻자 두 남자가 걸음을 멈췄다.

“뭘 사려고?”

밀런은 ‘같이 가자’고 덧붙이며 말했다.

“네가 도박으로 큰돈을 번 걸 많은 사람들이 아는데 위험할지도 몰라.”

“걱정 마세요, 아무 일 없을 거예요.”

“퍽이나 그렇겠군.”

알렉산드로가 딴 곳을 쳐다보며 혼잣말하듯 읊조렸다. 밀런은 핀잔 대신 그를 흘긋 쳐다봤지만 해결사라던 그 붉은 머리가 심상치 않았기에 신경 쓰이긴 내심 마찬가지였다.

"그래, 같이 가 줄게. 알렉스도 네가 걱정돼서 같이 가 주고 싶대잖아."

"……."

그가 무시무시한 눈으로 밀런을 노려보았다. 하지만 부정은 하지 않았다. 클로이는 난처하게 웃으며 고개를 저었다.

"그러실 것 없어요. 금방 갔다가 돌아올게요."

"뭘 사려고 그래? 같이 가자니까."

"여성용품이랑 속옷이요."

세 사람 사이에 침묵이 흘렀다. 가장 먼저 침묵을 깬 건 알렉산드로였다. 그는 몸을 돌려 다시 여관 쪽으로 걸음을 옮겼다.

그 대답을 본 밀런은 서둘러 클로이의 등을 떠밀었다.

"우린 말이 준비가 됐는지만 확인하고 바로 떠날 거니까 얼른 갔다 와라."

"네."

고개를 끄덕인 클로이는 광장 쪽으로 총총 사라졌다. 밀런은 미처 끝내지 못한 대화를 끝내려 알렉산드로의 옆으로 달려갔다.

"아니, 공작령으로 간다며! 왜 갑자기 마음을 바꾼 건데?"

"말했지 않나. 네 하녀가 건강해 보이니 더는 의사를 찾을 필요가 없겠다고."

계속된 언쟁에 알렉산드로는 짜증을 참으며 대답했다.

"재가 겉보기엔 저래도 속은 어떨지 몰라."

"글쎄. 속까지 어떤지 난 모르겠군."

"그러지 말고 공작령에 좀 들르면 안 되겠냐? 오랜만에 푹신한 침대에 누워 호사 좀 누려 보자. 시중을 받으며 목욕도 하고."

“혼자 가든가.”

“주인도 없는 집에 어떻게 나 혼자 가?”

밀런이 펄쩍 뛰며 매달렸다.

“들여보내 주기나 하겠어?!”

저더러 불청객이 되라는 거냐며 징징거렸지만 알렉산드로는 끝내 거절했다.

“난 남부로 가지 않아. 원래 계획대로 콘래드 후작령으로 가겠다.”

한번 마음을 먹으면 되돌리는 바가 없는 친구의 성미를 알지만, 밀런은 아쉬웠다.

“아까 혹시 못 들었어? 공작령에 축제도 열린대. 엄청 유명한 점쟁이도 있단다. 한번 가 보자. 응? 궁금하지도 않……”

“후우.”

한숨을 내쉰 알렉산드로가 자리에 우뚝 멈춰 섰다. 순간 긴장한 밀런은 얼른 목소리를 낮췄다.

“싫으면 말지, 무섭게 한숨은…… 으앗!”

알렉산드로는 그의 멱살을 쥐어 잡고 건물 옆의 구석진 곳으로 끌고 갔다.

“아, 왜 이래! 말로 해!”

벽에다 밀치듯 밀런을 놓아준 알렉산드로가 엄한 얼굴로 그를 불렀다.

“밀런 쿠피히트.”

숨을 고르던 밀런은 제 이름을 듣곤 흠칫했다. 허리에 손을 얹은 채 저를 내려다보는 그 모습이, 꽤 화가 난 듯했다.

“넌 지금 미행당하며 목숨을 위협받고 있다. 의심만 있을 뿐, 정확한 배후도 모르는 심각한 상황이지."

"너도 옆에 있는데 무슨 걱정……."

"하지만 그보다 심각한 문제는, 바로 너다."

내심 찔린 밀런은 시선을 피했다. 저 역시 상황이 심각하다는 건 알고 있었다.

"네 말대로, 넌 쿠피히트 가문의 후계자가 아니냐?"

알렉산드로는 구구절절 옳은 말만 했다.

"그런데 어떻게 나를 믿느냐? 배후는 네 백부가 아니라 나일지도 모르는데 지금 칼스버그 공작령으로 가자고? 그게 정말 옳은 수라고 생각하느냐?"

"날더러 너까지 의심하라고……?"

"후계자로 태어난 이상 네 목숨은 너 혼자만의 것이 아니다, 밀런."

부모님인 쿠피히트 공작 부부, 친정의 권세를 믿고 있는 누님들, 가문의 가솔들과 쿠피히트 가문을 섬기는 수많은 귀족들.

"특히 네가 사랑해 마지않는 네 누님들을 생각해라. 그들의 행복한 결혼 생활은 네 가문의 힘을 배경으로 완성되었다."

"……."

"그런데 그 가문이 흔들린다면 어찌 되겠느냐?"

알렉산드로가 제 누님들까지 들먹이자 밀런은 고개를 푹 숙였다. 면목이 없었다.

"정신 좀 차려라."

"……알았어. 내가 철이 없었다. 곤란하게 해서 정말 미안."

한참 훈계를 들었더니 눈앞이 맑아지는 기분이었다. 밀런은 알렉산드로처럼 현명한 이가 제 친구라 하늘에 감사했다.

"고맙다."

진중한 그를 물끄러미 바라보던 알렉산드로는 깊은 한숨과 함께 처음으로 속내를 터놓았다.

"장남인 내 형님께선 단 한 번도 아버지께 후계자가 되고 싶다는 말을 꺼낸 적이 없었다."

"에이드리안 형님 말이냐? 형님께서 왜?"

그렇게 묻긴 했지만…… 그 이유를 알 것 같다.

"나 때문이었다."

알렉산드로에게서 전에 없이 낮은 음성이 흘러나왔다.

"차남이면서도, 모든 면에서 너무 출중한 나의 존재 때문에."

다른 사람이 이렇게 말했다면 무슨 근거 없는 자신감이냐고 놀림받았을 테지만 알렉산드로라서 믿어졌다. 아주 어린 나이에 글자를 읽고 글을 썼으며, 무투회에서도 두 번이나 우승을 거머쥐었으니.

불세출의 영웅이자 천재적인 기사였다고 칭송받는 그레이엄 1세보다도 더 뛰어난 공적이었다.

'마침 이름도 같네.'

알렉산드로 그레이엄, 알렉산드로 칼스버그.

황궁에서 관심을 갖기 시작한 뒤부터는 무투회에 출정하지 않았지만, 그의 칼 다루는 솜씨는 이미 유명했다.

"후계자가 되기로 결심했다면 형제들부터 제거해야 해."

인정 때문인지 쿠피히트 공작은 그러질 못했다. 그 결과, 밀런의 목숨이 위협받고 있었다.

차라리 자신이 장남이었다면 알렉산드로는 아버지의 기대대로 후계자가 되는 것을 한 번쯤 고민해 봤을지 모른다. 하지만 그럴 수 없었다. 알렉산드로는 이번 생만큼은 손에 피를 묻히며 괴롭게 살고 싶지 않았다.

"내가 왜 수도를 떠났는지, 왜 영지에 가지 않으려 했는지 이제 알겠느냐."

그가 집안을 떠난 건 단순히 여자를 찾겠다는 일념이 아니었다.

"후계는 그만큼 예민한 문제다, 쿠피히트."

밀런은 사실 여태껏 그를 '운명의 여자에 미쳐 집안까지 버리고 떠난 놈'이라고 내심 생각해 왔다. 한데 알렉산드로에게 이런 말 못 할 사정이 있었을 줄이야. 꿈에도 몰랐기에 제 친구가 다시 보였다.

"잊지 마라. 네 권력만큼 언제나 책임과 의무, 위험이 따른다는 것을."

밀런은 저를 뒤로한 채, 앞서가는 그의 뒷모습에서 한참 눈을 떼질 못했다.

'알렉산드로가 대공이 된다면 어떨까…….'

잘 어울릴 텐데. 누구보다 잘 해낼 것 같았다. 듬직한 저 뒷모습은 칼스버그 가문의 후계자로 손색없었다.

'그러니 대공 부부께서도 그렇게 안타까워하시는 거겠지.'

칼스버그 가문의 장남인 에이드리안은 학구적인 데다 매우 부드럽고 온화한 성격이었다. 알렉산드로와는 완전히 딴판이었다.

'저 집안에 알렉스 같은 별종은 혼자뿐이야.'

알렉산드로에겐 주위를 휘어잡는 카리스마가 있었다. 가장인 칼스버그 대공도, 다른 세 아들도 전혀 저렇지 않은데, 어디서 저런 괴물이 튀어나왔을까?

'나 참, 왜 후계자가 되지 않겠다는 건지.'

알렉산드로 칼스버그 대공. 얼마나 잘 어울리는가?
'내가 다 아쉽네.'
밀런은 괜히 입맛을 다셨다.

가볍게 두 남자를 따돌린 클로이는 광장을 돌아다니며 제게 필요한 물건들을 구입했다. 상점의 위치를 미리 파악해 놓은 덕분에 시간이 넉넉했다.
'둘은 아직 짐을 꾸리고 있겠지?'
그 귀족 도련님들은 저들 딴에는 행동이 빠르다 생각할지 몰라도 사실은 그렇지 못했다. 특히 밀런은 어찌나 행동이 굼뜨고 매사에 뭉그적거리는지 몰랐다.
'혼자 다니는 게 낫지.'
친구인 알렉산드로 때문에 더 비교되었다. 알렉산드로가 말보다 행동이라면 밀런은 행동보단 말이었다. 그가 온갖 일에 참견하며 떠드는 걸 볼 때마다 클로이는 내심 알렉산드로의 인내심을 높이 평가했다.
'하지만 그 오지랖 덕분에 내가 목숨을 구했어.'
감사할 일이었다. 결혼식에서 도망친 신부를 누가 구해 주겠는가. 까딱했다간 가문 간 분쟁에 끼게 될 텐데. 알렉산드로는 원체 냉혈한이기도 하지만…… 밀런이 아니었다면 지금쯤 어떤 꼴을 당했을지 상상도 하기 싫었다.

'두 사람은 어떻게 반년이나 같이 여행했는지 몰라. 저렇게 성격이 다른데.'

제 물건을 다 산 클로이는 광장을 돌아다니며 마른 식료품과 천 조각 등 필요한 물건도 몇 개 샀다.

"그쪽은 언제 마을을 떠나는 건가요?"

"오늘이요."

"참 볼 게 없는 곳이죠, 여긴."

과일을 파는 상인이 넉살 좋게 웃었다. 워낙 작은 마을이라 얼굴만으로 외부인을 알아보는 듯했다.

"그럼 칼스버그 공작령으로 가는 건가요?"

"그건 아니에요."

알렉산드로의 의견대로 아마 콘래드 후작령으로 가겠지만, 암살자들이 계속 쫓아올지 모르는 마당에 정확한 목적지를 밝히기가 꺼려졌다. 암살자의 배후가 누구인지도 클로이는 아는 바가 없었다.

'확실히 우리 가문에서 날 잡으라고 보낸 건 아니야.'

도미닉 백작가는 그리 풍족하지 않았다. 겨우 먹고살 정도의 농장 몇 개가 전부인 작은 가문이었다. 그런데 저 하나를 잡으려고 그런 규모의 암살자들을 보냈을 리가 없었다.

"흠, 아쉽게 됐군요. 신분이 확실하다면 칼스버그 공작령에도 한 번 들러 보세요."

"칼스버그 공작령에요? 왜요?"

"칼스버그 공작령은 이 안테노르 영지와는 비교도 안 될 정도로 번영한 곳이에요. 수도만큼 화려하다고 하더군요."

"아하."

클로이도 들어 본 적이 있었다. 비옥한 땅에 위치한 칼스버그 공작령은 변방이긴 해도 기반이 굉장히 잘 잡힌 영지라고.

"하긴, 제국에서 제일가는 개국 공신 가문의 땅이니까요."

그레이엄이 황실 가문이 되고, 현존하는 공작가는 다섯 개였다. 그중에 가장 손꼽히는 명문가는 단연 칼스버그였다. 명예 작위이긴 하나 대공의 칭호도 칼스버그뿐이었다.

"특히 칼스버그 공작성은 저택의 규모가 아니래요. 아름다운 강을 끼고 있어서 그 자태가 꼭 예술 작품 같다더군요."

사과를 담아 준 상인이 마치 제 성인 양 자랑스레 말했다.

"전에 들렀던 화가가 그러는데 동부의 화가들은 죽기 전에 한 번이라도 그 풍경을 화폭에 담아 보는 게 꿈이라고 했어요."

"그 정도로요?"

"그렇다니까요! 게다가 공작령에서 곧 성대한 축제가 시작될 거예요."

'축제?'

도박장에서 축제가 어쩌구 하는 말을 듣긴 했지만 미처 경황이 없어 새겨듣지 못했다. 내심 혹한 클로이가 눈을 빛냈다.

"무슨…… 축제인데요?"

"달에게 풍년을 기원하는 축제예요. 남부 최고의 축제죠! 수로에 배를 띄우고 풍등을 날리는데, 아주 장관이래요!"

상인은 직접 가 본 사람처럼 실감나게 축제를 설명했다.

"클라이맥스는 축제 마지막 날이에요."

7일간의 축제. 그 마지막 날을 위해서 사람들은 1년을 기다린다.

"소원을 이뤄 주는 보름달이 뜨거든요."

순간 클로이의 눈이 확 커졌다. 듣기만 해도 가슴이 두근거렸다.

'소원을 이뤄 준다고? 밀런한테 물어볼까?'

행선지를 두고 옥신각신하는 것으로 보아 여지는 있을 것 같았다. 어떻게 말을 꺼내 볼까 고민하는 사이.

어느새 나타난 검은 그림자가 그녀의 앞을 가로막았다. 커다란 키에 붉은색 뾰족한 머리가 어쩐지 익숙했다. 하우스에서 '해결사'라고 불리던 남자였다.

놀란 클로이가 얼른 돌아서 다른 길로 가려는데, 불쑥 그가 던진 말이 발을 붙잡았다.

"처지가 곤궁해 보이는군."

그녀의 해진 신발과 낡은 겉옷을 보고 하는 말이었다. 밀런의 거스름돈을 모아 두긴 했지만 이는 엄밀히 제 돈이 아니었기에 제 옷가지를 사는 데 쓸 수는 없었다.

"돈을 벌고 싶지 않나?"

멈칫한 그녀가 스르르 고개를 돌렸다. 그는 저벅저벅 걸어와 코앞에서 멈춰 섰다. 그러더니 소매에서 작은 가죽 조각을 꺼내 들어 보였다.

"과거는 묻지 않는다."

"……!"

뭘 알고 하는 소린가? 지레 겁난 그녀의 눈이 휘둥그레졌다. 그러거나 말거나, 그는 가죽 조각을 클로이의 앞주머니에 넣었다.

"생각이 있으면 찾아와."

그는 그녀의 어깨를 툭툭 두드리곤 이내 인파 속으로 사라졌다.

멍하니 그가 멀어진 뒷모습을 바라보던 클로이는 퍼뜩 정신을 차리고 가죽 조각을 꺼내 보았다. 이름에 인장이 찍힌 네임 카드였다.

「쌍둥이 형제 용병단 해결사 릭 쉐도우」

'쌍둥이 형제 용병단…… 들어 본 적 있어.'

사병을 키울 여력이 없는 소규모의 영주들은 종종 용병단의 도움을 받곤 했다.

쌍둥이 형제 용병단은 안테노르 공작령에서 이름을 날리는 곳이었다. 가주였던 제 숙부도 산적들로 인해 징수가 곤란해지자 도움을 청했었다. 한데 그들이 너무 큰돈을 요구해서 산적 소탕하다 영지 살림이 무너지겠다며 숙부가 툴툴거렸던 기억이 났다.

'그런데 왜 나를.'

도박장에서 제 모습이 인상 깊었나 보다. 마침 알렉산드로가 껄끄러웠던 차에, 더군다나 과거를 묻지 않는다는 말에 혹하는 게 사실이었다.

'그렇다고 저들과 엮일 순 없어.'

호랑이를 피하자고 절벽으로 뛰어드는 꼴이었다. 절레절레 고개를 내저은 클로이는 마음을 다잡았다. 안 보이는 곳에 릭의 네임카드를 버리려던 그녀는 멈칫했다.

'아니야, 일단 갖고는 있어 보자.'

일단 목표는 밀런의 비위를 잘 맞춰 무사히 수도까지 따라가는 거지만…… 이 처지가 앞으로 어떻게 될지는 알 수 없는 노릇이었다.

클로이는 다시 꺼낼 일이 없길 빌며, 가죽 조각을 짐 꾸러미 밑바닥에 잘 꿍쳐 두었다.

예상대로 그녀가 여관에 도착할 때까지 밀런은 준비를 다 마치지 못했다. 클로이는 그의 옷가지를 정리하며 짐을 꾸리는 걸 도왔다.

"오면서 들었는데, 칼스버그 공작령에서 축제가 열린대요."

옷을 개키던 그녀가 넌지시 말을 건넸다.

"달의 신에게 풍년을 기원한다던데요."

"나도 들었다."

"남부에서 가장 큰 축제래요."

"그것도 들었다."

밀런이 푹 한숨을 내쉬었다. 클로이가 갠 옷가지를 차곡차곡 집어넣던 그는 알렉산드로를 의식하며 투덜거렸다.

"남부의 가장 큰 축제라니, 얼마나 재밌겠느냐? 에휴, 여기까지 왔는데 가 보지도 못하고."

들었는지 못 들었는지 알렉산드로는 의자에 앉아 칼만 닦고 있었다. 행선지를 정하는 건 밀런이 아니라 그의 몫이었다.

"클로이, 네가 있던 곳에도 그런 축제가 있었어?"

"아니요. 전 한 번도 성대한 축제에 가 본 적이 없어요."

그녀가 창피한 듯 얼굴을 붉히며 말했다.

"이럴 수가. 수도에도 와 본 적이 없나 보구나."

"네. 수도에선 축제가 자주 열리나요?"

"그런 편이지. 연회는 보름마다, 축제는 계절이 바뀔 때마다. 하지만 매번 똑같아. 불꽃놀이는 좀 볼만하고."

"불꽃놀이…… 그건 폭죽을 터뜨리는 거죠? 책에서 읽은 적 있어요."

순간 알렉산드로의 시선이 클로이를 향했다. 아름다운 광경을 상상하는 듯 그녀의 눈이 반짝였다.

"하늘을 향해서 폭약을 터뜨리면 그게 꼭 별처럼 보인다고요. 환상적인 장관을 이룬다던데 정말 그런가요?"

"맙소사. 내가 지금 불꽃놀이도 본 적 없는 시골 영애와 대화를 나누고 있는 건가?"

밀런은 세상에서 가장 딱한 사람을 보듯 과장하며 애잔한 표정을 지었다.

"장난치지 마세요. 변방 귀족들은 아마 다들 비슷한 처지일 걸요."

"그렇긴 하겠군."

그녀가 밀런에게 몸을 가까이하고 속삭였다.

"상인이 그러는데, 축제의 마지막 날에는 소원을 이루어 주는 보름달이 뜬대요."

"뭐? 소원을 이뤄 주는 보름달?"

밀런은 휙 몸을 돌려 칼집으로 알렉산드로를 꾹꾹 찔렀다.

"이봐, 칼스버그. 네 영지엔 그런 것도 있대냐?"

"달은 어디에나 있다."

"근데 네 영지에서 보면 소원을 이뤄 준대잖아."

알렉산드로는 뒤늦게 고개를 들고 밀런을 응시했다. 바보 천치를 보듯 황당한 눈빛이었다. 시무룩해진 밀런은 이내 화살을 돌렸다.

"쯧, 저놈은 땅 없는 서러움을 몰라. 우리 둘이 갈까?"

실없는 소리에 클로이는 피식 웃었다.

"너는 뭐 빌고 싶은 소원이라도 있어?"

"그럼요. 소원이 없는 사람도 있나요?"

"하긴, 내가 당연한 질문을 했군. 소원이 없는 사람은 없을 테니."

"기사님도 소원이 있으세요?"

"음…… 쿠피히트 공작이 되는 거."

"그게 어떻게 소원이에요. 곧 그렇게 되실 텐데."

"그런가."

"소원은, 이룰 수 없는 게 소원이죠."

"네 소원은 뭔데?"

"비밀이에요."

씁쓸한 그녀의 표정을 보고 밀런은 일부러 장난스럽게 대꾸했다.

"가만 보니 치사한 구석이 있구나. 남의 소원은 캐묻더니 네 건 안 알려 주고."

"그냥 좋은 앞날을 바라는 거죠. 특별할 건 없어요."

옷을 다 정리한 밀런이 마침내 짐을 들고 일어섰다. 그를 따라 일어선 클로이가 문을 열었다. 그러자 밀런과 알렉산드로가 짐을 들고 계단을 내려갔다.

"주제 넘는 꿈을 꾸는 것이냐? 황실에 시집가기 같은?"

"저는 정인이 있다니까요."

"그래 봤자 더는 살아 있지도 않은 남자를…… 알았다, 알았어."

클로이가 밉지 않게 그를 노려보자 밀런은 얼른 입을 다물었다. 여관을 나서며 마구간지기에게 말을 찾아오라 부탁하고, 세 사람은 잠시 벤치에 앉아 기다렸다.

'날이 좋아서 다행이야.'

그때, 내내 조용하던 알렉산드로가 대뜸 물었다.

"왜 이루지 못할 소원을 바라느냐?"

"……그야, 앞날이 잘 풀리길 바라는 건 당연한 것 아닙니까."

갑작스런 질문을 받아서일까? 클로이는 심장이 덜컹했다. 어두운 안색을 보고 밀런이 슬쩍 끼어들었다.

"앞으로는 좋은 일만 있을 거라고 생각하면서 사는 게 인생이지, 그럼."

"아무리 좋은 앞날만 빌며 산다고 해도 어떤 일이 벌어질지, 어떤 끔찍하고 기막힌 일이 벌어질지는 모르는 거다."

"너 진짜 또 왜 그러냐? 애가 그냥 소원 좀 빌겠다는데……."

"이 세상은 결코 네가 정할 수 있는 게 아니야."

귀에서 둥둥 북이 울렸다. 클로이는 귀신을 보듯 알렉산드로를 주시했다.

"하늘에 빈다고 해서, 피해 갈 수 없는 일들이 너를 비껴가진 않아."

항상 차갑고 낯설다고만 생각했던 그의 목소리가 갑자기 익숙하게 느껴졌다.

'어디선가 들어 본 말 같아.'

그녀가 미간을 구겼다. 종종 이렇게 데자뷔 현상을 겪곤 했지만 이번만은 확실했다.

'내게 이런 말을 했던 사람이 분명 있었는데…….'

하지만 아무리 떠올려도 기억나는 게 없었다. 모든 게 뿌연 안개 속에 있는 것처럼 그저 희미했다.

"네게 닥쳤던 불행을 생각해라. 그런 일은 언제라도 또 벌어질 수 있으니."

클로이는 쿵쾅대는 심장 부근을 부여잡았다. 매번 피해 왔지만 이번만큼은 알렉산드로의 사슬 같은 시선을 피하지 않았다.

본 적이 있다.

나를 너무나 염려하고, 사랑해 마지않는 저 표정, 저 눈빛. 자기 자신보다 더 소중한 것을 지키는 얼굴…….

“그게 무슨 저주 같은 소리야. 저 애가 걱정되면 그냥 걱정된다고 말을 해, 알렉스! 하여간…… 어휴.”

때마침 마구간지기가 말 두 마리를 이끌고 다가와 클로이는 퍼뜩 정신을 차렸다. 밀런은 돈을 지불하며 말의 상태를 확인했다.

“건초는 충분히 먹였나?”

“예, 기사님.”

“다행이군. 우린 먼 길을 가야 해서.”

마구간지기는 애정이 넘치는 눈으로 그의 흑마를 쓰다듬었다.

“아주 건강하고 훌륭한 말들입니다. 제 생전 이렇게 뛰어난 품종의 말은 본 적이 없습니다요.”

“이 녀석들은 수도의 가장 고귀한 혈통의 종마에게서 얻었다. 이런 변방에 비교할 만한 대상이 있을 리가 없지.”

밀런이 말 자랑을 늘어놓았지만 클로이의 귀엔 들리지 않았다. 그녀는 무례라는 것도 잊은 채, 심각한 얼굴로 알렉산드로를 물끄러미 들여다봤다.

저 부드러워 보이는 갈색 머리, 보석 같은 파란 눈동자, 짙은 눈썹…….

‘왜 갑자기 익숙해 보이는 거지?’

잠시 그녀와 시선을 부딪치던 그가 이내 관심 없다는 듯, 뒤돌아

마구를 정리했다.
'그래, 내가 어디서 저 사람을 봤겠어. 너무 잘생긴 얼굴이라 인상적이었을 뿐이야.'
클로이는 잡념을 떨치려 픽 웃었다. 그리고 밀런의 말에 안장을 올리는 순간.
—너만큼 사랑할 사람은 내겐 없어.
툭. 굳어 버린 그녀가 안장을 떨어뜨렸다.
"네?"
식겁한 클로이가 휙 뒤돌아 소리치듯 물었다.
"지금 뭐라고 하셨어요?"
눈이 동그래진 그녀의 물음에 밀런과 마구간지기는 하던 대화를 멈췄다. 알렉산드로도 흘긋 그녀를 응시했다.
"……갑자기 무슨 소리야?"
영문을 모르겠다는 듯 저를 쳐다보는 세 남자의 시선에 클로이는 눈을 깜빡였다. 침묵이 찾아왔다. 아뿔싸.
'내가 환청을 들었구나.'
등골이 오싹했다. 클로이는 자책하듯 입술을 깨물었다. 한동안 조용하더니…… 어쩌다 불시에 이렇게! 이런 당황스런 상황이 생길 때마다 자신을 이렇게 만든 그 남자가 미웠다.
그녀가 난감함에 어쩔 줄 모르자, 마구간지기가 어색하게 인사했다.
"흠흠. 그럼 조심히 가십쇼, 나리."
"그래, 고맙다."
다행히 밀런은 싱거운 소리를 한다고 클로이를 웃어넘겼다.
그녀는 간신히 눈만 돌려 알렉산드로의 눈치를 살폈다. 자신을 이상하게 생각할까 봐 걱정했지만 그는 이미 말 등에 올라탄 뒤였다. 그녀가 무슨 소리를 했든 전혀 개의치 않는 듯했다. 괜히 씁쓸한 기분이 들어 클로이는 털어 내듯 고개를 내저었다.

'다행이야.'

뭘 서운해하고 난리람. 내가 저 남자의 뭐라고.

"콘래드 후작령으로 가는 거지?"

밀런이 방향을 묻자 알렉산드로가 자연스레 앞서서 말을 몰았다.

어느덧 마을을 벗어날 무렵이었다.

"기사님! 기사님!"

뒤에서 노점상이 급하게 달려왔다. 알렉산드로는 말을 세우고 물었다.

"무슨 일인가."

"허억, 헉, 벌써 떠나십니까?"

노점상의 옆에는 가죽집 여식이 함께였다.

"다름이 아니라 얘가 글쎄 기사님을 딱 한 번만 더 뵙고 싶다고, 꿈속에서 뵌 것 같다면서……."

순간 그는 뒤따라오던 밀런과 클로이를 발견했다. 노점상은 특히 클로이를 빤히 응시하곤 눈이 커다래졌다.

"아…… 아닙니다. 이미 그분을 찾으셨군요."

민망해진 노점상은 머리를 긁적였다.

"하긴, 다람쥐처럼 귀여운 얼굴이 흔하진 않지요. 정말 그림과 똑같이 생기셨네요. 아름다우십니다."

옆에서 가죽집 딸이 빨리 제 얘기를 해 달라고 옆구리를 꾹꾹 찔러 댔지만 노점상은 어색하게 웃으며 얼버무렸다.

“애가 개꿈을 꿨나 봅니다. 떠나는 길이신가 본데, 살펴 가십쇼.”

알렉산드로는 무감한 얼굴로 그들을 내려다보다 휙 말을 돌렸다. 뒤에서 노점상과 가죽집 딸이 티격태격하는 소리가 들려왔다.

‘아저씨, 이게 뭐예요! 잘 말해 준다더니!’

‘글쎄, 저분은 이미 찾던 사람을 찾은 걸 어째!’

‘그래도 저 기사님을 이렇게 보내면 어떡해요!’

‘아니, 나더러 어쩌라고! 납치라도 하리?!’

저들의 말소리가 한바탕 그의 가슴을 헤집었다.

‘저분은 이미 찾는 사람을 찾았다니까 그래!’

알렉산드로는 일렁이는 속을 가라앉히려 애써 고개를 꼿꼿이 하고 등을 세웠다.

‘아악! 밧줄이라도 갖고 올걸!’

‘떼끼! 밧줄로 뭘…….’

의미 없는 대화는 점점 멀어지고, 어느새 그의 귀에는 클로이의 속삭임만 들렸다.

“……수로에 배도 띄우고, 풍등을 날리는 게 그렇게 멋있대요. 아마 나중에 수도에 가면 볼 수 있겠죠? 아, 수도에도 멋진 강이 있나요?”

뒤에서 밀런의 허리를 붙든 그녀가 끊임없이 재잘거렸다.

“있다마다. 하지만 중심부에서 좀 떨어져 있어.”

여전히 두 사람의 관심사는 남부 최대의 축제였다. 밀런은 이 대화 주제가 마음에 드는 듯 끊임없이 클로이를 유도했다.

“내가 듣기로는 거기 유명한 점쟁이도 있대.”

“점쟁이요? 점술사를 말하는 걸까요? 집시들이 별자리를 읽어 준다는 애기는 들었는데."

"언제 결혼할 수 있는지도 맞힌다던데."

"설마요! 사기 아닐까요?"

"하지만 유명하다던걸. 그럼 꽤 예지력이 있는 거 아닌가?"

클로이는 이 비슷한 이야기를 백작가 시녀들과 유모에게 들은 경험이 있었다.

"예전에 제 유모가 점쟁이를 만난 적 있다고 했어요."

"그래? 뭐라고 했는데?"

"유모한테 세 아이를 키울 거라고 했는데, 자신은 둘밖에 낳지 못해서 엉터리라고 생각했대요. 하지만 저를 돌보면서 그게 엉터리가 아니었다는 걸 깨달았죠."

"호오."

"저는 거의 유모 손에서 자랐거든요. 어머니가 많이 아프셔서요."

"그거 신기한데?"

"그렇죠?"

"난 점쟁이는 만나 본 적 없어. 수도엔 아마 있겠지만 딱히 관심은 없었지."

"칼스버그 공작령의 축제가 정말 성대한가 봐요."

그녀가 푸념하듯 긴 한숨을 내쉬었다.

"불꽃놀이도 하고, 풍등을 날리고, 소원을 들어주는 보름달에다가 수로에 배까지 띄운다니……."

"나중에 수도에서 볼 수 있을 거야."

그녀가 못내 아쉬운 티를 내자 밀런이 달래 주었다.

"각박한 네 인생에 그럴 기회가 또 있을지 모르겠다만……."

지금 위로랍시고 저 따위 소리를 하는 건가? 순간 확 열이 받은 알렉산드로는 저도 모르게 자리에 멈춰 섰다.

"음? 알렉스, 무슨 일이야? 또 암살자가 나왔나?"

밀런이 사방을 살피며 물었다. 그런 제 친구는 무시하고, 알렉산드로는 정확히 클로이를 응시했다.

"……축제에 가고 싶나?"

동시에 밀런의 한쪽 입가가 씩 올라갔다.

'아싸, 성공!'

결국 세 사람은 방향을 틀었다. 말들은 거칠게 들판을 내달렸다. 힐끔 뒤를 돌아본 알렉산드로는 클로이가 휘날리는 머리카락에 눈을 꼭 감고 있는 걸 목격했다. 고삐를 잡은 그의 손에 저절로 힘이 들어갔다.

"워워, 갑자기 왜 멈춰?"

"지도를 확인해 봐야겠다."

단번에 말에서 내려 선 알렉산드로는 태연히 지도를 꺼내들었다.

"아니, 고향 가는 길을 몰라? 나 참."

지도를 확인하는 그를 보고 밀런은 끌끌 혀를 찼다.

"저어……."

"오, 그래. 내려 주마. 말들이 갇혀 있었다고 답답했나 보다. 뭠

박질이 거칠었지?"

"네, 조금요."

안 그래도 뒤에서 들리던 숨소리가 심상치 않았다. 어지러웠는지 심호흡을 하던 클로이는 물을 찾듯 주위를 두리번거렸다.

힐긋 그 모습을 쳐다본 알렉산드로는 묵묵히 제 물통을 건넸다.

"자, 여기."

그런데 밀런도 동시에 물통을 내밀었다.

"……."

클로이는 제 앞에 내밀어진 두 개의 물통을 번갈아 응시했다. 밀런의 친절이야 하루 이틀 일이 아니니 그렇다 쳐도.

'이 남자는 대체 무슨 심경의 변화지?'

클로이는 알렉산드로의 커다랗고 매끈한 손을 빤히 쳐다보다 스르르 옆으로 고개를 돌렸다.

"……."

너무나 당연하게 밀런의 물통을 받아 든 그녀는 익숙하게 시선을 내리깔곤 알렉산드로의 눈길을 피했다.

"얼마나 더 가야 할까요?"

"글쎄, 아마 반나절?"

"멀지 않아서 다행이에요."

두 사람은 태연히 대화를 나누며 나무 그늘 아래로 가선 앉았다. 알렉산드로는 어이없는 얼굴로 짧게 한숨을 내쉬고는 나무 그늘로 향했다.

그가 슬그머니 엉덩이를 붙이고 앉은 곳은 물론 클로이의 옆자리였다. 힐긋 그 모습을 지켜보던 밀런은 피식 웃었다. 닭 쫓던 개가 생각났다.
클로이는 알렉산드로에게서 거의 등을 돌리다시피 하곤 슥슥 머리카락을 모아 올렸다.
"머리를 묶으려고?"
"네. 너무 휘날려서 불편해요."
"끈이 없어서 어떡하지? 아!"
밀런이 그녀의 어깨 너머로 눈짓했다.
"알렉스, 그거 머리끈 아니었어? 네가 매일 들여다보는 거!"
붉은 꽃 장식 여자 장신구! 닳고 닳은 물건이지만 그게 대수겠는가. 마침 알렉산드로도 그것을 건네줄 작정이었는지 가슴팍 깊숙이 손을 넣었다.
어찌나 애지중지 들고 다니는지. 밀런은 그 장신구에 깊은 사연이 있으리란 걸 짐작했지만 모르는 체했다.
"필요하다면……."
알렉산드로가 먼저 건네는데도 클로이는 돌아보지도 않고 이를 거절했다.
"괜찮아요."
"괜찮기는, 끈도 없이 머리를 어떻게 묶으려고?"
밀런은 받으라고 등을 떠밀었지만 냉담한 클로이의 표정은 변하지 않았다.
"이렇게 하면 돼요."
클로이는 굴러다니는 얇은 나뭇가지를 주워 머리에 꽂았다. 그러자 긴 머리카락이 동그랗게 뭉쳐져 고정되었다.
"오오, 신기하긴 하구나……."

'그래도 그렇지, 저놈이 주는 건 그렇게 받기가 싫었던 거냐?'

차라리 나뭇가지를 주워 머리에 꽂을 만큼? 밀런은 그녀의 어깨 너머로 친구의 굳은 표정을 확인했다. 알렉산드로도 저와 똑같은 생각을 한 게 분명했다.

상심한 건지, 아니면 놀란 건지. 날카로운 조각에 찔린 듯 상처받은 기색이 언뜻 눈가를 스쳐 갔다.

하지만 알렉산드로는 이내 그 감정을 갈무리하곤 평소와 다름없는 무심한 가면을 썼다. 손에 쥔 것을 움켜쥐고, 다시 가슴 안쪽 주머니에 집어넣은 그가 먼저 자리를 털고 일어섰다.

"위치를 확인해야겠군."

그러곤 휙 몸을 돌려 지도를 찢듯이 펼쳐 들었다. 밀런의 시선은 고스란히 그를 따라갔다. 거인처럼 커다란 제 친구의 뒷모습이 새삼 한심해 보였다.

'쯧쯧, 불쌍한 놈.'

자업자득이었다.

반나절 말을 달리다 보니 거대한 성곽이 나타났다. 듣던 대로 안테노르 공작령과 칼스버그 공작령의 접경 지역이었다.

클로이는 성곽을 보고 감탄을 내뱉었다. 60년에 걸쳐 만들어졌다는 저 성곽은 제국민 모두에게 유명했다. 끝없이 이어진 성곽,

그 위에 일정한 간격으로 꽂힌 깃발이 힘차게 나부꼈다.
사시사철 푸르다는 철목과 그 위에 날개를 펼친 매 한 마리.
칼스버그 가문의 휘장이었다. 성곽 위에는 철갑을 걸친 가문의 경비병들이 한 치의 오차도 없이 자리를 지키고 있었다.
성곽의 저 멀리에 보이는 거대한 건축물이 바로 칼스버그 공작성이었다.
어마어마한 광경에 압도된 클로이의 입이 떡 벌어졌다.
'제국의 제일가는 가문이라는 게 사실이었어.'
물론 황가에는 못 미치겠지만 그야말로 압도적이었다. 제국의 수도가 이만큼 엄청난 규모일까 싶었다.
"조심해. 목 돌아갈라."
밀런은 놀란 기색을 내비치진 않았다. 그저 눈썹을 한 번 꿈틀하곤 헛기침만 했다.
세 사람이 성곽의 출입문으로 가까이로 다가서자 위에서 경비병이 고압적인 자세로 소리쳤다.
"거기 누구냐!"
그들을 향하여 일제히 활과 총이 겨누어졌다.
"당장 입구에서 물러서!"
그러지 않으면 창과 방패를 앞세우고 금방이라도 쫓아올 기세였다.
클로이는 두려움에 가슴이 콩닥거렸다. 도미닉 백작가는 안테노르 공작령에 속한 작은 마을에 있었다. 평생 그곳에서 살았지만 그녀는 안테노르 공작저에도 가 본 적이 없었다.
'그런데 정말 괜찮을까?'
다른 영지를 방문하는 것도 생전 처음인데, 그것도 이런 권문세가의 땅에 신분 미상인 상태로 감히 발을 들일 수 있을지 걱정스러웠다.

"문을 열어라."

알렉산드로가 출입문 가까이로 성큼 다가서자 그의 목숨을 위협하듯 경비병들이 매섭게 창을 겨눴다.

"어디서 온 누구인가! 네 신변부터 밝혀라!"

그는 제 턱 아래까지 아슬아슬하게 들이밀어진 날카로운 무기에도 눈 하나 깜빡하지 않았다. 오히려 주인처럼 당당한 눈빛으로, 고개를 빳빳이 들었다.

"알프레도에게 전해라. 칼스버그의 차남이 왔다고."

순간 경비병들이 움찔하며 한 발자국 뒷걸음질 쳤다. 그러곤 저들끼리 수군덕거리더니 한 명이 급하게 공작성으로 달려갔다.

'알프레도가 높은 사람인가 봐.'

경비병 중 대장으로 보이는 이가 소리쳤다.

"우, 우리는 어떤 기별도 받지 못했다! 만약 네놈이 이 고귀한 가문의 둘째 도련님을 사칭하는 거라면 절대 목숨을 보전치 못할 것이다!"

그렇게 경고한 경비병들은 무기를 내리지 않고 대치한 채 공작성의 명령을 기다렸다.

바람에 스치는 서로의 숨소리만 들릴 정도로 고요했다. 클로이는 너무 긴장한 바람에 손에 땀까지 찼다.

얼마나 기다렸을까. 성곽 위에서 수십 명의 시종과 시녀들이 모습을 드러냈다. 그 선두에는 화려한 겉옷을 걸친 백발의 노인이 있었다.

"도련님! 도련님!"

알렉산드로를 알아본 그가 다급한 걸음으로 뛰어오며 손을 휘저었다.

"어서 무기를 거둬라! 알렉산드로 도련님이시다!"

경비병들은 재빨리 창을 거두고 나팔을 불었다. 육중한 문이 끼이익 소리를 내며 열리기 시작했다.

"도련님!"

노인이 간절한 얼굴로 달려와 알렉산드로의 손을 붙들었다.

"도련님, 기별도 없이 이게 무슨 일입니까. 마님께서 걱정이 이만저만이 아니십니다! 몸은요? 어디 다치거나 부러지거나……."

알렉산드로의 몸을 이리저리 둘러보던 그가 눈물을 글썽였다.

"못 본 새 키가 또 훌쩍 자라셨군요. 경비병들이 알아보지 못한 것도 이해는 갑니다. 갑자기 수도를 떠나셨다는 소식을 듣고 이 노인이 얼마나 놀랐는지요."

"알프레도, 잘 지냈나?"

둘의 다정한 대화를 듣던 밀런은 깜짝 놀라고 말았다.

'설마 알프레도 해밀턴……? 저 할배가?'

유명한 가문의 집사들은 모두들 그 출신이 훌륭했다. 하지만 해밀턴 남작은 그보다 더 특별한 유명 인사였다.

해밀턴 남작은 원래 이름난 상인이었다. 교역에 매우 뛰어나 수도의 통화량을 마음대로 조절하는 지경까지 이르러 결국 황실까지 그 소문이 들어갔다. 나중에는 황궁에서 자문을 맡았고, 그 공로를 인정받아 작위까지 하사받았다.

가히 전설적인 인물이었으나 은퇴한 이후로 아무도 그의 행적을 아는 사람이 없었다.

'그런데 이 시골구석에서 집사 노릇을 하고 있었군.'

어쩌면 물밀듯 들어오는 결혼 예식의 주례 요청 때문인지도 몰랐다. 알프레도 해밀턴이 결혼의 주례를 서는 부부는 평생 행복하게 산다는 소문이 있었다.

"저야 매일이 똑같습니다. 대공 각하께서는 평안하십니까?"

"아버님은 건강하시다."

"에이드리안 도련님은 여전히 연구를 계속하고 계십니까? 에셀먼드 도련님께선 로건 후작 영애와 약혼을 하셨다던데요. 오스틴 도련님은 아직도 그림책을 좋아하십니까?"

손을 꼭 붙든 노인은 안부를 묻는 것만으로도 대화가 끊이지 않았다.

"그나저나 도련님."

결연한 목소리. 알렉산드로는 이 뒤에 나올 말을 잘 알고 있었다.

"결혼은요?"

"……."

"이 노인은 이제 도련님 결혼하시는 모습만 보면 여한이 없습니다. 얘기가 오가는 영애는 없습니까?"

"……."

"전의 그, 그분은요? 반도라스 공작가의 그 아리따운 영애와 더 이상 잘 안 되어 가시는 겁니까?"

"그녀는 어머니께서 주최하신 연회에 초대되었을 뿐, 아무 사이도 아니다."

"그렇습니까……? 그럼 안테노르 공작 영애 그분은요? 안테노르 공작저에 다녀오셨지 않습니까?"
"키우는 준마를 받으러 갔을 뿐, 얼굴도 본 적 없다."
알프레도의 눈에 진한 실망감이 어렸다. 어떻게든 여자와의 연결고리를 찾으려던 그가, 순간 뒤편을 비밀스레 눈짓했다.
"저 아가씨는 어디의 누구십니까?"
"쿠피히트의 하녀다."
"하녀라니, 그렇게 보이지는 않습니다만……."
대놓고 아쉬워하던 그가 밀런과 클로이를 돌아봤다. 붙어서 이야기를 나누는 두 사람의 모습이 퍽 다정해 보였다.
"그럼…… 그럼 저 하녀도 수도에서부터 여기까지 계속 같이 오신 겁니까?"
알프레도는 쉽게 미련을 놓지 못했다.
"도련님과 '같이'요?"
알렉산드로는 말을 아꼈다. 그러자 가능성이 있다고 보였는지 알프레도가 채근했다.
"여종의 시중을 싫어하셨잖습니까?"
"다시 말하지. '쿠피히트의' 하녀다."
알렉산드로는 깊은 한숨을 내쉬며 걸음을 빨리했다. 이래서 오기 싫었던 거다.
"아니, 그래도 여태껏 같이 다니셨다는 게……."
"집사."
알렉산드로가 그만 좀 하라고 미간을 찌푸렸다.
"죄송합니다. 도련님도 이제 나이가 있으시니 걱정이 되어서 그만…… 세 도련님들은 벌써 결혼하시고, 약혼도 다 하셨지 않습니까?"

"하아."

"도련님도 어서 건강한 아이를 얻으셔야지요."

"……."

"더 늦으면 남들은 흠이라도 있는 줄 압니다. 훌륭하신 분이 그런 몹쓸 오해를 받으면 어떡합니까. 그럼 결혼이 더 늦어집니다, 도련님."

"……."

"마침 잘 오셨습니다. 로베르트 후작 영애, 아레한 자작 영애 기억하시지요? 어릴 때 도련님을 쫓아다니던 그분들 말입니다. 세월이 어찌나 빠른지 벌써 다들 숙녀가 되셨습니다. 한번 만나 보시지요."

공작성으로 향하며 두런두런 대화를 나누는 두 사람을 필두로 시종과 시녀들이 뒤를 따랐다.

"우린 안중에도 없군."

"그간 쌓인 얘기가 많으셨나 봐요."

밀런과 클로이는 떨떠름히 멀어지는 그들을 지켜보았다.

'정말 대단한 집안의 자제가 맞구나.'

오늘따라 알렉산드로의 뒷모습이 거대해 보였다. 그가 이 엄청난 영지를 소유한 대공작의 차남이라는 게 새삼 와닿았다. 바로 제 앞에 있는데도 먼 곳의 사람 같았다.

그와 말다툼을 했던 일도 전부 부질없이 느껴졌다.

'나와는 다른 사람이니까.'

그들이 멀어지고, 클로이는 뒤늦게 성곽 안의 모습을 눈에 담느라 정신이 없었다. 빼곡한 민가와 그 사이를 흐르는 거대한 강줄기, 그리고 강을 품고 있는 웅장한 공작성의 모습은 한 폭의 그림

같았다.

"동부의 화가들이 죽기 전에 한 번이라도 와 보고 싶다던 게, 없는 소리가 아니었어요."

광경에 넋을 놓고 있던 클로이가 잔뜩 상기된 얼굴로 물었다.

"수도는 여기보다 더 클까요?"

"글쎄, 아마도?"

"그럴 수가 있나요? 여기보다 더 큰 세상이 있다는 게 전 도저히 상상이 안 돼요."

그녀가 믿기지 않는다는 듯 벅찬 웃음을 터뜨렸다.

"저희 도련님의 손님이십니까?"

만면 가득 환한 미소를 띤 중년 여인이 시녀들을 이끌고 다가왔다.

"그렇소."

"실례지만, 존함을 여쭈어도 될까요?"

"밀런 쿠피히트. 쿠피히트 공작가의 장남이자 후계자요. 얼마 전 신전에서 서품을 받았소."

"그러셨군요. 쿠피히트 경."

그녀는 공작가의 후계자를 보고도 그리 놀라지 않았다.

"저는 시녀장 로라라고 합니다. 옆에 계신 아름다운 숙녀분께서는……."

자연스레 시녀장의 시선이 클로이에게로 향했다.

"이 아이는 내 하녀요."

밀런은 사방을 둘러보느라 정신없는 클로이의 옆구리를 쿡 찔렀다. 흠칫한 그녀가 뒤늦게 정신을 차리곤 치맛자락을 들어 올리며 예를 갖추고 인사했다.

"레이…… 클로이입니다."

정신이 없어 하마터면 레이첼 도미닉이라고 소개할 뻔했다.

"클로이. 예쁜 이름이군요."

다행히 시녀장 로라는 불쾌한 기색이 없었다. 다만 작위적으로 보일 만큼 환한 미소를 지은 채 사람을 빤히 쳐다보는 시선이 조금 부담스러웠다.

"세 분은 수도에서부터 함께, 오셨나요?"

"그렇소."

거짓말에 어색해하는 클로이와 달리 밀런은 눈도 깜빡하지 않았다.

"여정이 고되었겠군요."

천천히 고개를 끄덕이며 클로이를 쳐다보던 로라가 뒤늦게 고개를 돌렸다.

"두 분의 짐을 손님용 침실로 옮겨 놓거라. 말도 마구간에 매어 놓고, 깨끗한 물과 충분한 먹이를 갖다 주거라."

"네, 시녀장님."

시종에게 명을 내린 그녀는 두 사람을 공작성으로 안내했다.

"쿠피히트 경은 저희 도련님과 둘도 없는 친구 사이라고 들었습니다."

로라는 밀런과 클로이에게 각각 훌륭한 침실을 내주었다. 시녀장이 직접 안내하는 더없이 깍듯한 대우였다.

"칼스버그 공작성에 머무시는 동안 필요한 게 있다면 언제든지 말씀하십시오. 불편하시지 않게 최선을 다하여 모시겠습니다."

"감사합니다."

클로이는 얼떨떨했다. 백작가 영애로서 이 성을 방문해도 이렇게 대접받지는 못할 듯했다.

"만찬을 준비하겠습니다. 그럼 쉬고 계셔요."

클로이도 꾸벅 고개를 숙이며 마주 인사했다. 로라는 멀어지며 힐긋 뒤를 돌아보았다. 눈이 마주치자 그녀가 싱긋 웃었다.

'왜 자꾸 날 보는 것 같지?'

괜한 찜찜함에 머리를 긁적이던 클로이는 배정받은 침실을 구경했다. 인테리어도 훌륭하지만, 창문 아래로 내려다보이는 정원이 특히 눈에 띄었다.

'정원이 이렇게 크고 아름다울 수가.'

특히 알록달록한 꽃들이 담장 가득 만발하여 당장 내려가 향기를 맡고 싶을 정도였다.

'난 그동안 정말 작은 세상에서 살았구나.'

그녀가 살던 곳은 깡시골이었다. 칼스버그 공작령에 비하면 민망할 정도로 소박했다.

고작 그 작은 세상에서 제 결혼 때문에 죽이느니 살리느니 추하게 목청을 높였던 숙부가 새삼 초라하게 느껴졌다. 세상이 이렇게 넓고 무궁무진한데, 고작 그까짓 일로…… 그 작은 마을에서!

이 아름다운 곳을 제대로 구경도 못 하고, 이런 세상이 있다는 걸 알지도 못한 채 그대로 숙부에게 맞아 죽었다면 얼마나 억울했을까?

'수도는 더 크다고 했지.'

이름까지 바꾼 이상 클로이는 두려울 게 없었다.

'꼭 수도에 가 볼 거야.'

수도를 못 본다면 억울해서 죽지도 못할 것 같았다. 이 아름다운 세상을 더 구경하고, 보란 듯이 더 즐겁게 살아 주리라.

그날, 클로이는 제 모든 과거를 잊고 행복하게 살기로 다짐했다.

5. 종마의 운명

5. 종마의 운명

“만찬이 준비되었습니다. 본관으로 함께 가시지요.”

밀런과 클로이는 시종의 안내에 따라 만찬장으로 향했다. 별관을 나와서 정원을 끼고 걷는데, 주변이 소란스러웠다.

“이게 무슨 소리지?”

“아, 오늘 영지민의 결혼식이 있었습니다.”

시종이 시끄러운 소음에 난감한 듯 사과했다.

“아실지 모르지만 저희 집사장님은 유명하신 분입니다. 다들 결혼식의 주례를 부탁하시지요.”

“그래, 나도 들어 본 적 있다. 해밀턴 남작이 주례를 서는 부부는 영원히 함께한다던가.”

“맞습니다. 그래서 여기저기서 주례 요청이 끊이지 않습니다.”

밀런과 클로이는 동시에 한곳을 응시했다. 결혼 예식은 이미 끝났고, 남은 사람들끼리 모여서 주인공 부부를 축하하고 있었다.

"저들은 영지민인가?"

"그렇습니다."

"결혼 주례에, 장소 제공까지 하다니. 정말이지 칼스버그 대공님 다우시군."

공작성 정원에서의 결혼식이라.

"저 부부는 평생 바치는 세금이 아깝지 않겠어."

밀런의 농담에 시종이 소리 없이 웃었다.

"맞습니다. 영지민들의 신뢰와 충성심이 두텁지요. 칼스버그 대공님께선 너그러우신 분이니까요."

"그래, 수도에서도 관대함으로 유명하시지."

밀런은 '칼스버그 공작성에선 이런 광경도 볼 수 있구나' 하며 놀라워했다.

"사실 집사장님은 별로 달가워하지 않으십니다. 하지만 영지민을 각별히 생각하시는 대공님의 명령이니까요."

그래서 칼스버그 대공이 수도에서 내려와 영지를 방문할 때마다 성대한 환영을 받는다고 시종이 자랑을 늘어놓았다. 사용인들은 보통 모시는 사람을 어렵게만 생각하기 마련인데, 시종의 반짝거리는 눈빛은 진심이었다.

"저희 대공님은 아랫사람들에게 한 번도 언성을 높이신 일이 없습니다. 게다가 얼마나 학구적이신지 벌써 몇십 권의 책을 집필하셨고, 황궁의 자제들에게도 많은 가르침을 주셨지요."

"그래, 모르는 사람이 있느냐?"

"예, 저 같은 일개 하인에게도 얼마나 친절하신지 모릅니다. 누구에게나 항상 좋은 말씀을 해 주시고, 용기를 주시고, 웃어 주시고! 아아, 빨리 뵙고 싶습니다."

시종의 끝없는 자랑에 할 말을 잃은 밀런과 클로이가 서로를 응시했다.

"영지에도 자주 좀 내려와 주셨으면 좋겠는데, 황제 폐하께서도 워낙 저희 대공님을 좋아하시고 특별하게 여기시니……."

시종은 정말 어쩔 수 없다는 듯 절레절레 고개를 저었다.

"저희 대공님 같은 분은 제국 그 어디에도 또 없을 겁니다."

"그래, 참 대단하시다. 영지민들이 저렇게 쉽게 공작성을 들락거리는 걸 그렇게 흔쾌히 허락하시다니."

"그야 결혼식은 축복받아야 할 예식이니까요."

신분을 막론하고, 일생에 가장 축복받는 순간.

"누구든 기쁠 때 축하해 주고, 가장 어려울 때 도와주어야 한다고 항상 말씀하십니다. 저희 대공님은 말뿐만 아니라 행동으로 보여주시지요. 한번은 글쎄……."

만찬장에 도착할 때까지, 시종의 대공님 찬양은 그치지 않았다.

칼스버그 공작성에서 준비해 준 만찬은 그야말로 성대했다. 밀런의 배려하에 세 사람은 같은 테이블에 앉아 식사했다.

'참 신기하네. 하녀와 겸상하는 걸 아무도 이상하게 여기지 않다니.'

시종장을 비롯한 모두가 반색하며 자리를 꾸려 주었다.

'가풍이 원래 그런가.'

서로 목소리가 잘 들리지 않을 정도로 기다란 테이블. 그 테이블 가득히 각양각색의 진귀한 요리들이 채워졌다.

클로이는 밀런이 말했던 '호사'가 무엇인지 톡톡히 깨달았다. 생전 처음 받아 보는 극진한 대접에 입이 다물어지지 않았다.

'공작저의 만찬이 이런 거구나.'

상석에 앉은 알렉산드로와, 그 옆에서 살뜰히 만찬을 거드는 알프레도. 집사장의 특이한 이력을 들어서인지 자꾸만 눈이 갔다.

'집사장이면…… 집사도 한둘이 아닌가 봐.'

칼스버그 공작성은 주인이 자리를 비운 지 오래되었다. 이 거대한 성을 유지하는 데는 많은 인력이 필요한 법이라 집사가 총 네 명이나 되었다.

만찬장에 앉아 집사장의 시중을 받는 알렉산드로를 보고 있으니 클로이는 새삼 다른 세상에 와 있는 것 같았다. 차남이지만, 부친이 아껴 마지않는 가문의 후계자 재목이라던 말이 맞나 보다.

"내일부터 축제가 시작되는 걸 알고 오신 겁니까?"

"몰랐다."

"잘되었군요. 일주일은 머물고 가셔야 합니다. 그보다 오래 계시면 더 좋고요."

가벼운 와인을 잔에 채워 주던 알프레도가 복화술을 하듯 조곤조곤 말했다.

"제발 1년만 머물러 주시면 이 노인은 세상에 더는 소원이 없을 겁니다. 아, 물론 수도에 계셔야 하지만요. 도련님은 황궁에 어울리는 분이십니다. 제가 만났던 수많은 사람들 중 단연……."

"위험한 소리를 하는군."

싱긋 미소 지은 알프레도는 얼른 말을 돌렸다.

"내일 오찬에 아레한 자작 영애께서 초대에 응해 주셨습니다. 그간 오래 못 뵈었으니 함께 식사를 하시고 담소를 나누세요. 어릴 땐 정답게 자주 어울리셨지 않습니까?"

"그야 말타기를 좋아하는 소년인 줄 알았으니까."

아스파라거스를 썰며 알렉산드로가 무심하게 말했다.

"도련님, 영애께 그런 말씀은 하시면 안 됩니다. 지금은 숙녀나 다름없으신 분이니까요. 한번 만나 보세요."

조용한 알프레도의 음성이 끊임없이 이어졌다.

"그리고 오후에는 로베르트 후작 영애께서 오신답니다."

알렉산드로는 왼쪽 귀로 듣고 오른쪽 귀로 흘리면서 요리에만 눈을 두었다.

"함께 차도 마시고 하면서 한 번만 만나 보시는 게 어떨까요? 만찬도 같이 하시고요."

문득 입 안의 고기를 씹던 그가 눈만 올려 클로이를 응시했다.

'들리지 않겠지.'

그녀와는 꽤 먼 거리였다. 저도 모르게 다행이라는 생각이 들면서, 알렉산드로는 순간적으로 그녀의 볼에 시선을 뺏겼다.

소리가 나지 않도록 입술을 다물고 꼭꼭 씹어 먹는 그녀의 양 볼. 오물오물. 불현듯 어떤 작은 동물이 떠올랐다.

하지만 알렉산드로는 이를 부정하듯 냉담히 다시 요리로 눈을 내렸다.

'다람쥐는 안 돼.'

그 동물은 베아트리체에게만 허락할 수 있었다.

“몇 년 전 일이지만 로베르트 영애의 연회 초대도 거절하셨잖습니까. 사교계 데뷔 연회였는데 말이지요. 생일 선물로 보내 주셨던 손수건도 거절하셨고요. 마음의 상처가 이만저만이 아닐 겁니다.”

알프레도는 사뭇 가상하단 듯이 말했다.

“그런데도 여전히 도련님을 가슴 깊이 사모하고 계신답니다.”

정작 알렉산드로는 소름이 다 끼쳤다.

로베르트 후작 영애가 자신을 좋아한단 얘기는 수없이 들었지만 얼굴도 모르는 사람이었다. 어쩌면 마주쳤을지 모르나 기억에 남지도 않을 만큼 가벼운, 우연한 만남이었을 것이다.

자주 오지도 않는 이곳에서 대체 언제 자신을 보았는지 그녀의 일방적인 구애는 끝이 없었다.

“얼마나 점잖으신지 도련님께서 영지에 오셨단 소식을 듣자마자 먼저 사람을 보내셨습니다. 그러니 한 번만…….”

“체하겠군!”

결국 알렉산드로는 손님들을 잘 대우해 달라는 말을 남기곤 먼저 자리에서 일어섰다.

“이봐, 알렉스!”

급히 자리에서 일어선 밀런은 만찬장을 나서는 그를 붙잡았다. 하지만 알렉산드로는 이럴 줄 몰랐냐는 듯 인상을 구기곤 홀연히 사라져 버렸다. 사뭇 불편해 보이는 모습이었다.

“식사 중에 실례합니다, 쿠피히트 소공작님.”

알프레도가 허둥지둥 그의 뒤를 따라갔다. 대리석이 깔린 화려한 밖의 복도에서, 멀어지는 그들의 발소리만 울렸다.

"화가 나셨나 봐요. 어떡하죠?"

"화난 건 아니야."

만약 알렉산드로가 화를 냈다면, 이 자리의 모두가 알 수 있었을 거다.

"에이드리안 형님이 신경 쓰이는 거겠지."

알렉산드로가 영지에 왔다는 소식은 곧바로 수도에 전해질 터. 이는 자칫 그가 칼스버그를 따르는 기수 가문을 만나고 후계자로서 입지를 다지려 한다고 보일 수도 있었다.

'그걸 신경 쓰는군.'

밀런은 제 친구에게 미안했지만 크게 죄책감을 느끼진 않았다.

"언제 우리가 여기 오자고 했어? 자기가 오자고 했잖아."

"기사님도 참…… 양심 좀."

클로이는 밉지 않게 밀런을 흘겨보았다. 알렉산드로는 내내 제 영지에 들리고 싶지 않은 눈치였는데, 등을 떠밀지 않았던가?

"뭔가 머리 아픈 사정이 있으신가 봐요. 집사장도 뭘 계속 권하는 눈치였어요."

"아마 결혼하라고 난리일걸?"

칼스버그의 집안 사정을 뻔히 아는 밀런은 자연스레 입을 열었다.

"예전에 칼스버그 부인께서 어떤 예언을 받으셨는데 글쎄, 아들이 스무 살 전에 결혼을 못하면 객사……."

"네?"

클로이의 눈이 휘둥그레졌다.

"지금 뭐라고 하셨어요? 객사?"

"아, 아니다. 못 들은 걸로 해."

남의 집안 불길한 얘기를 내가 하고 다닐 순 없지. 밀런은 어색하게 말을 돌렸다.

"아무튼 우린 여기에 초대받은 거야."

부드러운 송아지 고기를 썰며 그가 어깨를 으쓱했다.

"일주일만 쉬다 가자고. 맘껏 즐겨."

만찬을 가리키며 싱긋 웃은 밀런이 내일은 점쟁이를 찾아가 보자고 당부했다.

'친구라면서 저래도 되나 몰라.'

클로이는 호사를 누리면서도 사뭇 조마조마한 심정이었다. 알프레도는 유력한 후계자인 차남의 옆에서 쉴 새 없이 그의 심기를 거스르는 제안을 던졌고 알렉산드로는 내내 언짢은 표정으로 이를 거절했다.

'정말 결혼 압박인가? 얼른 떠나고 싶은 눈치던데.'

막상 오긴 했는데 후회되는 모양이었다.

한데 그러면서도 제겐 의사를 보내 주는 걸 잊지 않았다. 갈비뼈와 허벅지 등 그녀의 몸에는 아직도 푸른 멍이 자리했다. 완전히 몸이 나은 건 아니라서 클로이는 내심 그에게 고마웠다.

'감사 인사를 해야 할까…….'

하지만 알렉산드로를 똑바로 마주치기엔 아직 껄끄러운 게 사실.

그를 볼 때마다 이상한 기분이 들었다. 어디서 본 것 같은 상황, 본 적 있는 듯한 눈빛…… 불편한 기시감이었다.

'에이, 어차피 나는 안중에도 없을 거야. 바쁘니까.'

밀런과 알렉산드로, 저까지 셋이 있을 땐 자신을 쳐다보는 시선이 느껴졌지만 클로이는 모른 척했다.

'곧 헤어지면 안 볼 사이인걸.'

보통은 한 번 보고 말 사람이라도 이런 식으로 여기진 않았다. 인연이란 그런 게 아니니까.

하지만…….

'저 남자와는 어떤 인연도 되고 싶지 않아.'

클로이는 알렉산드로를 향한 관심을 애써 접으려 묵묵히 고기를 씹었다.

"도련님! 도련님!"

알프레도는 걸어선 그를 따라잡을 수 없었다. 집사장의 체면도 잊고 구둣발로 복도를 내달려 간신히 알렉산드로를 따라잡았다.

"어딜 가시는 겁니까?"

"사냥."

앞만 보며 걸으며 그가 덧붙였다.

"따라오지 마."

"글피에 있을 오찬은 참석하시는 거겠지요?"

무시하려던 알렉산드로가 결국 자리에 멈춰 섰다.

"'남부 신사회'는 분기마다 있는 중요한 모임입니다. 대공님께서도 그 일로 자주 내려와 참석하셨습니다."

'남부 신사회'는 남부의 귀족 연합 모임이었다. 땅이 비옥한 남부에는 제법 세력이 큰 귀족들이 몇몇 자리를 지키고 있었다. 당연히 수도에는 못 미치지만 결코 무시할 수 없는 인맥이었다.

알프레도는 알렉산드로가 그 모임에 참석하길 진심을 다해 빌고 있었다.

"그 자리는 작위가 있는 귀족들의 모임이다. 아니면 후계자이거나."

"그러니 도련님께서 가셔야지요."

"아버지나 에이드리안 형님이 가셔야 옳다. 내가 아니라."

"도련님."

의미심장하게 그를 부른 알프레도는 드디어 때가 됐다는 듯 결연한 의지로 말했다.

"에이드리안 도련님은 병약하신 분입니다. 신체도, 마음도 그렇지요."

"집사."

"그분은 장남이라는 단 한 가지 구실 말고는 도련님께 훨씬 못 미칩니다. 감히 비교조차 할 수 없지요."

"도가 지나치군."

"저는 에이드리안 도련님을 후계자로 받아들일 수 없습니다. 물론 대공님도 같은 생각이시고요. 모두의 생각이 그렇습니다."

"내 형님이시다."

답답해진 알렉산드로가 목소리를 높였다.

"도련님께서 결혼하시고, 건강한 사내아이를 낳고, 작위를 물려받으시면 에이드리안 도련님은 수도를 떠나 이곳에 내려와 연구를 계속하실 겁니다."

"형님께선 당신이 후계를 포기한다는 언질조차 한 적이 없어."

"그야 당연하지요. 그분은 한 번도 후계자가 되길 꿈꾼 적이 없으시니까요."

가까이 다가선 알프레도의 눈에서 야심이 빛났다.

"어느 누가 봐도 도련님께서 후계자가 당연한데, 가당키나 하겠습니까?"

칼스버그 대공의 네 아들 중 알렉산드로는 단연 눈에 띄었다. 신체적으로도, 무력으로도, 지적인 면에서도.

남들에게 존경과 공포를 동시에 얻어 내는 그 담대하고 야성적인 성격도 그랬다. 튀어나온 못처럼, 모든 면에서 두드러졌다.

"에이드리안 도련님은 승마조차 제대로 배우지 않으셨습니다. 이게 무슨 뜻이겠습니까?"

승마는 귀족 남성들의 필수 교양이었지만 에이드리안은 진즉 승마를 포기했다. 알렉산드로가 어린 나이에 말을 타고 산을 뛰어오르고부터였다. 그 병약한 몸으로는 달리는 말 위에서 오랜 시간을 버티기도 무리였거니와, 안장에 올라앉으면 군림하는 신처럼 보이는 알렉산드로와 비교만 되기 때문이었다.

알프레도는 대체 왜 알렉산드로가 결혼하고 수도에서 자리 잡을 생각은 않고 이렇게 제국을 떠도는지 이해가 되질 않았다.

'이러다 정말 그 예언대로…….'

알프레도는 진흙처럼 따라오는 불길한 잡념을 떨쳐내듯 고개를 흔들었다.

"어떤 여자든 제발 한 번만 여자를 만나 보세요. 이 늙은이의 소원입니다."

칼스버그는 이미 귀족들의 정점에 있었다. 결혼 상대는 여자라면 누구든 상관없었다. 혼처는 물론 중요하지만, 알렉산드로 본인이 도무지 여자에 관심이 없는 데다 이미 혼기가 꽉 찼기 때문이었다.

그렇다고 밀런처럼 주위에서 정략혼을 밀어붙일 수 있는 성정도 절대 아니었다.

"결혼을 하시면 모든 게 확실해집니다."

그때 뛰어온 시종이 사냥용 활과 엽총, 그리고 단검과 겉옷들을 챙겨 가져왔다.

"사냥을 가신다고 하셔서 가져왔습니다."

시종장이 충성스레 대답했다. 그를 향해 짧게 눈짓한 알렉산드로는 시종에게 손을 뻗었다.

"알프레도."

시종의 도움으로 하나씩 착장을 갖추는 동안, 알렉산드로가 짜증스레 대꾸했다.

"어디서 내가 숨겨 둔 여자라도 데려왔으면 하나."

"예? 아, 예! 예, 도련님!"

알프레도의 안색이 환해졌다.

"내 아이를 가졌으니 당장 이 여자와 결혼을 해야 한다, 그런 말이라도 듣길 원하는 건가?"

"예! 그렇습니다! 그렇습니다!"

알프레도는 거의 응원석에 앉은 사람처럼 흥분해서 소리쳤다.

"그런 일은 절대로 일어나지 않아."

알렉산드로는 잔인하게 그 기대를 뭉개 버렸다.

"지금 분명히 하지. 나는 종마가 아니다."

"도련님! 종마라니요, 그런……."

“내가 원하는 여자가 아니면 어느 누구와도 만나지 않아. 결혼은 물론이고.”

얼음처럼 차가운 그의 파란 눈동자에 날카로운 비수가 서렸다. 오싹한 그 눈빛에 압도된 시종들은 얼어붙었다.

“설령 황제의 명이라도 거부할 것이다.”

칼집에서 단검을 꺼내 날을 확인한 알렉산드로가 말했다.

“네 욕망에 나를 이용하고 싶은 건 알겠다만, 욕심이 과한 자들은 대개 목을 빨리 잃더군.”

“……실례했습니다, 도련님.”

살벌한 협박에 알프레도가 깊이 고개를 숙였다. 그러곤 경비병들을 향해 말했다.

“도련님을 성심껏 모셔라. 수도에는 마땅한 사냥터가 없어 답답하셨을 테니…….”

“아무도 따라오지 마라. 사냥감이 되고 싶은 게 아니라면.”

알렉산드로는 자신을 옥죄는 이들을 피해서 도망치듯 공작성을 빠져나왔다.

‘답답해 미치겠군.’

그의 발길이 향한 곳은 숲속 사냥터의 작은 물가였다. 시종들이 간식으로 챙겨 둔 먹을거리를 여기저기 던져 놓자 얼마 뒤 너구리와 다람쥐 같은 작은 동물들이 겁 없이 다가왔다.

이 사냥터는 알렉산드로 말고는 아무도 출입하는 사람이 없었다. 그는 사과 앞에서 기웃거리는 다람쥐의 풍성한 꼬리를 살짝 건드렸다. 그러자 소스라친 다람쥐가 재빨리 몸을 내뺐다가 슬금슬금 눈치를 보며 다시 사과 앞으로 돌아왔다.

‘귀엽기는.’

그의 입가에 씩 미소가 서렸다. 모두의 짐작과 달리 알렉산드로는 사냥을 즐기지 않았다. 도망치는 연약한 동물을 죽이고 손에 피를 묻히는 일은 그에게 어떤 즐거움도 주지 못했다.

어릴 적부터 사냥은 자신을 향한 수많은 시선에서 도망칠 수 있는 핑계였다. 칼스버그 가문의 어느 누구도 사냥 같은 거친 취미가 없어서 다행히 이때까지 들키지 않았다.

편히 다리를 뻗고 앉은 알렉산드로는 버릇처럼, 가슴 안쪽에서 작은 상자 하나를 꺼내들었다. 그의 기다란 손가락은 상자를 차마 열지 못한 채 그저 이리저리 굴려 댔다.

‘베아트리체.’

지난 평생을 불러 왔던 여자의 이름. 제 이름보다 더 제 것 같았다.

‘클로이…….’

그건 전생에서 베아트리체가 잠시 썼던 이름이었다. 그녀의 진짜 권위를 되찾기 전에, 저와의 만남과 추억이 담긴 이름.

‘외모도, 가련한 그 처지도, 심지어는 오물거리며 먹는 모습까지…….’

제 여자를 연상케 하는 클로이의 뒷모습이 아른거리자, 누군가 목을 조르는 것처럼 숨통이 막혀 왔다.

도무지 눈을 맞추려 하질 않는 그 태도는 명백한 거부였다. 제게 냉담한 그녀의 모습은 특히 견디기가 어려웠다.

알렉산드로는 손안의 상자를 열었다. 붉은색, 카나리아 꽃송이가 매달린 오래된 머리끈이 새삼 처량한 제 신세를 되새겼다.

벌써 10년이나 됐던가.

전생의 기억을 되찾은 10살의 그날. 알렉산드로는 운명처럼 거리의 좌판에서 이 장신구를 마주했다. 홀린 듯 돈을 지불하고 그것을 사서는 한 번도 제게서 떼 놓은 적이 없었다. 그녀를 다시 만나 선물을 한다든가 그럴 목적이 아니었다. 그저 제게는 소중한 추억이라 간직하고 싶었을 뿐.

조심스레 장신구를 매만지던 알렉산드로는 탁 소리가 나게 상자를 닫아 버렸다.

마침 그를 위로하듯 귀여운 다람쥐가 곁에서 얼씬거렸다. 알렉산드로는 감히 다람쥐의 음식을 탐내는 너구리를 툭툭 건드리며 애써 속을 달랬다.

축제의 첫날은 성대하게 시작되었다. 긴 로브를 걸친 밀런과 클로이는 이를 만끽하러 시가지로 향했다.

"정말 이래도 되는 걸까요?"

"암, 되고말고."

알렉산드로는 일정이 생겨 바빠졌다. 알프레도의 요청을 차마 더는 거절하지 못하고, 집안의 가신들을 알현하는 중이었다.

"우린 초대받은 손님이라니까."

"그래도……."

클로이는 죄책감이 들었다. 아침부터 알렉산드로의 기분이 썩 좋아 보이지 않았던 탓이다.

"그렇게 미안해?"

"네."

"알렉스가 오자고 해서 온 건데도?"

"그게 사실…… 그렇지 않잖아요."

그녀가 멋쩍은 얼굴로 말했다.

"솔직히 말해서 조른 거잖아요. 거의 떼쓰듯이."

"그렇게 신경 쓰여? 우리 때문에 알렉스가 곤란한 것 같아서?"

히죽 웃은 밀런이 은근슬쩍 말을 보탰다.

"그럼 나중에 네가 어깨라도 주물러 주든가."

"네?"

순간 클로이의 머릿속에 거만하게 의자에 앉은 알렉산드로와, 그의 어깨를 주무르고 있는 제 모습이 그려졌다.

그런데 그가 나신이었다.

'아니, 왜 벗고 있는 거야!'

한 번도 본 적 없는 알렉산드로의 나신. 한데 마치 그림을 그린 듯 선명하게 제 눈앞에 나타났다.

"제, 제, 제가, 어, 어딜……."

직각으로 뻗은 우악스런 어깨, 딱딱한 그의 쇄골, 울퉁불퉁 잔뜩 성난 가슴과 복근. 신이 조각한 것처럼 완벽한 역삼각형의 상체. 그리고 그 아래…….

'미쳤어! 미쳤어! 내가 미쳤나 봐!'

순식간에 얼굴이 새빨개진 클로이는 환상을 떨쳐 내려 제 뺨을 두드렸다.

"저, 저더러 어떻게 그런 걸……! 꺅!"

밀런은 길가에 멈춰서 난리법석을 떠는 그녀를 보곤 기막혀했다.

"대체 어디까지 상상한 거냐? 난 어깨라고만 했는데."

클로이는 평정을 되찾으려 심호흡을 했다. 스물둘 평생 실제로 본 적도 없는 남자의 나신이 어떻게 그렇게 도장으로 쾅 찍은 듯 뚜렷이 눈앞에 그려지는지, 알 수 없는 일이었다.

누군가 제 눈앞에서 그의 몸 이곳저곳을 그린 그림을 넘기는 것 같았다. 클로이는 두 손을 허우적거렸다. 자꾸만 눈앞에 아른거리는 몹쓸 그림들을 지워 내고 싶었다.

때마침 밀런이 늘어선 길거리 음식을 가리켰다.

"고구마 먹을래?"

저 커다란 살색 고구마…… 영 낯설지 않다. 클로이는 흠칫 놀라 고개를 흔들었다.

'내가 정말 미친 걸까?'

어떻게! 어떻게 그런 걸!

정신이 다 혼미했다. 얼굴이 벌게진 클로이는 자신이 어디로 가는지도 모른 채 걸었다.

"다 왔다."

밀런은 혼란에 빠진 그녀를 툭 건드리며 분홍색 벽돌집을 가리켰다. 밖에 이상한 구슬과 빨간색 리본이 매어져 있는 걸로 봐선 집시의 집이 분명했다.

"저 집이 점쟁이의 집인 것 같은데."

"네, 확실히 그래 보여요."

밀런의 녹색 눈동자에 약간의 두려움이 서렸다. 괜한 소리를 들을까 봐 갑자기 부담스러워졌다.

"그냥 돌아가실래요?"

여기까지 와서 아쉽긴 하지만 클로이는 굳이 점쟁이를 만날 필요는 없었다.

"아니, 한번 가 보겠어."

밀런은 제 미래가 궁금했다. 평생 쿠피히트 공작이 되리라 믿어 의심치 않았지만 근래 들어 조금씩 불안해지기 시작했으니까.

'확신이 필요해.'

원래 남을 믿는 게, 자기 자신을 믿기보다 쉬운 법이었다. 밀런은 정확히 언제쯤 공작이 되는지 그 예언을 남의 입으로 듣고 싶었다.

다행히 문은 살짝 열려 있었다. 안에서 연기가 새어 나오는 것으로 보아 사람이 있는 게 분명했다.

"계신가요?"

한데 문을 두드려도 인기척이 없었다. 클로이는 기사이자 귀족인 그를 대신해 먼저 집시의 집으로 들어섰다.

"아무도 안 계세요?"

집 안은 뿌연 연기로 가득했다. 알 수 없는 요상한 물건들이 곳곳에 놓여 있었다. 그 순간 신경질적인 외침이 들려왔다.

"누구냐!"

노인뻘 되는 나이 든 여자의 음성이었다.

"……오호라. 정말 왔구만, 왔어."

당황한 클로이와 밀런은 서로의 얼굴을 응시했다. 서가의 뒤편에서 지팡이를 짚는 소리가 들리고, 낡은 로브를 걸친 허리가 잔뜩 굽은 노인이 그들의 앞에 나타났다.

"여긴 수도에서 오신 신사분이시고."

척 하니 지팡이로 밀런을 가리킨 노인은 이번엔 클로이를 돌아봤다.

"그리고 여긴……."

자신만만하던 노인의 목소리가 확 줄어들었다.

"으음?"

노인은 클로이의 코앞까지 다가와 얼굴을 뜯어보듯 살폈다.

"아니, 이분은……."

"이보시오. 내가 수도에서 온 걸 어떻게 아는 거요?"

노인의 말을 막아선 밀런은 다짜고짜 본론부터 꺼냈다.

"예지력이 대단하다는 소문을 듣고 찾아왔소. 사실이긴 한가 보군."

노인은 그제야 밀런을 향해 고개를 돌렸다.

"물어볼 게 있소."

단도직입적인 그 말에 노인은 도망치듯 눈을 피했다.

"글쎄, 난 해 줄 말이 없을 것 같은데……."

자신만만하게 등장하던 때완 달리 시큰둥하고 회의적인 대답에 밀런의 한쪽 눈썹이 치켜 올라갔다.

"왜 해 줄 말이 없다는 건가? 아직 아무것도 물어보지 않았는데."

"그야 미래란 건 알아봤자 아무 소용이 없기 때문이오."

"그래도 난 궁금한데."

"운명은 스스로 선택하고 노력하여 개척하는 것이오. 그럼 나는 이만……."

노인이 급히 몸을 돌리자 밀런은 칼집으로 그 앞을 막아섰다. 후드를 벗어 낸 그가 당당히 제 얼굴을 드러냈다.

"난 제국의 가장 고귀한 다섯 가문 중 하나, 하얀 백합의 장남이다."

충성과 정직의 하얀 백합은 쿠피히트 가문의 상징이었다.

"개인적으로 물어볼 게 있어 너를 찾았으니 성의껏 내 물음에 답하도록 해라."

멈칫한 노인은 어쩔 수 없다는 듯 굽은 손가락 두 개를 들어 올렸다.

"그럼 두 개의 질문만 하시지요. 그 이상은 대답할 수가 없으니."

뭘 물어볼지는 이미 알지만. 노인은 그를 정면으로 보지 않고 몸을 옆으로 튼 채로 말했다.

밀런은 내심 기분이 나빴지만 굳이 따져 묻지 않았다.

"알았다. 그럼 내 첫 번째 질문은……."

그의 목소리가 한층 낮아졌다.

"난 언제 작위를 물려받지?"

노인은 그제야 몸을 바로 하고 밀런과 정면으로 마주 봤다.

"대답을 듣기 전에, 이 노인에게 약속 하나만 해 주십시오."

"약속? 돈이라면 넉넉히 챙겨 왔다."

밀런은 돈주머니를 꺼내 보였다. 그러자 후드 아래로 노인의 입가가 씩 올라갔다. 묘한 미소를 머금은 노인은 고개를 저었다.

"당신께는 돈을 받지 않을 겁니다."

"……뭐? 왜?"

밀런의 표정이 묘하게 변해 갔다. 안 좋은 예감이 그를 강타했다.

"제게 어떤 말을 듣더라도 칼을 휘두르지 마십시오. 그 약속으로 값을 대신하겠습니다."

대답은 필요치 않은 듯 노인은 후드를 벗고 밀런에게 가까이 다가갔다.

'붉은 눈동자야.'

옆에 있던 클로이는 내심 깜짝 놀랐다. 노인처럼 붉은 눈동자는 제국에선 불길하다 여겨졌다. 그래서 붉은 눈동자를 가진 아이가 태어나면 쉬쉬하며 몰래 강물에 내다 버리곤 했다.

"언제쯤 작위를 물려받는지 궁금하십니까?"

"그, 그래."

분위기에 압도된 밀런은 마른침을 삼켰다. 노인은 낮은 음성으로 천천히 그 해답을 읊어 주었다.

"당신은 영원히 작위를 얻지 못합니다."

"뭐라고……?"

큰 충격을 받은 밀런은 눈만 깜빡였다.

"대신 당신의 아들이, 쿠피히트 공작이 되겠군요."

어머니께서 저를 낳기까지 꽤 고생을 했단 걸 알기에 밀런은 약간 안도했다.

"그럼 내 부인이 아들을 낳는단 말이냐?"

"당신의 친자식은 아닙니다."

밀런의 입술이 떡 하니 벌어졌다.

'저주도 이런 저주가 없구나.'

차마 화도 나지 않았다. 그저 황당하고, 어안이 벙벙했다. 전부 생전 처음 듣는 소리였고 생각도 해 본 적 없는 끔찍한 일들이었다.

"질문 두 개. 끝입니다."

노인의 고개가 옆으로 돌아갔다.

"아가씨도 미래가 궁금하십니까?"

"아, 아뇨……."

겁에 질린 클로이는 고개를 저었다. 궁금해서 여기까지 오긴 했지만 노인에게 무슨 악담을 듣게 될지 두려웠다.

'저런 미래를 듣느니 그냥 아무것도 모르는 게 나아.'

굳어 있던 밀런이 퍼뜩 정신을 차리곤 거칠게 노인을 잡아챘다.

"전부 헛소리 아니냐! 저주를 뱉어 사람들을 현혹시키고 돈을 앗아 가는 이 사기꾼!"

멱살을 잡힌 노인은 이런 반응에 달관한 듯 그저 지그시 눈을 감았다.

"기사님, 이러지 마세요!"

클로이는 그의 팔을 잡고 발을 동동 굴렀다. 밀런은 이 노인을 해치지 않기로 약속을 하지 않았던가?

"운명은…… 가꿔 가기 나름입니다."

노인이 신음하며 말하자 밀런은 밀치듯 그 멱살을 놓아주었다.

"으앗!"

하마터면 클로이도 함께 쓰러질 뻔했다. 그녀는 노인을 옆에서 붙들어 주고 떨어진 지팡이를 주워 몸을 부축했다.

"계속 노력으로 운명을 바꿀 수 있다고 말하는데, 그럼 누구든 맘만 먹으면 원하는 바를 다 이뤄 낼 수 있단 소린가?"

"그렇습니다. 천성을 바꿀 만큼 노력하여 제 몫 너머의 길을 선택한다면, 사람의 운명은 변합니다."

"하, 책 속에 나올 법한 뻔한 말만 하는군! 괜히 찾아와서 재수 없는 소리만 들었어."

밀런은 씩씩거리며 콧김을 내뿜었다.

"맞습니다. 그러니 미래 같은 건 궁금해하지 말고 최선을 다해 살면 되는 것이지요. 굳이 이런 재수 없는 늙은이를 찾아다닐 필요가 없습니다."
가만 듣고 있던 클로이가 소심하게 반론했다.
"무엇이 올바른 길인지는 다들 알아요. 하지만 누구나 다 그 길을 택하지는 못하잖아요."
물론 미래는 자기 하기 나름이긴 하지만…….
"우리 기사님은 마음이 불안해서 찾아오신 거예요. 위안을 얻으려고요."
그녀가 중얼거리자 노인은 스르르 고개를 돌려 클로이를 응시했다.
"내가 큰 비밀을 하나 알려 드리지요."
"비밀이요?"
"아가씨, 천 번을 말하면 그 소원은 이뤄지게 됩니다."
밀런이 또 헛소리를 한다고 쯧쯧 혀를 찼다. 하지만 클로이의 귀엔 들리지 않았다.
"사랑을 천 번 고백하면, 그 연인은 죽음을 뛰어넘는 질긴 인연을 갖게 된다고도 하지요."
노인에게 사로잡힌 클로이는 시선을 뗄 수 없었다. 뭔가를 깨달으라고 하는 말 같았다. 이 노인이 하는 말들은 꼭…….
"마음의 소리에 집중하십시오. 아가씨에게만 들리는 말들이 있지 않습니까?"
"……!"
"이 세상 많은 것들이 그를 돕고 있습니다. 당신이 잊고 있는 추억들을 다시 전해 주려 애쓰고 있단 말입니다."
식겁한 클로이는 저도 모르게 노인의 옷자락을 붙들었다.
"지금 저한테 그 남자를 암시한 것 맞죠?"

노인은 간절한 클로이를 보고도 그저 웃기만 했다.
“어떻게 하면 그 사람을 만날 수 있나요? 그 사람은 어디서, 어떻게 찾을 수 있는 건가요? 네?”
“남자 네 명이 얽혀 있습니다. 그 세 명과의 인연이 먼저 끝나야 합니다, 아가씨.”
“남자 네 명?”
밀런이 황당하다는 듯 되짚었다. 두 명도 아니고 네 명…….
“사기꾼 맞네, 이거.”
그가 옆에서 빈정거렸지만 노인은 개의치 않고 손가락 세 개를 펴 보였다.
“아가씨는 평생 세 번의 결혼을 하게 될 것입니다.”
진지한 노인의 얼굴과, 내밀어진 손가락 세 개를 번갈아 본 클로이는 고개를 갸웃했다.
“결혼을…… 세 번이나요?”
푸시시. 김이 팍 새 버렸다. 방금까진 뭔가 진짜 같았는데 급격히 신뢰도가 떨어졌다. 클로이는 머리를 긁적였다.
‘난 이제 결혼 같은 건 안 할 건데.’
왠지 가짜 같다. 그런 의심을 아는지 모르는지 노인은 개의치 않고 말을 이어갔다.
“아가씨는 말년의 운이 무척 좋습니다. 대신 그만큼 젊어서 고생도 좀 해야 하지요.”
“젊어서도 편하게 지내면 안 될까요?”
“세상에 공짜는 없는 법입니다.”
씩 웃은 노인은 할 말은 다 했으니 나가라고 등을 떠밀었다.

“제게 들은 말을 누구에게도 발설치 마십시오. 다 두 분을 위해서 하는 말입니다.”

노인은 붉은 눈을 부릅뜨고 둘에게 신신당부했다. 밀런은 그 면전에서 불만을 내뱉었다.

“이런 얘기를 대체 어딜 가서 하란 거야. 차라리 내 얼굴에 침을 뱉고 말지!”

두 사람은 떨떠름히 그 집을 나와야 했다. 멀어지는 그들에게 뒤에서 집시가 소리쳤다.

“아가씨! 지난 사랑이 당신을 그리워하고 있습니다!”

“그럼…… 점쟁이를 만났단 말이냐?”

어떻게 축제를 즐겼냐고 물었다가 전혀 예상치 못한 답을 들은 알렉산드로의 눈이 확 커졌다.

“여기 살고 있다고?”

“아, 그렇다니까.”

“이런.”

축제의 노점이 늘어선 거리를 걷던 그가 작게 한숨을 내쉬었다.

“나도 찾아가 볼 것을.”

“점쟁이를……? 네가?”

그가 아쉬워하는 모습을 보고 밀런은 입을 떡 벌렸다.

“맙소사, 알렉스. 네가 그딴 걸 믿는다니.”
“세상엔 논리만으로는 설명되지 않는 일들이 있는 법이다.”
“오, 맙소사.”
밀런은 헛웃음을 터뜨렸다. 알렉산드로가 점쟁이에게 관심을 보이다니, 철저하게 자신만 의지하며 사는 남자가.
“시종들에겐 점쟁이를 만났다는 얘기는 하지 마라. 특히 알프레도와 시녀장.”
“왜? 가서 좀 내쫓으라고…… 아아, 맞다. 대공 부인께서 악담을 들었다고 하셨지?”
밀런은 능청스레 모르는 척 코웃음을 쳤다. 그 내용이 워낙 험악하여, 칼스버그 가문의 모두가 쉬쉬하며 입에 올리지 않는 금기였다.
“요즘 세상에 그런 걸 누가 믿는다고.”
옛날, 알렉산드로를 임신 중이던 대공 부인은 우연히 집시를 만나 예언을 들었다. 아들이 스무 살 전에 결혼을 못하면 객사한다는 악담 같은 예언이었다. 칼스버그 대공은 믿지 않았지만 대공 부인은 철석같이 그 말을 믿었다. 덕분에 칼스버그 집안의 아들들은 성인식과 동시에 약혼을 서둘렀다.
알렉산드로만 빼고.
밀런은 처음 그 얘기를 칼스버그 집안의 막내, 오스틴에게 전해 듣고 그저 우습게만 여겼다. 하지만 여태까지 알렉산드로의 행보를 봤을 때…….
‘객사한다.’
그림 속 신화에 나오는 남신처럼 생긴 친구의 옆모습을 훔쳐보던 밀런은 쓴웃음을 머금었다.

'몇 개월 안 남았군.'

시선을 돌린 밀런이 '집시들은 왜 이렇게 악담을 좋아하는지 모르겠다'고 중얼거리며 덧붙였다.

"근데 그 노인은 점쟁이가 아니라 그냥 사기꾼이야."

알렉산드로는 축제 인파로 꽉 찬 전방을 주시했다. 머릿속으론 지금이라도 점쟁이를 찾아가 볼까 싶었다. 그 역시 묻고 싶은 게 많았다.

"유명하다길래 예지력이 있는 줄 알았지 뭐냐? 그런데 저주 같은 막말만 주절거리고…… 쯧."

그러면서 밀런은 힐끔 클로이를 응시했다. 그 역시 저주만 들었지만 클로이도 만만치 않았다.

'결혼을 세 번이나 한다고?'

세상에 그런 팔자가 어디 있나. 남자도 그렇게는 굴러먹지 않을 텐데, 하물며 여자가.

"밀런, 네가 듣고 싶은 말만 듣는다면 그게 예언이겠느냐."

"그래도 그렇지! 언제 작위를 받느냐 했더니 나더러 글쎄, 절대 작위를 얻지 못한단다. 대신 내 아들이 작위를 얻는데 그 애는 내 친자식이 아니래. 이런 저주가 어디 있어?"

알렉산드로는 피식 한쪽 입가를 올렸다. 고약하긴 하다.

"정말 태어나서 처음 듣는 소리야. 그 노인네, 세상 다 살았다고 목숨이 아깝지 않은 모양이더라."

옆에서 클로이가 '아무한테도 말하지 말라고 했잖아요, 기사님.' 하며 옷자락을 흔들었다. 몰래 그녀를 힐긋 쳐다본 알렉산드로는 다시 고개를 돌렸다.

클로이는 의사의 진료를 착실히 받는다고 했다. 어쭙잖게 의학 지식을 자랑하기에 진료를 거부하진 않을까 걱정했는데, 그만큼 어리석은 사람은 아니었다.

그랬다. 알렉산드로의 관심은 이 야밤의 뜨거운 열기로 가득한 축제가 아니라 사실은 그녀였다.

한데 클로이는 어딘가 불편한 사람처럼 굴었다. 도통 제 쪽을 쳐다보려 하지 않고, 가끔은 볼을 찰싹찰싹 때리기까지 했다.

"……그래도 들을 가치가 있었구나. 네가 한 번도 듣지 못한 말을 해 줬으니."

"뭐야?"

"경각심을 가지는 데 도움이 될 거다. 점쟁이들의 말이 전부 쓸모없진 않아."

살아 보니 그랬다. 능청스레 오가는 사람들에게 시선을 둔 알렉산드로는 엷은 미소를 머금었다.

오래전, 제 누이의 예언들은 어느 것도 비껴가지 않았다. 그중에서 특히 알렉산드로를 흔들었던 건 어머니에 관한 진실이 아니었다.

—아빠가 되고 싶잖아.

그 말은 당시 제 심장을 관통했다. 자신조차 인지하지 못하던 가장 큰 바람. 너무 큰 욕심 같아서 차마 가슴에 품지도 못했던 그 소원.

한때는 헛소리라고만 여겼지만 알렉산드로는 이젠 믿었다. 어떤 특별한 재능을 가진 사람들은 예언처럼 앞날을 예지하기도…….

"얘한테는 글쎄, 결혼을 세 번이나 한다더라."

"뭐?"

저도 모르게 자리에 멈춰 선 알렉산드로의 눈이 확 커졌다.

"기사님!"

옆에서 클로이가 왜 그런 얘기를 하냐며 질색했다. 하지만 밀런은 개의치 않고 하하 웃기만 했다.

"말하지 말랬잖아요!"

"뭐 어때. 어차피 다 헛소리인 것을."

"부정 타면 어쩌려고요?"

클로이가 펄쩍 뛰는 게 귀여웠는지, 밀런은 누이를 둔 오라비처럼 한참 툭툭거렸다.

"그 노인네도 참 웃겨."

클로이의 볼록한 뺨을 한 번 쥐었다 놓은 밀런이 입가에 한가득 미소를 머금고선 그녀를 놀려 댔다.

"뭐 그렇게 뛰어난 미모라고 결혼을 세 번이나 한단 말이야?"

"아니, 그런 뜻은……."

"뛰어난 미모는 맞지 않느냐?"

순간 알렉산드로가 정색을 하곤 되물었다. 동시에 깜짝 놀란 밀런과 클로이는 휘둥그레진 얼굴로 그를 돌아봤다.

지금 뭐라고 한 거지?

"아름다운 여자인 건 사실이다."

"……."

식겁한 밀런은 차마 반박도 못 했다. 알렉산드로가 너무 진지한 탓이었다.

클로이는 처음엔 놀랐다가 차차 얼굴이 뜨거워졌다. 아름다운 여자, 뛰어난 미모…… 전부 처음 들어 보는 얘기였다.

'무슨 저런 과찬을 저렇게 아무렇지 않게 하지.'

원래 여자에겐 저런 말을 해 주나? 아니, 그럴 남자는 아닌 것 같은데…….

그때 밀런이 클로이의 귓가에 대고 속삭였다.

"알렉스가 누구한테 예쁘다고 하는 건 정말 처음 듣는다. 다루는 말 빼고."

클로이는 멍하니 앞서가는 너른 등짝에 눈을 두었다.

"저 눈에는 네가 정말 예쁜가 봐."

순간 그녀의 머릿속에 남자의 다정한 목소리가 메아리쳤다.

—내 눈에는 네가 제일 예뻐.

—아름답다.

—네가 너무 예뻐.

—네가 이렇게 사랑스러운데 내가 어찌할 수 있지?

숨이 턱 막혔다. 남자의 목소리가 마치 어제 들은 것처럼 생생했다. 정신을 빼놓고 있던 클로이는 옆을 스치는 수많은 행인들과 목소리를 높이는 노점상들 사이에 휩쓸렸다. 인파 속으로 멀어지는 알렉산드로의 뒷모습이 눈에 담겼다.

—너처럼 아름다운 여자를 아내로 두고 어떤 남자가 걱정하지 않을 수가 있을까?

머리가 아팠다. 누군가 심장을 쥐어짜듯 아릿했다.

뒤에서 떠밀고 앞에서 들이치는 인파에, 오도 가도 못 하는 그 순간. 사람들 사이에서 거센 팔뚝이 나타나 휘청이는 그녀의 몸을 낚아챘다.

또 알렉산드로였다. 아무렇지 않은 듯 담담한 얼굴의 그와 눈이 마주치자 이상하게 얼굴이 달아올랐다.

거기서만 끝나면 좋을 것을.

클로이는 저도 모르게 또 그의 나신을 떠올렸다.

'신이시여, 제발…….'

그만하소서. 제발 그만하소서. 가슴이 쿵쾅쿵쾅 뛰었다. 그도 그럴 게, 그 나신이 한번 머릿속에 그려진 다음부터는 시도 때도 없이 생각나 도저히 잊히지가 않았던 것이다.

'비나이다. 비나이다. 제 머릿속 마귀를 물리쳐 주시옵소서. 아직 처녀이옵니다.'

클로이는 시선을 내려 제 손을 붙든 그의 손을 확인했다. 마디가 굵고 기다란 손가락, 핏대가 선명한 커다랗고 딱딱한 그 손도 제 머릿속 그림의 손과 똑같았다.

순간 둘만 남겨지고 바쁜 이 세상이 전부 멈춘 것만 같았다. 클로이는 침을 꼴깍 삼키며 그의 손가락부터 천천히 몸을 훑었다.

분명히 그는 옷을 제대로 입고 있는데 마치 제 눈에 투시경이라도 씐 것처럼 전부 나신으로 보였다. 그것도 어찌나 자세한지 도저히 눈을 뗄 수가 없었다.

하다 하다 심지어 이제는 그의 몸에 있는 점까지 상상됐다. 움푹 파인 쇄골 언저리 그의 가슴 근처.

그리고 아래쪽 장골이 있는…… 펜으로 콕 찍은 듯 작고 귀여운 점이 그곳에 각각 하나씩 있었다.

'내가 어떻게 이런 음탕한 상상을 할 수가.'

클로이는 스스로에게 크게 실망했다. 맹세컨대 제 의지가 아니었다. 본 적도 없는 걸 어떻게 상상한단 말인가? 대체 왜?

아니, 그것보다.

'내가 왜 그의 몸에 있는 이런 세세한 특징까지 아는 거지?'
멈춘 세상에서 둘만의 시간을 공유하던 그녀는 모든 게 의아해졌다.
"클로이!"
순간 화들짝 놀란 그녀가 얼른 밀런을 돌아보았다.
"어휴. 어느 순간 네가 안 보여서 얼마나 놀랐는지."
그가 다가오자 알렉산드로는 붙잡은 팔을 천천히 놓아주었다.
"사람이 많으니 정말 못 찾겠더라. 콩알만 해서 보여야 말이지."
밀런은 클로이의 어깨를 감싸 안으며 인파를 뚫고 걸었다.
"근데 아까 그 남자 얘기는 뭐냐?"
"예?"
"네가 노인에게 물어봤잖아. 그 남자를 암시하는 거냐고, 그를 어디서 찾을 수 있냐고 말이야. 하도 간절하게 묻기에 네 정인인가 했는데……."
클로이는 당황스러워하며 눈을 굴렸다.
"가만 생각하니, 네 정인은 죽었다며."
"……."
옆에서 알렉산드로의 날카로운 시선이 느껴졌다. 얼굴이 뚫릴 것 같았다.
"그럼 그 남자는 누군데?"
견디다 못한 클로이는 무례하게도 밀런의 옆구리를 쿡쿡 찔렀다.
"남자라니요, 제가 무슨 남자가 있어요."
복화술 하듯 눈치를 줬지만 그의 호기심은 잠재울 수 없었다.
"결혼을 세 번 한다더니 정말 그런 거냐?"
밀런이 비밀을 캐묻듯 낮은 목소리로 채근했다.

"정인이 한 명이 아니었어? 또 누군데 그래?"
머릿속이 하얘진 클로이의 입에서 불쑥 임기응변이 튀어나왔다.
"저, 저 잠깐 사야 할 게 있어서요."
"또? 뭔데? 뭐가 이렇게 살 게 많아."
밀런은 눈살을 구기면서도 주섬주섬 돈주머니를 꺼내 들었다.
"아뇨, 돈은 안 주셔도 돼요. 축제는 두 분이서 충분히 즐기고 돌아가세요. 저기 시장도 늦게까지 하는 것 같네요."
"너는?"
"전 알아서 돌아갈게요. 걱정하지 마세요. 그럼 이만……."
클로이는 저도 모르게 힐끔 눈만 굴려 알렉산드로를 살폈다. 아니나 다를까, 그가 미간을 구기곤 자신을 내려다보고 있었다.
'내게 거짓말을 했다.'
그의 얼굴이 그렇게 말하고 있었다. 무서운 표정을 보니 심장이 철렁했다. 본능적으로 그의 칼을 한 번 쳐다본 클로이는 침을 꼴깍 삼켰다.
턱. 제 손목을 덮은 커다랗고 묵직한 손의 감촉에 클로이는 저절로 몸을 움츠렸다. 알렉산드로가 죽음의 사자 같은 얼굴로 옆을 고갯짓했다.
'얘기 좀 하지.'
그가 눈짓한 어두운 골목이 무섭도록 스산해 보였다.
"뭘 사는데? 같이 가. 여기선 길을 잃기 십상이다."
"아, 아니에요. 저 혼자 갈게요."
클로이는 붕붕 고개를 흔들며 재빨리 시선을 돌렸다. 그러자 '숙녀들의 비밀 이야기'라고 쓰여 있는 입간판이 보였다. 밖에 진열된

고급 여성 옷으로 보아, 부티크였다.
“어허. 같이 가재도.”
밀런이 어울리지 않게 엄한 표정을 지었다. 클로이는 이 상황을 빠져나갈 수 있는 마법의 물건을 알고 있었다.
“‘여성용품’이 더 필요해서요. 속옷이랑! 아래, 위로 짝이 안 맞아서…… 짝을 맞춰 입어야 행운이 들어온다고, 그래서.”
스르르. 제 손목을 붙든 아귀 같은 손길이 금방 풀어졌다. 알렉산드로는 먼 곳을 응시했고 밀런은 멋쩍게 고개를 끄덕였다.
“알았다. 그래라.”
밀런은 도망치듯 헐레벌떡 달려가는 클로이를 바라보다 어색하게 주위를 살폈다.
‘이제 어딜 가지?’
그녀가 없으니 알렉산드로와 단둘이서 할 게 없었다. 아니, 셋이 다닌 지 대체 얼마나 됐다고?
‘이게 다 저놈 때문이야.’
알렉산드로는 말이 너무 없었다. 전에는 둘이서 나누던 침묵의 시간도 고요하니 좋다고 여겼는데 밀런은 더는 그렇지 않았다. 함께 쓸데없는 얘기를 재잘거리던 클로이가 그리웠다.
‘그 애와 같이 보내는 시간도 꽤 괜찮아.’
제법 머리도 잘 쓰는 데다 놀리는 재미도 있고, 무엇보다 귀여웠다.
“저기 수로에 가 볼까? 배를 띄운다고…….”
그가 뻘쭘하게 강가 쪽을 가리켰다. 바로 그때였다.
“밀런!”
알렉산드로가 급하게 그를 뒤로 낚아챘다.

퍽! 날아온 칼이 옆을 지나던 행인을 맞혔고, 행인은 분수처럼 피를 내뿜으며 쓰러졌다.

"으악! 사람이 죽었다!"

"비켜! 저리 비켜요! 꺄아아악!"

축제를 즐기던 사람들은 비명을 쏟아 냈다. 환호와 신나는 열기로 가득하던 거리는 순식간에 아수라장이 되었다.

"대체 뭐야, 진짜!"

식겁한 밀런은 짜증스레 칼을 뽑아 들었다. 달빛에 반사된 예리한 칼날이 번뜩였다.

"어딨느냐! 겁쟁이처럼 숨지 말고 내 앞에 나타나라!"

밀런은 칼이 날아온 방향을 뒤쫓았다. 한데 도망치는 사람들과 길을 막고 있는 노점들 때문에 암살자를 찾기란 쉽지 않았다. 분노한 밀런의 눈이 벌게졌다.

"어떻게 여기까지 나를 쫓아올 수가 있어!"

여긴 칼스버그 공작령이었다. 설령 제 후계 자리를 앗아 가려 했다 한들, 남의 영지에서 일을 벌였다간 자칫 가문 간의 불화가 일어날지도 몰랐다.

'대평화 시대'라 하여, 아무리 가문끼리 전쟁이 없다지만 너무한 처사였다. 사람들 사이를 헤치던 밀런은 검은 복면을 쓴 사내 한 명을 목격했다.

"거기 멈춰! 사람을 잘못 봤다!"

그가 소리치자 복면 사내가 힐끔 뒤를 돌아봤다.

"난 네놈들의 칼에 맞아 죽을 놈이 아니다!"

밀런은 그 틈을 놓치지 않고 달려들었다. 단번에 그자의 등에 칼을 꽂은 밀런은 희번덕거리는 눈으로 주위를 살폈다.

절대 한 명일 리 없다. 두 번의 습격 모두 여섯 명이었으니까. 적어도 여섯, 아니면 그 이상.

남의 영지까지 쫓아와 기어코 일을 벌인 걸 보면 마지막 발악 같았다.

"으아악!"

뒤에서 절규가 들려왔다. 손목이 잘린 복면 용병 하나가 알렉산드로에게 멱살이 잡힌 채 끔찍한 목소리로 애원했다.

"사, 살려 주십시오! 제발 살려 주십시오!"

"나머지는."

"살려 주십시오! 제발, 제발 자비를……!"

"일이 성공하면 어디서 모이기로 했지?"

알렉산드로는 이 용병들이 전의 두 번과는 다르다는 걸 눈치챘다. 용병단은 바보가 아니었다. 두 차례 모두 전멸했으니 용병단에서도 더는 뛰어난 전사들을 사지로 내모는 일을 맡지 않았을 터. 이번엔 다른 용병단에서 온 암살자들이었다.

"쥐새끼처럼 이 칼스버그령에 숨어 들어온 게 몇 명이냐."

"모릅니다. 저, 전 모릅니다! 제발 살려 주십시오!"

"말하지 않으면 넌 죽는다. 네 동료들처럼."

알렉산드로의 발밑에 처참한 몰골의 두 명이 너부러져 있었다.

'네 명. 적어도 둘이 더 남았다.'

밀런은 미친 듯이 사람들 사이를 헤집고 다녔다. 축제의 한복판이었던 아름다운 거리가 참혹한 도살장이 되었다. 너도나도 도망치려는 인파 속에서 밀런은 간신히 한 명을 더 처리했다.

'다섯.'

거친 숨을 내쉬던 밀런은 알렉산드로와 눈을 맞췄다.

"여덟, 여덟 명입니다! 총 여덟 명이 성곽을 통과했습니다. 으흑……."

어떤 협박을 더했는지 용병이 술술 불기 시작했다.

"성공하면 그 즉시 공작령을 떠나기로 되어 있었습니다. 밀런 쿠피히트의 목만 가지고 오면 된다고……."

"실패하면?"

전과는 달리 암살자들은 떼로 덤비지 않았다. 이는 실패를 염두에 두고 죽음을 피했다는 뜻이었다.

"실패하면 어떻게 하기로 했나. 내가 묻고 있다."

목을 쥔 손에 힘을 주자 용병은 다리를 버둥거렸다. 얼굴이 벌겋게 된 그가 컥컥거리며 간신히 입술을 떼었다.

"여, 여자, 같이 다니는 여자를…… 잡으라고…… 크윽."

순간 사색이 된 알렉산드로가 용병을 던져 버리고 급히 주위를 둘러보았다.

엉망이 된 거리, 도망치는 인파.

'클로이……!'

그 속에서 그녀는 어디에도 보이지 않았다.

사로잡힌 용병은 알렉산드로의 손에 고문을 당했다.

"아아아악! 으아아악!"

연달아 터진 끔찍한 비명 소리에 못 볼 걸 본다는 듯 알프레도가 눈살을 찌푸렸다.

"주, 죽여 주십쇼……. 제발 죽여 주십쇼……."

살려만 달라던 용병은 이제 죽음을 구걸했다. 알렉산드로는 넝마가 된 그를 경멸 어린 눈으로 내려다보았다.

"난 너를 죽이지 않는다."

"죽여 주십쇼, 제, 제발……! 자비, 자비를……."

"대신 죽을 정도의 고통만 주고 네 주인에게 살려 보낼 것이다."

"저는 모릅니다. 저는 의뢰인을 만날 수가 없습니다…… 으흑."

피와 눈물로 범벅이 된 얼굴로 용병이 애걸복걸했다.

"오직 저희 용병단의 단장님만 의뢰인을 만납니다. 저희는 단장님께 의뢰만 전해 듣습니다. 지금 여덟 명 중 어느 누구도 그 의뢰인을 모릅니다. 저는 밀런 쿠피히트의 목을 가져가면 나머지 돈을 받는다는 말만 들었습니다. 제발, 제발……."

알렉산드로의 손이 용병의 목뼈를 부러뜨릴 듯 움켜쥐었다. 알프레도가 슬며시 옆으로 다가와 만류하듯 고개를 저었다.

"제발……."

목뼈를 꺾으면 이자는 죽는다. 알렉산드로는 용병의 간절한 얼굴을 무미건조한 눈으로 내려다보았다.

"여자를 데리고 어디로 갔느냐?"

"누누이 말씀드렸듯 저는 모릅니다. 그 주, 주점에서 만나기로 했는데……."

알렉산드로는 옆에 있던 시종장에게 눈짓했다.

"수색해 보았으나 주점에 수상한 사람은 없었습니다, 도련님. 그래도 혹시 몰라서 무기를 소지하고 있던 술꾼들을 모두 데려왔습니다만……."
시종장은 고개를 저었다. 술꾼들을 지금 심문하고 있긴 하지만 의심이 가는 인물은 없다는 의미였다.
"모두 공작령에서 오래 적을 두고 지낸 영지민들입니다. 신분이 확실해서 외부 용병일 리는 없습니다."
"장담하나?"
"예."
"네 목숨을 걸고?"
"예."
시종장이 믿음직스럽게 대답했다. 알렉산드로는 목을 쥐고 있던 용병을 바닥으로 던져 버렸다.
"으윽!"
용병은 고요하고 싸늘한 그의 눈빛에서 제 쓸모가 다했다는 걸 직감했다.
"제발 살려 주십시오……!"
그가 사색이 된 얼굴로 알렉산드로에게 애걸했다.
"제, 제가 찾아보겠습니다! 어디서 만나기로 했는지, 주, 주점이 아니라면 여관일 겁니다! 아니면, 아니면…… 저, 저, 저희 중에 대장이 알 겁니다! 의뢰인이 누군지, 단장님께 언질을 들었을 겁니다!"
"도련님."
알프레도가 다가와 알렉산드로의 앞을 막아섰다.
"자비를 베푸시지요. 이만하면 저들도 깨달았을 겁니다."

“그래, 알렉스.”

팔짱을 낀 채 뒤에서 방관하던 밀런도 그제야 한마디를 보탰다.

“클로이를 찾으려면 저놈의 도움이 필요할지도 몰라.”

밀런은 후계 다툼의 피해자이긴 하지만 이곳은 칼스버그의 땅이었다. 남의 영지에서 저 때문에 칼부림이 벌어져 면목이 없었다.

밀런과, 제 앞을 막아선 백발의 노인을 차례로 내려다본 알렉산드로는 어쩔 수 없다는 듯 짧은 한숨을 내쉬었다. 안심한 알프레도가 뒤로 물러서는 바로 그 순간이었다.

알렉산드로가 칼을 뽑는 동시에 용병을 베어 버렸다.

“으아악!”

다들 눈으로 확인하지도 못했을 정도로 재빠른 행동이었다. 바닥에 축 늘어진 시체는 차마 눈뜨고 볼 수 없을 만큼 처참했다.

“도련님……?!”

놀란 신음이 사방에서 들려왔다. 하인과 하녀들이 저마다 가슴에 손을 얹고 벌벌 떨고 있었다.

“살인 미수. 영지민들의 축제를 엉망으로 만들고 혼란을 유도한 죄. 이 땅에 쥐새끼처럼 숨어들어 온 죄.”

그는 죄목을 읊으며 감흥 없는 눈으로 주위를 돌아보았다.

“연약한 여자를 납치한 죄.”

모두가 경악한 얼굴로 알렉산드로를 응시했다.

“처형이 마땅하다. 이대로 성문에 걸어 놔라.”

그가 시체를 눈짓하며 바깥을 가리켰다. 시종들이 애써 시체를 수습하자 알렉산드로는 그제야 몸을 돌렸다.

‘시간 낭비를 했다.’

성곽 단속을 더 철저히 하고 나가는 사람이 없게 출입을 막으라는 통제를 한 뒤였다. 용병들과 클로이는 아직 공작령을 벗어나지 못했을 터. 그녀를 찾는 인력을 늘리고 직접 밖을 돌아다녀 볼 생각이었다.

그의 옆을 따라오던 밀런이 순진한 물음을 던졌다.

"살려 놨어야 하는 거 아냐?"

"저놈은 아무것도 몰라."

빠르게 계단을 내려가던 알렉산드로는 시종장에게 주점에 있던 사람들의 행방을 묻고, 직접 심문을 지켜보겠다고 말했다.

"할배가 많이 놀란 눈치던데."

이 상황에서 알프레도를 신경 쓰다니. 인상이 절로 구겨졌다. 알렉산드로는 밀런에게 뭐라고 한마디 하려다가 화를 참았다.

아무리 스무 살의 어린 청년이라도 그렇지, 겉으로 보이는 모습만 믿는 게 퍽 멍청했다.

"알프레도는 나의 무자비함을 가장 높이 사는 사람이다."

"뭐?"

"장남인 에이드리안 형님을 제쳐 두고 나를 후계로 소원하는 것도 그래서지. 차남인 나를."

알프레도가 제 앞을 막아서면서까지 자비를 빌었던 건 전부 마음에도 없는 쇼였다.

"다들 그 나이쯤 되면 선량하고 너그러운 노인인 척하고 싶어진다. 하지만 속내는 이미 시커멓지."

알렉산드로는 전생에 그런 사람을 한 명 알았다. 그 노인의 심경 변화를 옆에서 평생 지켜봐 왔다. 파렴치한 과거를 세탁하려 회개

한 척, 하다 하다 신까지 믿고 제국의 전역에 신전을 세우더니 염치도 없이 덜컥 교황의 자리까지 앉은 제 부친.

바로 던칸 그레이엄이었다. 그레이엄 대제는 지금은 신자들의 아버지라고 불려, 감히 함부로 그 이름을 입에 담을 수도 없었다.

"에이드리안 형님이 후계자가 되길 원한다고 말도 못 꺼내는 건 알프레도의 입김이 가장 크다."

"……."

"선량해 보이는 노인들도 때로는 간악하다. 조심해."

밀런은 할 말을 잃고 말았다. 아들만 넷인 집안이라 그런가? 칼스버그 가문은 후계 경쟁을 하느라 정치질이 난무했다.

'하물며 거기에 집사까지 껴 있다니.'

물론 알프레도 해밀턴은 보통 집사가 아니긴 하지만…….

"저기, 알렉스. 우리 클로이는 살아 있겠지?"

화려한 대리석 복도를 걷던 알렉산드로가 멈칫했다.

'우리' 클로이…… 저도 모르게 주먹을 움켜쥔 그가 마른 입술을 깨물었다. 그래, 클로이는 밀런의 하녀다. 자신을 가라앉히듯 숨을 크게 들이마신 그가 밀런을 무시하려고 다시 걸음을 옮겼다.

"하긴, 네가 무사할 거라고 했으니까. 그럼 무사하겠지."

그 태평한 목소리가 끝내 그를 자극했다. 머리가 핑 도는 기분에 알렉산드로는 결국 자리에 멈춰 서고 말았다.

"왜?"

멍청할 정도로 순수한 밀런의 얼굴을 보니 화가 치밀었다.

"네 하녀 아니냐?"

"그래, 내 하녀."

내 하녀…… 알렉산드로는 저도 모르게 주먹을 움켜쥐었다. 기분이 더 더러웠다. 가슴이 답답해서 터질 것만 같았다. 밀런을 노려본 채로 알렉산드로는 빠득 이를 갈며 손가락을 튕겼다.

"예, 도련님."

그림자처럼 옆을 따라오던 시종이 고개를 숙였다.

"내 말을 준비해라."

"알겠습니다."

알렉산드로는 끝까지 밀런을 쏘아보다 간신히 자제하여 몸을 돌렸다.

'이럴 때가 아니다.'

용병들은 이곳 영지에선 감히 더는 의뢰를 성공하리란 욕심을 내지 못한다. 그럼에도 클로이를 잡아간 건 오직 자신들의 목숨을 부지하기 위해서였다.

알렉산드로는 상대의 심리를 간파했다. 용병들은 돈이 되지 않고, 긁어 부스럼 되는 일을 가장 싫어하는 족속이었다.

'클로이의 목숨은 의뢰에 포함되지 않으니 돈을 받지 않아.'

게다가 이 영지에서 피를 흘릴수록 자신들은 명을 앞당기는 셈이었다.

'그녀를 죽일 리가 없다.'

머리로는 이를 잘 아는데도 심장은 마구 방망이질 쳤다. 애써 침착함을 가장했지만 어찌나 불안한지…… 손끝이 떨릴 정도였다.

물어보고 싶은 게 아직 많은데 제대로 입도 떼지 못했다. 그래서 후회가 남았다.

'클로이가 돌아오면…….'

그때였다.

"시종장님! 시종장님!"

복도 끝, 멀리서 하인 한 명이 달려왔다. 무례란 걸 알면서도 저렇게 고래고래 소리치는 걸 보면 무척 급한 일이 분명했다.

아마 이 공작성의 가장 큰 권력자가 신경 쓸 일. 그건…….

"쿠피히트 경의 하녀가 돌아왔습니다!"

"젠장, 도무지 틈이 없어!"

용병이 분한 듯 나무를 꽝 찼다. 바로 그 나무에 클로이가 온몸이 칭칭 감겨 묶여 있었다. 띵하고 울리는 충격에 머리가 아팠다.

"낮에는 안 되나? 날이 밝으면 좀 쉬울 것 같은데."

"말 같은 소리를 해!"

소심한 물음에 다른 용병이 버럭 화를 냈다.

"우리가 쿠피히트를 처리하면, 칼스버그의 차남에게 죄를 뒤집어씌우는 게 바로 클라이언트의 목적이다."

아무것도 못 본 척 눈을 꼭 감고 있던 클로이의 입가가 바르르 떨렸다. 누가 이런 끔찍한 계략을 도모했을까.

"근데 모두가 다 보는 대낮에 무슨 일을 처리하겠다는 거야!"

"아니, 여긴 어차피 칼스버그의 땅이고…… 증인을 선다 해도 누가 믿겠어? 영지민들이니 신빙성이 없다고 할 거야."

"귀족들의 재판은 그렇지가 않아, 이 멍청아!"

소리친 자가 이 무리의 수장인 듯했다.

"의뢰자와 단장이 나누던 대화를 엿들었다. 드미트리 쿠피히트가 일을 도모하고, 로드리고 부인이 돈을 댄다고 했어."

"로드리고 부인?"

"그래, 쿠피히트 일가의 한 명이겠지. 그들은 어떤 증거도 남기지 말라고 했다. 재판이 열리면 쿠피히트가 불리하단 걸 아는 거야."

"그런데 왜 굳이……."

"그야 의심을 피하기 위해서겠지! 쿠피히트는 개국 공신 명문가다. 내로라하는 그 가문에서, 드미트리 쿠피히트가 제 조카를 죽이고 공작위를 받으려 했다는 게 세상에 알려지면 명예가 실추될 거라고."

클로이는 놀라 숨을 들이켰다.

로드리고 부인, 드미트리 쿠피히트. 그게 누군지는 몰라도 쿠피히트 가문의 어마어마한 사람들이란 건 확실했다.

'나는 죽겠구나.'

이런 엄청난 비밀을 제 앞에서 신나게 떠드는 저 꼴을 보아 하니 분명했다.

'정말 죽는 거야.'

죽음이 확실해졌다. 마음을 내려놓는 동시에 별안간 물밀듯 후회가 밀려왔다.

'한번 물어볼걸.'

가슴과 왼쪽 장골에 콕 찍은 그 깜찍한 점.

'가슴이랑 장골에 점이 있는지……'

이렇게 허무하게 죽을 거, 미친 척 그냥 확인해 볼 걸 그랬다. 그냥 근육질 가슴과 빵빵한 엉덩이 정도면 몰라도, 그렇게 작은 점까지 어떻게 안단 말인가?

'본 적도 없는데.'

그게 정말 제 상상이었을까. 걷잡을 수 없는 호기심이 일렁였다. 클로이는 마른침을 꼴깍 삼켰다.

'만약 상상이 아니라면…… 그럼 난 그 남자를 어떻게 알고 있던 걸까?'

진한 아쉬움이 그녀를 덮쳤다. 그 점만 확인하면 그 남자를 볼 때마다 느꼈던 찝찝한 그 기분을 털어 낼 수 있을 것 같은데.

죽음의 문턱에서 찾아온 한 가지 후회가 겨우 이런 일이라는 게 우스웠다. 하지만 클로이의 머릿속에 그 점의 존재가 가시처럼 콕 박혀 있었다.

'……안 돼. 이렇게 허무하게 갈 순 없어. 내가 어떻게 살아남았는데!'

그 나신을 아직 실물로도 못 봤는데 어떻게 죽는단 말인가!

이판사판이었다. 아무것도 못 본 척 눈을 꼭 감고 있던 클로이는 파르르 떨리는 눈꺼풀을 들어 올렸다.

아침 햇살에 얼굴이 따가웠다. 밤새 나무에 묶여 있느라 몸이 찌릿찌릿했다.

근처에 큰 물소리가 들리는 것으로 보아 현재 위치는 숲이었다. 공작성은 저 멀리 보였다.

'세상에, 멀리도 왔네.'

클로이는 마른 입술을 깨물었다.

“……말했듯이 낮에는 너무 눈길을 끌어.”

동료들을 잃고 낙심한 용병 셋이 그루터기에 앉아 앞날을 도모하고 있었다.

“그렇다고 밤에는…… 칼스버그 공작성은 침입이 불가능한 곳이다.”

“아무래도 저 계집애를 인질로 삼아서 밖으로 유인하는 게 가장 쉬울 것 같다.”

“제기랄, 그 칼스버그 차남만 옆에 없었어도……!”

“대장, 내 생각엔 이번 의뢰는 성공하지 못할 것 같아.”

용병들은 목소리를 낮추고 심각한 토론을 이어 갔다.

“칼스버그의 차남은 수도 황궁 무투회에서도 우승한 실력자야. 그런데 어떻게 우리 셋이 당해 내겠어?”

“그래, 게다가 여긴 칼스버그 영지잖아. 그놈에게 잡히면 즉각 처형이라고. 죽은 형제들을 봐. 시체도 못 건졌어.”

“그 쿠피히트 샌님도 무시할 만한 상대가 아냐.”

“지금 이곳을 빠져나가기도 요원치 않아. 성곽에 전보다 훨씬 많은 경비병이 서 있다고.”

“맞아. 출입문도 단속이 심해졌어.”

“의뢰고 나발이고 지금은 도망치는 길이나 구해야 할 처지야. 목숨을 보전하기도 어렵게 됐어.”

“대장, 우리가 개죽음당한데도 누가 알아주겠어. 로드리고 부인이라는 그 여자? 아니면 드미트리 쿠피히트?”

“겨우 금화 다섯 개에 목숨을 내놓지 말자고, 대장.”

호랑이 굴에 들어가도 정신만 차리면 산다고 누군가 그랬다. 열심히 사방을 살피던 클로이는 문득 익숙한 걸 발견했다.

'마귀 버섯.'

그녀가 잘 아는 독버섯이 꽤 널려 있었다. 클로이의 눈이 반짝였다.

"그럼 저 계집애를 데리고 타협을 해 보자고."

"멀쩡하니 천만다행이군."

회의를 마친 용병 셋은 슬그머니 일어나 그녀에게 다가갔다.

"어이, 쿠피히트의 시녀."

"마침 눈을 뜨고 있군그래."

클로이는 다가오는 세 용병을 바라보며 긴장한 입술을 축였다.

"안심하라고. 우린 널 죽일 생각이 없어."

'그래서 밤새도록 나무에 묶어 뒀나요?' 하는 물음이 목 끝까지 차올랐다.

목숨은 건진다 해도 다른 걸 요구할 것이다. 저들은 인정머리가 없다. 클로이는 냉정하게 상황을 판단했다.

"그럼 이 밧줄부터 풀어 주세요. 알고 계신 것처럼, 전 시녀입니다."

사실은 하녀지만. 거짓을 말하는 클로이는 일부러 더 고개를 빳빳이 했다.

"가난한 형편에 몸종이나 다름없는 시녀지만, 쿠피히트 경의 약속에 따라서 앞으로는 칼스버그 가문에 봉사하게 되었습니다."

그러니 시녀가 거친 여정을 거쳐 여기까지 따라온 게 말이 된다. 게다가 이 영지에서, 칼스버그 가문의 시녀가 될 자신을 해쳤다간 큰일이 날 거라는 협박이자 경고였다.

"제길, 어쩐지."

"역시 그랬군……."

다행히 세 용병은 클로이의 말을 철석같이 믿는 눈치였다.

"분명 쿠피히트는 남색을 한다고 했는데 웬 시녀가 붙어 다니길래 이상하다 싶었어."

"어서 이 밧줄을 풀어 주세요."

세 용병은 고심했다. 자신들을 따돌릴 수 없을 만큼 연약해 보이긴 하지만…….

"세 분 모두 무사할 수 있도록 제가 도울게요. 증언도 하고."

클로이는 목소리에 힘을 실었다.

"다들 가족이 있잖아요. 돌아갈 고향도 있고요. 저도 마찬가지예요."

임기응변이지만 진짜 같았다.

"고향에 아픈 동생이 있어요. 제가 돈을 보내지 않으면 그 애가……."

"아, 알았어, 알았다고."

"젠장."

용병들은 그녀의 사정엔 관심 없었다. 죽이려던 그녀를 살려 준 건 순전히 목숨을 보전하기 위함이었다.

"글을 쓸 줄 아나?"

"네."

"그럼 서신을 써라. 칼스버그에게 출입문을 비워 두라고 해."

용병들이 그녀의 밧줄을 풀어 주며 명령했다. 클로이는 잽싸게 고개를 끄덕였다.

"알겠어요. 쓸게요."

밧줄이 풀리고, 완전히 몸이 자유로워진 그녀는 그만 풀썩 쓰러졌다. 피가 안 통하던 몸이 갑자기 풀려나서 손가락 하나 제대로 까닥하기 어려웠다.

그런 그녀의 상태를 보고도 세 용병은 아랑곳하지 않았다. 그저 품에서 종이를 찾기 바빴다.
"저, 부탁 하나만 드려도 될까요."
"뭐?"
"이럴 상황이 아니라는 건 아는데 정말 돈이 아쉬워서 그럽니다."
"뭐야, 지금. 뭐라는 거야?"
"이 미친 계집이 설마 우리한테 돈을 달라는 건 아니겠지?"
클로이는 간신히 손가락으로 젖은 흙바닥을 가리켰다.
"저 버섯이요."
짐 꾸러미에서 종이를 찾던 용병들은 황당한 얼굴로 그녀를 응시했다.
"저 버섯이 정말 비싼 버섯이거든요. 아마 아실 거예요."
세 용병은 기가 막혀 어리둥절해선 서로를 쳐다봤다.
'저 계집이 미쳤나?'
'갑자기 무슨…… 버섯?'
그런 표정들이었다. 하지만 이어지는 그녀의 말에 분위기가 바뀌었다.
"저 버섯이 하나에 은화 열 개짜리예요."
"뭐?"
"없어서 못 먹는 거거든요. 전에 모시던 분이 무척 귀하게 여기시던 거라, 이런 데서 볼 줄은 몰랐는데……."
용병 한 명이 급히 속삭였다.
"어쩐지 저걸 자꾸 유심히 보더라구."
나머지 두 명은 정말이냐는 눈으로 클로이를 쳐다봤다. 그중의 한 명이 저벅저벅 다가와 그녀의 머리채를 휘어잡았다.

"지금 생명의 위협을 받는 상황이란 건 알고 있겠지?"
"압니다."
고개가 뒤로 꺾인 그녀가 능청스레 대답했다.
"하지만 아직은 목숨이 붙어 있으니, 지금은 돈이 제일이죠."
그 말이 용병에게 먹힌 듯했다. 가만히 그녀를 내려다보던 용병은 거칠게 머리채를 놓아주고 버섯양을 가늠하듯 주위를 둘러보았다.
"진짠가 본데."
나머지 둘은 그녀를 보는 시선이 완전히 달라졌다.
"저 버섯 몇 개만 캐 가게 해 주세요. 서신도 쓰고, 시키는 대로 다 할게요. 정말 돈이 급해서 그래요."
"저게 대체 무슨 버섯인데 그래?"
세 사람이 동시에 그녀를 쳐다봤다. 호기심 가득한 눈이었다.
'걸렸다.'
내게 이런 말재주가 있었다니. 클로이는 애써 치미는 비소를 삼키고 조심스레 말했다.
"송이송이 버섯이에요. 정력에 좋은 약재라 아마 들어 본 적 있으실 텐데."
"맞아, 들어 본 적 있어!"
용병들은 그녀가 몸종이나 다름없는 시녀라 그런 약도 잘 아는가 보다 생각했다.
"정말 귀한 거예요."
말이 끝나기가 무섭게 용병 하나가 짐 꾸러미를 내팽개치곤 벌떡 일어섰다. 주위를 둘러보니 그 버섯이 꽤 보였다.
"이게 다 돈이 얼마야……?"

그의 눈이 휘둥그레졌다. 그러자 나머지 둘도 혹했는지 버섯을 보는 시선이 달라졌다.

"우리 이럴 때가 아닌 것 같은데."

"기왕 실패하고 도망갈 거, 여비라도 좀 보태 가면 좋잖아. 착수금도 은행에 맡겨 뒀는데. 안 그래, 대장?"

"맞다. 어차피 돌아가지 못하면 그 돈도 찾지 못하는 거야."

한 명이 버섯을 따기 시작하자 나머지 둘도 합세했다. 주위에 보이던 버섯은 순식간에 모두 사라졌다. 조금만 더 꼬셨다간 용병 노릇은 그만두고 약초꾼이 될 기세였다.

하지만 그게 클로이의 목적은 아니었다.

"다 가져가면 안 돼요! 제 몫도 나눠 주셔야 해요."

"아, 알았어."

"전 정말 돈이 필요합니다. 그거 정말 비싼 거예요."

"알았다고 몇 번 말해?!"

그녀가 신신당부하며 안절부절못하는 척 말했다.

"저 버섯이 정.말. 효과가 좋거든요. 생으로 신선할 때 먹어야 제일 좋아요. 지금 팔아야 제일 비싼 값을 받는데……."

용병은 척 하니 버섯 하나를 들어 보았다. 갈색에 커다란 갓을 펼친, 모양부터 매우 영험하게 생긴 버섯이었다. 그녀가 하도 안달을 하니 궁금증이 일었다.

"이게 그렇게 효과가 좋아?"

클로이가 크게 고개를 끄덕였다.

"그럼요! 손가락 하나 까딱할 힘이 없는 남자도 그냥 벌떡벌떡 일어난다니까요."

금세 의심스런 눈초리를 한 그녀가 버섯 몇 개를 뒤로 감췄다.

"절대 탐내지 마세요. 효과가 엄청나서 그만큼 비싼 거라고요. 높으신 분들도 없어서 못 먹는 거예요."

하지 말라는 건 더 하고 싶은 법. 세 용병은 한마음으로 버섯을 응시했다.

"벌떡벌떡……?"

클로이는 혼자서 공작성으로 유유자적 돌아왔다. 납치되었을 거라는 모두의 예상과 달리 겉보기에는 멀쩡했다.

어떻게 돌아왔느냐는 물음에 그녀의 대답이 기상천외했다.

"……그랬더니 용병들이 그 버섯을 먹기 시작했어요. 많이 먹으면 안 된다고 경고했는데도 들은 척도 안 하더라구요."

그녀의 앞에 앉은 밀런이 눈이 휘둥그레져선 물었다.

"그게 정말 '그런' 버섯이냐?"

"에이, 아니죠. 마귀 버섯이라는 독버섯이에요."

"그런 걸 알아?"

"네, 확실해요."

클로이가 아는 가장 치명적인 독버섯이었다.

"몇 발자국 안 가서 피를 토하며 쓰러지길래 그사이에 도망쳤어요."

"하여튼 누구 하녀인지, 재치가 아주 대단하다."

밀런이 능청스레 감탄했다.
“장소가 어디지?”
조용히 듣고만 있던 알렉산드로가 물었다.
‘설마 날 의심하는 걸까?’
클로이는 괜히 흠칫했다. 아까부터 그가 자신을 보는 눈빛이 심상치 않았던 것이다.
“성의 남문 근처예요. 그 왜, 강가에 숲이 있는…… 근처에 민가는 보이지 않았어요.”
“성곽에서 가까운 곳입니다.”
지리를 모르는 그녀가 정확한 위치를 설명하지 못하자 시종장이 거들었다.
“가서 확인해 봐라.”
알렉산드로가 경비병에게 명령했다.
“아직 살아 있으면 잡아 오고, 반항하면 죽여도 좋다.”
“예, 알겠습니다.”
절도 있게 예를 갖춘 경비병은 그대로 응접실을 돌아 나갔다.
“이거 미안해서 어떡하지. 남의 영지에서 이런 소란을 일으키다니…….”
밀런이 면목 없는 얼굴로 알렉산드로와 알프레도를 번갈아 응시했다.
“정말 민폐다, 밀런.”
알렉산드로가 싸늘한 눈으로 면박을 주자 뒤에서 알프레도가 웃는 낯으로 예를 갖췄다.
“아닙니다, 소공작님.”

“집안일은 안에서 해결해야지.”
“소란이라니요, 당치도 않습니다.”
“네 백부는 부끄러운 줄도 모르는구나.”
알렉산드로가 정색하자 알프레도가 너그러운 미소를 지으며 말했다.
“그럼 두 분께서 편히 말씀을 나누실 수 있도록 소인은 이만 나가 보겠습니다.”
알프레도가 자리를 피하려 문을 나서는 순간, 클로이는 그의 시선을 받았다. 호감에서 비롯된 호기심 가득한 눈이었다.
‘뭐지.’
그녀의 얼굴을 꼭 기억하려는 사람처럼, 빤히 쳐다보다 눈이 마주치니 씩 웃고는 다시 묵례하며 응접실을 나갔다.
‘집사장 할아버지가 왜 나를 저렇게 쳐다봤을까…….’
시녀장도 그렇고 여기 사람들은 왜 이렇게 사람을 빤히 쳐다본담. 이상한 눈빛이었다. 클로이는 찜찜한 기분을 숨길 수 없었다.
집사장과 함께 시종장이 나가고, 이제 세 사람만 남았다.
“네게도 정말 미안하다.”
밀런은 한껏 죄스러운 얼굴로 클로이의 손을 꼬옥 붙들었다.
“나 때문에 안 해도 될 고생을 하게 되었으니.”
“아니에요. 그보다…….”
클로이는 힐끔 알렉산드로의 눈치를 살폈다.
‘저 사람은 왜 안 나가지?’
입이 근질근질한데. 용병들에게 엿들은 걸 밀런에게 빨리 말해주고 싶었다. 한데 알렉산드로가 뭔가 제게 할 말이 있는 듯 보였다. 눈가를 살며시 구긴 채, 입술을 뗄까 말까 하다 한숨을 쉬었다.

사실은 아까부터 그가 계속 쳐다보는 걸, 애써 모르는 척하느라 고역이었다.

"몸은……."

복잡한 표정을 한 알렉산드로가 겨우 한마디를 뱉는 순간, 클로이는 급히 눈을 돌려 밀런의 손을 가까이 잡아끌었다.

"저어."

비밀 얘기를 하려는 걸 귀신같이 알아챈 밀런이 재빨리 귀를 가까이 했다.

"잠깐 둘이서만 얘기할 수 있을까요?"

"글쎄. 여긴 알렉스의 성, 알렉스의 응접실이라 알렉스더러 나가라고 할 순 없는데."

밀런이 함께 속삭였다. 평소라면 모를까, 그는 염치가 없어 차마 알렉산드로에게 나가 달란 말을 할 처지가 못 되었다.

"그럼 우리 둘이 잠깐 나갈까요?"

보다 못한 알렉산드로가 걸쳐 둔 자신의 겉옷을 집었다.

"의사를 불러 주지."

짧게 눈을 치켜뜨고 클로이와 시선을 맞춘 그는 그대로 몸을 돌렸다.

저벅, 저벅. 철컥. 문 밖에 서 있던 알프레도를 데리고 응접실을 떠나는 그의 뒷모습이 정중했다.

클로이는 약간 죄책감이 들었지만 지금은 이럴 때가 아니었다.

"무슨 일이길래 그러냐?"

"기사님, 제가 용병들이 하는 말을 들었어요!"

아무도 없는 걸 알면서도 클로이는 목소리를 낮췄다.

"로드리고 부인이 돈을 대고, 드미트리 쿠피히트가 일을 도모한다고 했어요. 증거를 남기지 말라고 했대요."

밀런의 얼굴이 충격으로 굳어졌다.

"로드리고 부인은 쿠피히트 일가의 사람이겠지, 라고 했는데…… 혹시 아시는 분인가요?"

밀런은 대답이 없었다. 다만 하얗게 질린 그의 표정으로 봐선 일가가 맞는 듯했다.

"정말 로드리고 부인이라고 했단 말이냐……."

밀런이 넋 나간 눈으로 중얼거렸다.

"네. 그리고 용병들은 아마 죽었을 거예요. 그 독버섯은 한 개가 치사량이거든요."

하루 종일 온몸이 나무에 묶여 있던 클로이는 결코 빠르게 달리지 못했다. 그런데도 그 건장한 용병들이 쫓아오질 못했다.

"그래, 그렇구나……."

뒤늦게 정신을 차린 밀런이 느리게 눈을 깜빡였다. 한 손으로 얼굴을 쓸어내린 그가 이마를 감싸며 자리에서 일어섰다.

'로드리고 부인.'

전혀 예상치 못한 이름에 발밑이 무너지는 것만 같았다.

"너무 민감한 얘기인 것 같아서…… 칼스버그 경 앞에서는 발설할 수가 없었어요."

충격에서 헤어 나오지 못한 채 응접실을 서성이던 밀런은 그제야 고개를 돌렸다. 그만큼 중요한 가문의 일이다.

침착한 클로이를 보니 복잡하던 머릿속이 조금씩 식었다.

'저 애도 이렇게 진지한데.'

밀런은 문득, 이 심각한 상황에서 현실 파악을 못 하는 건 저뿐이라는 생각이 들었다.

"도움이 됐을까요?"

혼란스런 그를 조심스레 들여다보던 클로이가 물었다.

"잘했다. 정말 고마워."

밀런은 힘겹게 미소 지었다. 그들이 배후였다는 걸 상상도 못 한 눈치였다. 클로이도 애써 입가를 끌어 올렸지만 영 안쓰러웠다.

"너를 책임지겠다고 데려와 이런 일을 겪게 해서 미안하다."

그가 다가와 클로이의 작은 어깨를 두드렸다.

"더는 이런 고생을 겪지 않게 해 줄게."

꽤나 결심 어린 말이지만 클로이는 별로 고맙지 않았다.

'밀런은 말만 다정해. 좋은 사람인 건 분명하지만…….'

말만 앞선다. 그런 밀런이 정말 쿠피히트, 그 큰 가문의 수장이 되어 가족과 가신들을 모두 이끌고 잘해 낼 수 있을까?

'이런 의심을 나만 하는 건 아니겠지.'

그러니까 지금 이런 일들이 벌어진 것일 테고.

'밀런은 지금 수도를 떠나 있을 게 아니라 수도에서 가족들을 휘어잡아야 했어.'

자신이 적법한 후계자임을 모두가 알 수 있게. 아무도 도전할 수 없게 말이다.

'……다 지나친 참견이지.'

클로이는 머릿속 말을 입 밖으로 꺼내지 않았다. 밀런 또한 이미 이 사실을 몸소 깨닫고 있는 듯했다.

"이만 쉬거라."
"네. 침실로 돌아갈게요."
씁쓸하게 문으로 다가간 밀런이 고리를 잡으며 말했다.
"알렉스가 네 걱정을 많이 했어."
불현듯 나온 말이었다. 막 응접실을 나서려던 클로이가 옆의 그를 올려다보았다.
"여기 오게 된 것도 따지고 보면 네게 의사를 붙여 주기 위함이었고……."
클로이는 이리저리 눈만 굴렸다. 알렉산드로만 생각하면 자꾸만 그 점들이 떠올랐다.
'내가 상상하는 건 그 섹시한 가슴과 빵빵한 엉덩이가 아냐. 점이야.'
점이다, 점이다…… 다만 그 점의 위치가 묘할 뿐이다. 클로이는 억지로 자신을 세뇌했다.
"고맙다고 인사 정도는 해."
"네? 네."
허둥지둥 그녀가 인사를 마치자 밀런이 슬며시 문을 열어 주었다. 그러자 마주 보는 복도에 서 있던 알렉산드로와 대번에 눈이 마주쳤다.
순간 클로이의 심장이 철렁했다. 팔짱을 낀 채, 벽에 등을 기대고 서 있는 모습이 꼭 한 폭의 명화 같았다.
'왜 저렇게 멋있게 서 있는 거야!'
분명 평범한 자세인데 그가 저러고 있으니 가슴이 떨릴 정도였다.
'미쳤나 봐. 내가 정말 미쳤어!'

옆에 서 있는 시녀들의 얼굴도 불그스름했다. 코 평수가 넓어졌다 좁아졌다 하는 걸 보니 다들 똑같은 생각인 듯했다.

눈을 마주친 채 무표정하던 알렉산드로가 가볍게 옆을 눈짓했다.

'문 앞을 가로막지 말고 저리 꺼지라는 뜻이겠지.'

클로이는 두근대는 마음을 간신히 가라앉힌 채 재빨리 묵례를 마치고 자신의 침실로 향했다. 걷는 내내 여전히 얼굴이 뜨거워 일부러 걸음을 빨리했다.

누가 말이라도 시킬까 후다닥 멀어지는 그녀의 뒷모습을 바라보던 알프레도가 말했다.

"영리한 하녀 같습니다. 그런 상황에서 침착하기 쉽지 않았을 텐데…… 예법에도 능하고요."

"……."

"그건 그렇고, 쿠피히트 공작저에 이번 일에 관한 서신을 보낼까요? 아무래도 도련님의 이름으로 보내야 할 것 같습니다."

'그렇게 할까요?' 하고 동의를 구하려 알렉산드로를 올려다본 그가 순간 입을 다물었다.

알렉산드로는 하녀가 사라진 복도에서 여전히 눈을 떼지 못하고 있었다. 알프레도의 눈썹이 꿈틀했다.

'눈빛이 심상치 않아. 왜지?'

어떤 일에도 동요 없는 무감한 얼굴을 고수하던 평소의 알렉산드로가 아니었다. 신이 고심하여 만들어낸 예술품 같은 그 옆모습에는 깊은 고뇌가 서려 있었다. 눈빛은 옛일을 회상하듯 아련하고, 입술은 뭔가 할 말이 있는데 차마 이를 꺼내지 못한 괴로움을 삼키는 듯했다.

애써 고개를 돌린 알렉산드로는 금세 표정을 감췄다.

"저 하녀에게 의사를 보내 줘."

"딱히 어디가 불편해 보이진 않습니다만."

그러면서 알프레도는 그의 반응을 살폈다.

"다리를 절고 있다. 팔에는 타박상을 입었고. 의사를 보내."

알렉산드로는 더는 말 않겠다는 듯 응접실에 들어섰다.

'우리 도련님이 여자를 그렇게 자세하게 봤다니, 그것도 저렇게 오래!'

알프레도의 눈동자에 이채가 맴돌았다. 옆의 시종장과 눈빛을 교환하자 그가 저 역시 봤다는 듯 결연하게 고개를 끄덕했다.

"놓친 용병 셋은 죽었다."

알렉산드로는 밖을 다녀온 하인에게 이미 보고를 받았다.

"피를 토한 채 강가에 쓰러져 있어서 일찍 영지민들에게 발견이 되었다더군."

"죽었을 거라고 하더라. 보통 독한 버섯이 아니래."

털썩 소파에 앉은 밀런은 마른세수를 했다. 도저히 믿기지 않았다.

"클로이가 들었는데, 드미트리 쿠피히트가 일을 도모했고 로드리고 부인이 용병에 돈을 대고 있단다."

알렉산드로의 눈가가 가늘어졌다.

“로드리고 부인?”

그녀는 쿠피히트 가문의 여식이었다. 밀런과 나이 차이가 많이 나는 첫째 누이, 미셸.

“그래. 미셸 누님이 나를 죽이는 돈줄이래. 이게 믿어져?”

호수 같은 밀런의 눈동자에 뜨거운 눈물이 일렁였다.

“결혼 전까지 나를 사랑으로 돌보아 주셨던 분이다. 어머니처럼 생각했는데 어떻게 내게 이럴 수가…….”

두 손으로 얼굴을 덮은 밀런은 그야말로 아이처럼 엉엉 울었다. 알렉산드로는 그가 미셸에게 얼마나 극진한 감정을 가졌는지 잘 알았기에, 이번에는 말을 아꼈다. 그렇다고 밀런을 달래 주거나 하진 않았다.

‘한심하군.’

가문의 후계자가 겨우 이깟 일로 저렇게 쉽게 눈물을 보여서야. 저러니 제 아버지가 그렇게 불안해하지.

‘쯧.’

솔직히 당장이라도 이 땅에서 밀런을 내쫓고 싶은 마음이 간절했다. 여기서 집안 간의 싸움이 더 커졌다가 칼스버그가 괜한 누명을 쓸지 모르기 때문이었다.

‘하지만 지금 그를 보내면 클로이도 보내야 한다.’

저도 모르게 치민 생각에 알렉산드로가 고개를 흔들었다. 이렇게 한심할 수가. 제게 아무것도 아닌 여자 때문에…….

이곳은 아버지인 칼스버그 대공과 에이드리안 형님의 땅이었다. 가문에 일이 벌어지면 책임은 고스란히 그들의 몫이었다.

자신이 이 일을 책임지겠다고 나서는 건, 결국 집안에서 제 위치를 공고히 하는 일이었다. 그게 아니기에 알렉산드로는 더 이상 아버지와 형님에게 폐를 끼치기 싫었다.

이를 알고선 알프레도가 자꾸만 그를 밀런의 일에 개입시키려 했다. 역시 고약한 노인이었다.

"밀런, 이런 상황에서 미안하지만 이제 그만……."

"으흑, 세상이 나를 버렸다."

번쩍 고개를 쳐든 밀런의 단정한 얼굴이 눈물로 범벅이었다.

"알렉스, 으어헝."

그가 동아줄을 붙들듯 알렉산드로의 옷가지를 꽉 잡았다.

"이를 어쩌면 좋으냐, 내 인생 어디로…… 어헝, 킁컹."

"……."

알렉산드로는 제 상의에 콧물을 묻히려는 밀런을 거칠게 떼어 냈다. 그러곤 짜증스레 탁탁 옷을 정리하며 손수건을 꺼내 그의 무릎 위로 툭 던져 주었다.

"그쳐라."

"어헝, 킁커엉, 컹컹."

덜덜 떨리는 손으로 손수건을 받아 든 밀런은 얼굴을 닦아 내고 흥 하고 코도 풀었다. 그제야 그의 앞에 마주 앉은 알렉산드로는 깊은 한숨을 내쉬었다. 기막혀 제 머리가 다 아팠다.

"정말…… 가관이다."

"내가 어떻게 해야 할 것 같으냐, 알렉스. 응? 넌 알잖아."

관자놀이를 꾹꾹 누르던 알렉산드로가 불쑥 눈을 들었다.

"여전히 쿠피히트 공작이 되고 싶으냐, 밀런?"

"그야…… 당연하지."

"네 가족들이 원치 않는 지금도?"

"……."

비 맞은 커다란 강아지 같은 밀런이 순순히 고개를 끄덕였다.

"그럼 미쉘 누님과 백부, 조카들을 죽여."

"뭐?"

"네가 아니라도, 네 아버지가 진작 했어야 하는 일이다."

소파에 깊게 기대앉은 알렉산드로는 잔인한 말을 쏟아 냈다.

"어쩌면 쿠피히트 공작께선 지금 이 상황을 알면서도 모른 척 방관하시는지도 모르지."

심약한 자신의 아들을 시험하려고. 밀런의 아버지라면 그럴 수도 있을 것 같았다.

밀런은 마른하늘에 날벼락 같은 소리를 듣고 입을 떡 벌렸다.

"정신 똑바로 차려라. 후계 경쟁은 이보다 더 잔혹한 경우도 많아."

백부인 드미트리는 자신이 공작이 되길 원하고, 미쉘은 자신의 아들이 소공작이 되길 원했다. 그 둘이 손을 잡은 건 어쩌면 당연한 만남이었다.

밀런은 복잡한 눈으로 멀리 창문을 응시했다. 조용히 그를 응시하던 알렉산드로가 무겁게 입을 떼었다.

"내 아버지께선 진정한 존경심은 두려움에서 온다고 하셨다."

순간 딴 데를 보고 있던 밀런은 의아한 눈으로 알렉산드로를 돌아봤다.

칼스버그 대공은 너그럽기로는 수도에서 세 손가락 안에 드는 성인군자였다.

'그런 분이 그런 말씀을 하셨다고?'

회상에 잠긴 알렉산드로는 밀런의 의심 어린 시선을 알아채지 못했다.

"난 그분을 싫어했다. 도무지 이해할 수가 없는 사람이었으니까."

그러는 그의 입가에 옅은 미소가 그려졌다. 밀런은 점점 더 알 수 없는 얼굴이 되어 갔다.

"하지만 그 말씀만은 옳았다."

존경심은 두려움에서 온다.

"그들을 죽여라. 네가 그 손에 죽기 전에."

차갑게 안색을 바꾼 알렉산드로가 낮은 목소리로 말했다.

"네 아버지께 네가 적법한 후계자임을 증명해라."

밀런이 눈을 부릅뜬 채 주먹 쥔 손을 부르르 떠는 걸 보고 알렉산드로는 자리에서 일어섰다.

"더 고민해 보든가. 진정 원하는 게 무엇인지."

내가 진정으로 원하는 것…….

밀런은 입술을 깨물었다. 한 번도 고민해 본 적 없는 일이었다. 태어나면서부터 '소공작'으로 불렸던 그에게 자신이 원하는 게 무엇인지 하는 고민은 무의미했다.

"내가 무엇을 원하는지 당장 어떻게 깨달으란 말이냐. 지금은 이도저도 못 하겠는데……."

"간단하지 않느냐."

"간단해?"

밀런은 황당한 눈으로 그를 올려다보았다.

"핏줄을 죽일 수 없다면 넌 공작위를 원하지 않는 거야."

"아니, 난 원해! 분명……!"

"설령 원한다 하더라도."

알렉산드로는 그의 말을 싹 잘랐다.

"그 명예로운 자리가 네게 핏줄을 죽이고 얻을 만큼 가치 있는 것은 아니겠지."

밀런은 멍하니 제 친구를 응시했다.

"아니면 누님과 숙부, 조카들을 죽일 각오가 아직 서지 않았든가."

알렉산드로는 네가 진정 원하는 게 무엇인지 다시 잘 생각해 보라며 툭 어깨를 두드렸다.

"삶이란 얻기 위해 잃어 가는 것이다. 네가 포기해야만 하는 것들을 겸허히 받아들여라."

먼 과거, 베아트리체가 그에게 해 준 말이었다. 너무 아파하지 말라는 위로와 함께. 둘이서 함께했던 그 순간들을 떠올린 알렉산드로는 지그시 눈을 감았다.

그녀가 그립다.

"……사람은 때로 남들이 내게 바라는 것을, 나 스스로 원하고 있다는 착각에 빠지곤 한다."

'너는 가문의 후계자가 되기엔 아직 한참 모자라다'를 돌려서 하는 말이었다.

"하지만 누군들 공작위를 원하지 않는단 말이야. 나는……."

"모두의 눈에 아름답다 해서 반드시 네게도 그래야 하는 것은 아니야."

사람에겐 각자의 기준이 있다.

"다른 사람의 시선으로 네 인생을 산다면 불행해질 것이다, 밀런. 네 인생을 살아."

친구로서 해 줄 수 있는 조언은 여기까지였다. 밀런 자신이 뭘 원하는지 아직도 깨닫지 못했는데 해결 방법을 일러 줄 순 없었다.

알렉산드로는 긴 한숨을 내쉬었다. 친구 한번 잘 사귀었구나. 베아트리체를 찾아야 할 시간에 어린애 코나 닦아 주고…….

사실 그는 베아트리체를 찾는 데 점점 소홀해지고 있었다. 클로이를 만난 뒤부터였다. 모른 척했지만 이런 자신의 변화를 진작 알아챘다. 한숨만 나왔다.

"수도에선 너와 반도라스 영애의 결혼 이야기가 오가고 있을 것이다."

머리를 싸매고 있던 밀런이 번쩍 고개를 들었다.

"내가 없는데도?"

"어차피 네가 하는 결혼이 아니지 않아."

가문끼리 하는 정략결혼이었다. 반도라스 영애가 굉장히 적극적인 이유도 있었지만, 밀런의 결혼은 쿠피히트와 반도라스 두 가문 간의 의미 있는 결합이었다.

"저쪽에서 이렇게 급하게 구는 건 네 결혼이 얼마 남지 않았기 때문이야."

제국에 현존하는 다섯 개의 공작 가문 중 하나. 반도라스 공작가도 만만찮게 세력이 컸다.

"내 예상에는 이미 결혼 날짜를 잡았는데 네게 통보가 늦은 것 같다."

한동안 계속 행선지가 바뀌는 바람에 서신을 받지 못했으니까.

"이런, 말도 안 돼!"

사색이 된 밀런이 자리에서 벌떡 일어섰다.

“어떻게 내 의사는 물어보지도 않고 이렇게 불쑥……!”

“그럼 약혼은 왜 했느냐? 결혼할 각오도 없이.”

알렉산드로는 이번엔 경멸조의 눈길을 숨기지 않았다. 한심했다.

“아무리 아버지라지만 내게 최소한의 언질도 없이 정말 이래도 되는 거냐?”

“네 약혼녀가 불쌍할 따름이다.”

“알렉스. 대체 넌 어떻게 이렇게 현명한 거냐.”

“이만 나가.”

“내게도 그 방법을 알려 줘!”

“저리 꺼져.”

알렉산드로가 냉정하게 일갈했다. 더는 못 듣겠다. 어린애 징징대는 소리에 이젠 진절머리가 났다.

기죽은 밀런은 어깨를 축 늘어뜨린 채 응접실을 나섰다.

“하아, 미쉘 누님…… 클로이가 아니었으면 영원히 모를 뻔했네.”

그가 정신없이 중얼거렸다.

“아무래도 걔한테 좋은 남자를 찾아 줘야겠어. 이 고마움을 갚으려면 그 길밖에 없지. 에휴, 결혼이라도 시켜 줘야…….”

식겁한 알렉산드로가 단숨에 밀런의 어깨를 낚아챘다.

“왜?”

“원한다더냐?”

“뭘.”

밀런이 입을 쭉 내밀고 불퉁하게 대꾸했다.

순간 알렉산드로는 저 얼굴을 주먹으로 몇 대 때려 주고 싶은 충동이 일었다.

"네 하녀가, 결혼을."
간신히 치미는 화를 억누르느라 그의 잇새에서 거친 목소리가 튀어나왔다.
"결혼을…… 원하느냐고."
"글쎄, 물어봐야 알지. 하지만 좋은 상대를 찾아 주면 결혼을 원하지 않을 미혼 영애가 있겠느냐?"
알렉산드로는 마른 입술을 깨물었다. 목이 바짝 탔다.
쾅. 반쯤 열린 문을 눌러 닫은 그가 밀런의 앞을 막아섰다.
"네 인생이나 걱정할 것이지 왜 남의 일에 참견하느냐?"
"그러는 너는. 네 여자나 찾을 것이지 왜 개 일에 참견인데?"
숨이 턱 막혔다. 알렉산드로 역시 속으로 치밀하게 고뇌하던 중이라, 할 말이 없었다.
"그리고 클로이는 남이 아냐. 내 하녀지. 귀엽고, 충실한 내 하녀."
내 하녀.
또다. 저 단어가 그의 뇌리를 후벼 파듯 내리꽂혔다. 짜증이 머리까지 치밀었다.
"클로이에게 어떤 남자를 찾아 주면 좋을까? 너 같은 남자는 싫다고 했는데…… 아, 너랑 딱 반대되는 남자를 찾아 주면 되겠네!"
"고민할 필요도 없는 일을 자처하는군!"
"왜 고민할 필요가 없어? 내 하녀가 결혼을 세 번이나 한다는데. 아직 두 번이 남았으니 내가 물심양면으로 도와야지."
알렉산드로는 저도 모르게 밀런의 멱살을 잡았다. 그의 짙은 눈썹이 치켜 올라갔다.
"불쌍한 여자다, 밀런. 그냥 내버려 둬."

속삭이듯 가라앉은 목소리임에도 노기가 고스란히 느껴졌다.

"알렉스. 항상 침착한 네가 왜 매번 그 애 일에는 이렇게 버럭 대고 난리인지 난 정말 모르겠다. 넌 아냐?"

이죽대는 밀런을 향해 매서운 시선이 쏘아졌다. 갑옷을 두른 듯 두꺼운 알렉산드로의 가슴이 오르락내리락 분노로 일렁였다.

"그리고 클로이는 스스로를 불쌍하게 여기지 않아."

밀런도 이번엔 지지 않았다.

"그 애가 안타까워 죽겠는 건 바로 너뿐이지. 알렉산드로 칼스버그."

밀런은 제 멱살을 쥔 커다란 주먹 위로 턱 하니 차례로 손을 얹었다.

"너야말로 생각을 좀 해 봐라. 네가 진짜로 원하는 사람이 누구인지, 여태껏 어떤 여자를 그렇게 애타게 찾고 있던 건지 말이야."

두 사람은 대치하듯 이글거리는 눈으로 서로를 마주 보았다.

결국 알렉산드로가 먼저 손을 놓았다.

"네 핏줄들에게 전해라."

밀치듯 거칠게 밀런을 놓아준 그가 고리가 뜯어져라 거센 손길로 문을 열어젖혔다.

"칼스버그의 영지에서 또 한 번 이런 불미스런 일을 벌인다면 전쟁을 불사하겠다고 해."

"뭐……? 무슨 소리야, 여태껏 제국에 전쟁 같은 건 없었잖아! 근데 장난 좀 쳤다고 전쟁을 들먹여?"

밀런의 말대로 제국의 건국 이래, 즉 그레이엄 1세 이후로 공작 가문 간의 전쟁은 없었다.

다 황실이 견고한 덕분이었다. 그레이엄 황가는 평화를 가장 소중한 가치로 여겼다. 그러니 아무리 고위 귀족이라도 황가가 두려워서 전쟁 같은 걸 일으킬 배포가 없었던 것이다.

"참 나. 넌 농담이라도 어떻게 그런 무시무시한 농담을 하냐?"

하지만 알렉산드로는 그 귀족들과 달랐다.

"농담인지 아닌지 두고 보면 알 것이다. 나, 알렉산드로……."

그의 새파란 눈동자가 서늘하게 빛났다.

"칼스버그의 차남이, 이 이름을 걸고 하는 말이다."

"……!"

"네 핏줄들에게 똑똑히 전해. 한 글자도 빼놓지 말고."

칼스버그 공작성의 전령조는 훈련이 잘된 거대한 매였다. 밀런은 그들을 통해 아버지에게 편지를 보냈다. 알렉산드로의 당부대로 백부와 미쉘에게도 경고를 전했다.

칼스버그 공작령에서 일으킨 소란을 정중히 사과하라는 내용이었다. 밀런은 아직 마음을 정하지 못한 터라, 일을 키우고 싶진 않았으나 어쩔 수 없었다.

'어떻게 남의 축제 기간에 이런 일을 벌일 수가 있어?'

남부의 가장 성대한 축제 아닌가? 영지민들의 모든 시선이 집중되어 있었다.

칼스버그 공작령을 방문한 쿠피히트 소공작. 그에게 벌어진 암살 사건과 하녀 납치 사건. 소문이 어떻게 퍼질지 뻔했다.

쿠피히트 일가가 사주한 경거망동, 실패로 돌아가다!

'우리 가문의 이름에 똥칠을 해도 유분수지.'

밀런의 예상대로 발 없는 말은 순식간에 수도까지 흘러갔다. 숨기려야 숨겨지지도 않았다.

'마땅한 사과를 해야 할 텐데.'

칼스버그 가문의 명예가 달린 일이었다.

찻잔을 든 밀런이 땅이 꺼져라 한숨을 내쉬었다. 동시에 그의 옆에 앉은 클로이도 깊은 한숨을 뱉었다.

"하아."

두 사람은 알프레도의 배려로 정원에서 티타임을 즐기는 중이었다. 하지만 둘 다 표정이 좋지 못했다. 눈앞에 펼쳐진 아름다운 정원과는 어울리지 않는 넋 나간 얼굴들이었다.

'점이다…… 점이다…….'

기왕 살아 돌아온 거, 클로이는 그 점의 존재를 물어보고 싶었다.

알렉산드로의 몸에 있는 그 점.

'위치가 가슴팍과 장골만 아니었어도 쉽게 물어볼 수 있을 텐데.'

그 남자는 굉장히 무섭긴 하지만 제겐 버럭 대기만 할 뿐 손찌검 한 번 한 적 없었다. 버럭도 최근 들어서는 싹 사라졌다.

'그런 부위만 아니었어도…….'

그런 곳을 물었다간 모욕죄와 더불어 변태라는 낙인이 찍힐 게 분명했다. 화장실 들어갈 때 나올 때 마음이 다르다더니 제 마음이 딱 그랬다.

그 나신을 실물로 못 본 게 아쉬워 꼭 살아 나오자고 다짐했는데, 막상 멀쩡히 살아 돌아오니 도무지 입이 떨어지질 않았다.

"알렉스가 화가 많이 났나 봐. 장난 좀 쳤을 뿐인데."

"……네?"

알렉산드로는 그래도 오랜 친구라고 밀런에겐 어린애 대하듯 나름 다정했었다.

"갑자기 왜요?"

"글쎄, 사과를 하지 않으면 전쟁을 하겠다지 뭐야."

그는 거두절미하고 본론만 일러바쳤다. 클로이는 놀란 숨을 들이켰다.

'전쟁?'

그게 그렇게 쉽게 꺼낼 수 있는 단어인가? 이 평화의 시대에!

"어떻게 그런 말씀을 하시죠?"

암살자의 정확한 배후, 그리고 둘 사이에 있었던 말다툼을 모르는 클로이는 이해할 수 없었다.

"그러니까 말이야."

"대체 무슨 장난을 치셨길래요? 그런 말을 함부로 꺼내실 만한 분이 아니잖아요."

밀런은 실망한 얼굴로 그녀를 빤히 쳐다봤다.

"너까지 내 편이 아니라니…… 이런."

다시 한숨을 내쉰 그가 쓰러지듯 테이블에 엎드렸다. 이건 소공작의 몸가짐이 아니라고 그를 일으키려던 클로이는 결국 입을 다물었다.

그의 은색 머리카락 위로 축 늘어진 귀가 보이는 것 같았다. 밀런은 이곳에서 벌어진 불미스런 일을 처리하느라 부친에게 서신을 보내고 난리였다.

'굳이 내가 아니라도 그를 압박하는 사람은 많아.'

여기서 볼모 신세로 오도 가도 못 하고 있는 걸 알기에 클로이는 금세 마음을 바꿨다.

"아니에요, 전 기사님 편이에요."

그의 손을 살살 흔들며 말하자 밀런이 꼴 보기 싫다는 듯 팩 고개를 돌렸다.

"흥."

"세상에, 매정도 하셔라. 친구끼리 어떻게 이럴 수가!"

그녀의 과장된 목소리를 들은 밀런이 피식 웃으며 고개를 들었다.

"사실은 내가 잘못했다. 알렉스가 화낼 만도 하지."

부스스 몸을 일으킨 밀런은 자세하게 암살 사건의 전말을 설명했다.

첫째 누이인 미쉘 로드리고 부인, 백부 드미트리 쿠피히트.

그들이 제 목숨을 노리고 칼스버그 공작령에서 경거망동을 벌여 알렉산드로가 화가 난 것이라고.

"만약 내가 여기서 목숨을 잃었다면 칼스버그가 누명을 썼을 거야. 그게 그들의 목적이었고."

"맙소사."

클로이는 태평하게 그의 가슴과 엉덩이나 상상하고 있었던 자신이 부끄러웠다.

'지금 그런 걸 물어보고 다닐 때가 아니었어.'

밀런도 몸을 사리는 마당에 제가 감히 알렉산드로에게 그따위 질문을 던졌다간…… 큰 망신이었다.

"네 말이 맞아. 알렉스는 이유 없는 행동을 할 남자는 아니지. 옆에서 평생 봐 왔지만, 그래."

순간 클로이는 저도 모르게 입술을 달싹였다.

'밀런에게 대신 물어봐도 되지 않을까?'

어쩌면 그는 친구의 몸에 있는 점을 알고 있을지도…….

'아냐, 모를 거야. 크기가 너무 작아.'

손톱만 한 점도 아니고, 말 그대로 펜으로 콕 찍은 듯 아주 작은 크기의 점이었다. 자세히 보지 않으면 본인조차 그 점이 있다는 걸 알아채기 어려울 만큼 작았다. 겨우 한 번 봐선 기억에 남을 정도도 아니었다.

'그런데 난 왜 그 점을 이렇게 생생하게 알고 있을까?'

아니, 점뿐만 아니라 본인 말고는 절대 알 수 없는 그 비밀스런 부위까지……!

'대체 내가 왜 그의 몸을 이렇게 잘 알고 있는 거냐고.'

본 적도 없는데! 보기라도 했으면 억울하지도 않지! 답답해진 클로이는 다 식은 차를 벌컥벌컥 들이켰다.

'그냥 잊자. 그 남자에게 점이 있든 없든, 달라질 건 없어.'

안 그래도 복잡한 인생. 미쳤다고 알렉산드로 칼스버그 같은 남자를 궁금해한단 말인가? 더 어떻게 꼬이려고?

쿠피히트라는 명문가에서 일하게 되었겠다, 마침 수도로 갈 수 있는 구실도 생겼겠다, 그나마 인생이 좀 풀리려고 볕이 드는데…….

'수도에 도착할 때까지 난 밀런만 잘 수발하면 돼. 새롭게 시작하는 거야.'

밀런과 단둘이 시간을 보내고 돌아온 침실에는 의사가 와 있었다.

클로이는 이 의사와 이미 여러 번 안면을 튼 사이였다.

"가뜩이나 몸도 편치 않은데 그런 고초를 겪었으니…… 쯧쯧."

의사는 처음엔 자신이 하녀까지 치료해 주어야 하냐며 떨떠름해 했다. 하지만 이를 알게 된 집사장 알프레도의 입김이 들어간 이후부턴 일절 불만이 없었다.

"그래도 지금은 좀 괜찮아요."

클로이는 의사의 손에 이미 연고가 들려 있는 걸 보고 자연스레 돌아앉았다. 상의를 조금만 내려 어깨의 상처를 보여 주자 그가 쯧쯧 혀를 차며 가까이 다가왔다.

연고를 발라 주며, 안타까운 듯이 그녀의 이곳저곳을 마저 살피던 의사가 문득 입을 뗐다.

"……그런데 혹시."

아무렇지 않은 듯 클로이의 왼손 손가락을 확인한 그가 물었다.

"월경은 어떤가?"

"네?"

순간 클로이는 의아해졌다. 타박상, 찰과상을 입었는데 생리 주기는 갑자기 왜 물어보는 걸까?

"약 처방을 달리해 주어야 할 것 같아서 말이지. 아직 미혼 처녀인 듯하니."

'미혼, 맞지?' 하고 굳이 짚어 되묻는 의사에게 클로이는 떨떠름히 고개를 저었다. 그러자 의사의 눈이 휘둥그레졌다.

"그럼 남편을 떠나 있는 건가?"

부정도 긍정도 어려운 클로이는 슬며시 고개를 끄덕였다. 의사는 깊은 한숨을 내쉬었다.

"아니, 이것 참."

"왜 그러세요? 전 어차피 곧 떠날 거라 장기간 먹을 약은 필요 없습니다. 그만큼 심한 증상이 있지도 않고요."

잠시 이마를 싸매고 넋 놓고 있던 의사는 쯧, 혀를 차며 다시 물었다.

"아무튼, 그래서."

"네?"

"월경 주기는?"

"……일정해요."

"언제부터 월경을 시작했지?"

이런 것까지? 클로이는 고개를 갸웃하면서도 성실히 대답했다.

"열다섯 봄부터예요."

"지금 나이는 어떻게 되지?"

"스물두 살이요."

"이름은 클로이라고 했고, 따르는 성은 없나?"

"……성은 없어요."

의사는 이미 연고를 다 발랐는데도 끊임없는 질문을 해 댔다.

"부모님은 생존해 계신가?"

"……."

"고향은 정확히 어디인데? 어쩌다 하녀가 됐지?"
자리가 불편해진 클로이는 대답 대신 상의를 여몄다.
"혹시 쿠피히트 소공작과는 긴밀한 사이인가? 그분은 남색가라 여자를 취하지 않는다던데."
"이만 나가 주세요."
눈을 내리깔고 불쾌한 내색을 보이자 의사가 급격히 당황하며 미안하다고 사과했다.
'이 의사가 나를 애첩으로 들이려는 생각이었나 봐.'
무려 공작성의 의사이니 떠돌이 하녀쯤이야. 제가 우스워 보였으리라. 할아버지뻘 되는 의사에게 추행을 당하니 기분이 더러웠다. 그가 애써 발라 준 연고도 싹 닦아 내고 싶었다.
"흠흠, 내가 미안하네. 그럼 이만 쉬게."
의사는 허둥지둥 침실을 나갔다. 클로이는 문을 걸어 잠그며 말했다.
"내일부턴 오실 필요 없어요."
"응? 아니, 그게."
"몸은 거의 다 나았고, 상처도 가벼운 찰과상 정도이니 괜찮아요."
"아니, 이봐. 뭔가 오해가 있나 본데 나는 집……."
"그간 감사했어요."
클로이는 더 듣기 싫어서 철컥 문을 닫아 버렸다.
'무슨 공작성의 의사가 저래. 하녀를 추행이나 하고!'
불쾌해진 마음을 달래려 그녀는 책을 펼쳤다.

밀런이 수도에 서신을 띄우고 정확히 사흘 뒤였다.

아버지, 쿠피히트 공작은 일단 의논을 하겠다는 답신을 전했고 곧이어 정중한 사과도 해야겠다는 답신을 연달아 보내왔다.

예상치 못한 알렉산드로의 과격한 대응에 적잖이 당황스러운 듯했다. 실제로 가문 간 전쟁을 일으킨대도 할 말이 없는 일이었다. 일단은 그저 경고였겠지만.

'미셸 누님과 백부는 대체 뭘 하는 건지.'

난리가 난 쿠피히트 공작과 달리 정작 일을 벌인 두 당사자들은 묵묵부답이었다. 해결만 되면 클로이와 당장 여기서 꺼지겠다고 알렉산드로에게 말을 해 놓긴 했다.

그렇게 가문의 회신을 기다리던 중, 설상가상으로 더 큰일이 벌어졌다.

축제의 마지막 날. 모두가 기다리던 커다란 접시 같은 보름달이 나타나지 않은 것이다. 안개인지 뿌연 구름에 가려져 달은 자취도 찾기 어려웠다.

달의 신에게 풍년을 기원하는 축제에 보름달이 뜨지 않았다. 사람들은 그 불미스런 원인을 축제 때 있었던 소란에서 찾았다.

그 탓에 밀런은 가시방석에 앉았다. 여전히 다들 친절하고 극진한 대접을 했지만, 괜한 의식인지 자신을 바라보는 눈들이 따가웠다.

'아, 이거 참…… 그렇다고 여길 떠나지도 못하고.'

그 바람에 밀런은 전보다 언행을 조용히 해야 했다.

한데 밀런 외에도 이 호화롭고 안락한 생활이 불편한 사람이 한 명 더 있었다.

“도련님, 영지민들이 동요하고 있습니다.”

알프레도는 걸음을 빨리하여, 간신히 알렉산드로의 옆을 따라 걸었다.

“축제에 보름달이 뜨지 않은 건 유례가 없는 일입니다.”

알렉산드로는 그런 그를 쳐다도 보지 않았다.

“다들 불길한 징조라고 질겁하고 있습니다. 그러니.”

알프레도가 왜 자신을 이렇게 쫓아다니는지 뻔한 일이었다. 그것도 영지민까지 들먹이면서.

“연회를 열어야 합니다. 아주 성대하게요.”

알렉산드로는 어이없는 비소를 터뜨렸다.

“밀런을 내쫓으라고 해야 하지 않나, 집사.”

안 그래도 밀런이 해결만 되면 바로 떠나야겠다며 좌불안석이었다. 이제 남부에는 얼씬도 못 할 것 같다고도 했다.

알렉산드로는 덩달아 초조해졌다. 물론 그와는 헤어져야 했다. 약속이 그러하니까. 하지만…….

“손님을 왜 내쫓겠습니까? 도련님, 연회를 여셔야 합니다. 기왕이면 무도회로, 이 남부의 영애들을 전부 초대해서……."

복도를 걷던 알렉산드로가 '무도회' 소리에 자리에 멈춰 섰다.

무도회란 무엇인가. 여자와 남자가 노래마다 짝을 바꿔 가며 춤을 추다가 서로 눈이 맞으면 아무도 몰래 구석으로 사라져도 그러려니 하는 음탕한 연회였다.

그가 그레이엄이었을 때, 아주 질리도록 했다. 황가는 귀족들과의 화합을 도모해야 하는 의무가 있기에.

베아트리체와 춤을 추는 건 좋았지만, 그도 남자인지라 아내와 심도 깊은 대화를 나눠 볼까 싶어 어디 조용하고 구석진 곳을 찾으면 항상 못 볼 꼴을 보곤 했다. 이곳이 황궁인지, 깊은 숲속 짐승들의 잔치에 와 있는 것인지 분간이 안 될 정도였다.

무도회는 알렉산드로가 제일 질색하는 저질들의 모임이었다.

"수도에선 가면무도회가 유행이라고 들었습니다. 정 부끄러우시면 그건 어떠십니까?"

그가 기막힌 눈으로 알프레도를 쏘아보았다.

"가면을 쓰면 수줍음을 잊은 영애들이 먼저 구애를 한답니다. 그래서 젊은 청년들에게 인기라고……."

체면도 잊고 가면무도회까지 말을 꺼냈는데 알렉산드로는 여전히 어떤 답도 없었다. 순간 멈칫한 알프레도가 비밀스럽게 주위를 둘러보다 목소리를 낮췄다.

"도련님, 설마……."

"난 여색을 한다."

"확실하신 겁니까?"

알프레도가 미심쩍은 얼굴로 물었다. 알렉산드로는 징그럽단 눈으로 그를 응시했다.

"흠흠, 소문도 많은데 한 번도 공적으로 대응하신 적은 없으시니까요."

누구에게 무엇을 증명한단 말인가? 정말이지 지긋지긋했다. 그가 시선을 돌려, 멀찍이 선 시종장에게 손짓했다.

"내 말을 준비해라."

"어디 가려고 하십니까?"

"사냥."

"아, 사냥이요."

알렉산드로는 어릴 때부터 사냥을 너무 좋아해서 말릴 수가 없었다.

'지도자에게 딱 어울리는 취미지.'

사냥한 짐승이 너무 많아서 어쩔 수 없이 모두 사냥터에 놓고 올 수밖에 없었단 말을 모두들 철석같이 믿었다.

"칼스버그 대공님께 쿠피히트 소공작님과 관련하여 서신을 전달했습니다."

알프레도는 만족스러운 얼굴로 한마디 덧붙였다.

"도련님의 이름으로요."

그럴 줄 알았다. 알렉산드로는 흘긋 집사장의 표정을 확인했다. 오래 지속된 평화의 시대를 깨고 공작 가문 간에 맴도는 긴장감이 반가운 얼굴이었다.

"쿠피히트 가문에 선전 포고를 던진 게 무려 도련님 아니십니까. 이런 배포는 감히 도련님 말고는 아무도 없을 겁니다."

칭찬에도 알렉산드로는 자조적으로 입술을 비틀었다.

"도련님은 절대 평범한 인재가 아니십니다. 제국의 또 다른 영웅이 되실 분입니다. 첫눈에 제가 알아봤지요."

"그만."

무슨 말을 더 지껄이려는지 알 것 같아서 알렉산드로는 그의 말을 막아섰다. 전생에 이런 사람을 안다. 자신이 실현할 수 없는 야망을 대리만족하려는 자.

'칼스버그 공작.'

던칸과 베아트리체에게 속살거려 결국은 제 꿈을 모두 이뤄 냈다.

"……알겠습니다. 불쾌하신 듯하니 한 말씀만 더 올리지요."

시종이 가져온 사냥 장비를 착장하는 동안 알렉산드로는 어쩔 수 없이 노인을 향해 고개를 까닥였다.

"에이드리안 도련님은 이 개국 공신 대공작 가문의 후계자로 어울리지 않습니다."

집사장을 등지고 성문으로 향하던 알렉산드로가 작게 한숨을 내쉬었다.

솔직한 말로 사실이긴 했다. 귀족들의 정점에서, 왕궁의 섭정으로, 후에는 제국의 초대 황제였던 알렉산드로가 이를 모를 리 없었다.

에이드리안은 성격도 유약하고, 무엇보다 신체가 건강하지 않았다. 그게 가장 큰 문제였다. 가주의 가장 중요한 조건은 결혼해서 건강한 아이를 낳는 것이므로.

종마 취급은 기분이 나쁘지만 이는 알렉산드로도 인정하는 바였다. 피땀 흘려 어렵게 모은 가문의 땅과 재산, 명예를 자신의 후계에게 물려줘야 했다.

바로 그런 이유로, 제 형님이 가문의 후계자가 되기에 부족한 인재라는 걸 누구보다 잘 알면서도 알렉산드로는 후계자가 되길 거부했다.

베아트리체하고만 결혼할 생각이니까. 제 핏줄은 오직 그녀의 자식이어야만 했다.

그래서 에이드리안이 장남이라는 핑계를 댔다. 그 결과 가문의 모두가 답답해했지만, 갑갑하기는 알렉산드로 역시 마찬가지였다. 이것도 저것도 아닌 이런 상황이 그에겐 최악이었다. 속이 타들어 갔다.

밖으로 향하는 그의 걸음이 점점 빨라졌다. 이런 상황에서 옛날 제 아버지, 던칸은 신전을 찾아가 기도를 했다. 참 어울리지 않았지만…….

알렉산드로는 신전 대신, 점쟁이를 찾아갔다.

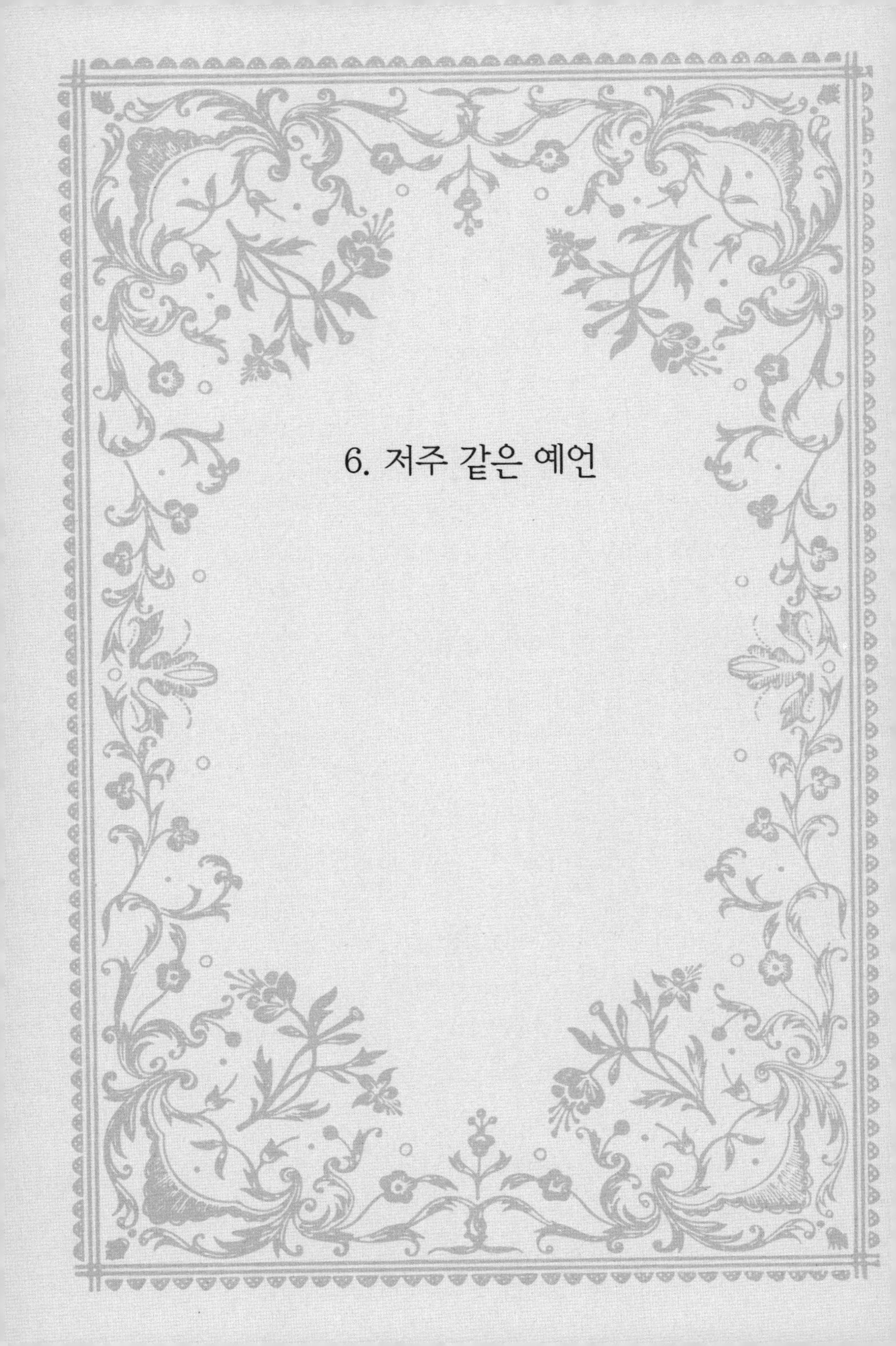

6. 저주 같은 예언

6. 저주 같은 예언

• • ◆ • •

똑똑.

그가 점잖게 노크를 하고 한 발자국 뒤에서 문이 열리길 기다렸다. 안에선 인기척이 들렸지만 문이 열리기까지는 꽤 시간이 필요했다.

'움직임이 둔하군.'

이윽고, '달칵' 하며 문이 열렸다. 안에서 작은 체구의 노년 여인이 그를 보고 식겁했다.

"어이구머니나!"

거대한 남자가 죽음의 사자처럼 문 앞을 지키며 서 있으니 놀라지 않을 수 없었다. 그녀는 들고 있던 지팡이까지 놓쳤다.

집시 같은 차림이었다. 한눈에 그녀를 훑어본 알렉산드로는 떨어진 지팡이를 주워 돌려주며 용건을 밝혔다.

"신통한 예지력이 있는 집시가 있다고 들었다."

“아이고, 사람이었군. 벌써 죽을 때가 된 줄 알았지 뭐요.”

노인은 가슴에 손까지 얹고 크게 안도했다.

“죽음의 사자가 찾아온 줄 알았다오. 피 냄새가 너무 진해서 말이지.”

순간 알렉산드로의 한쪽 눈썹이 치켜 올라갔다. 밀런은 사기꾼이라고 했지만…….

‘사기꾼은 아닌 것 같군.’

웃는 낯을 한 그녀가 반갑게 안으로 손짓했다.

“어서 들어오시오.”

“어떻게 여기까지 귀한 걸음을 다 해 주셨소. 대접할 게 변변치 않구려.”

노인은 바짝 굽은 등을 하고 그에게 차까지 대접했다.

옛날 알렉산드로는 용한 점쟁이를 만난 적이 있었다. 바로 그의 누이, 레나였다. 레나는 첫 만남부터 매우 불퉁하고 제멋대로였다. 자신이 하고 싶은 말만 내뱉었다.

하지만 이 노인은 달랐다.

“그래, 그쪽께선 대체 무엇이 궁금한 거요? 묻고 싶은 만큼 마음껏 물어보시오.”

불운으로 여겨지는 저 붉은 눈이 인상적이긴 하지만 딱히 특별할

게 없는 늙은이였다. 그런데도 저절로 자물쇠가 열리듯 알렉산드로의 입술이 스르르 열렸다.

"나는…… 비밀이 있다."

여태껏 남에겐 한 번도 꺼내 본 적 없는 얘기였다.

"잊히지 않는 오래된 기억. 사랑했던 여자와의 추억이다."

알렉산드로는 제 입 밖으로 술술 나오는 전생의 비밀들이 스스로도 놀라웠다.

"내 기억 속에 선명한 그 여자를 찾고 있는데, 반드시 그 여자를 찾아야만 하는데……."

마법처럼 마음의 빗장이 풀린 알렉산드로는 저도 모르게 베아트리체와의 인연을 털어놓았다.

"도무지 그 여자가 내 앞에 나타나질 않아."

그가 허무한 웃음을 터뜨렸다. 어느덧 눈가에는 촉촉한 물기가 서렸다. 집시는 인자한 미소로 해답을 넘겨주었다.

"모든 걸 지나간 꿈이라고 생각하십시오. 그럼 고통도 없습니다."

"그럴 수 없다."

알렉산드로의 눈가가 찌푸려졌다. 지나간 꿈이라. 저 잔인한 답이 유일한 해답이라면 노인에겐 더 들을 것도 없었다.

"이 기억들이 전부 꿈이라면 난 꿈속에서만 살 것이다."

"허허. 이런……."

노인이 난감하단 듯이 턱을 괴었다. 알렉산드로가 상체를 가까이 하며 다급히 물었다.

"그녀는 대체 어디에 있지? 알고 있나?"

"저 같은 늙은 집시의 말을 믿으십니까?"

그가 천천히 고개를 끄덕였다. 오래 살아 본 바, 세상은 톱니바퀴처럼 원인과 결과만으로 돌아가는 게 전부가 아니었다.

"설명할 수 없는 일들, 눈에 보이지 않는 것들, 태어나 우연히 누군가를 사랑하고, 애정 어린 눈으로 지켜보는 것……."

운명.

"나는 그 힘을 믿는다."

노인의 붉은 눈동자가 호기심으로 빛났다.

"그래서 내 여자는 지금 어디에 있지?"

"그게 질문의 전부인가요?"

그건 당연히 알고 있다는 것처럼 들렸다. 반쯤 넋이 나간 얼굴로 알렉산드로는 집시에게 집중했다. 그러자 시간이 더디게 흘렀다. 이어서, 한 글자 한 글자가 느리게 들어왔다.

"그렇다면 잘못 찾아오셨습니다."

노인은 안타까운 눈빛으로 고개를 저으며 그를 회유했다.

"폐하께선 이미 다 알고 계시지 않습니까?"

알렉산드로의 가슴이 철렁 내려앉았다. 마지막까지 그가 딛고 있던 발밑이 무너지는 것만 같았다. 버릇처럼 오만하게 치켜들려 있던 그의 고개가 저절로 아래를 향했다.

'아니라는 말을 듣기 무서워 찾아가지 못했다.'

난 아무것도 모른다는 말이 그녀의 면전에서 나올까 무서워 입도 벙긋하지 못했다.

이 애타는 감정을 사랑이라 하지 않고 질척이는 미련이라고 할까 봐, 차마 물어보지 못했다. 그 모든 게 저 혼자만 가진 지난한 꿈이고 환상이니 잊고 살라는 말을 들을까 무서워 차마 묻지 못했다…….

오랫동안 참고 있던 그의 가슴 속에서 울컥, 열기가 솟았다.
"세상에 당신 마음대로 안 되는 일도 있다는 걸 알려 주기 위해서 신께선 사랑을 보여 주었는지 모릅니다."
알렉산드로는 좁은 방 안을 서성였다. 크게 숨을 들이마시고 내뱉는 모습이 당장이라도 폭발할 것 같았다. 그가 두 손으로 얼굴을 가리고 악을 쓰며 괴로워하는 모습이 고통스러워 보였다.
"너무 힘들면 이 약을 드리지요."
집시는 항상 품에 간직하던 작은 약병을 꺼내 들었다.
"기억을 잊는 약입니다."
청천벽력 같은 소리였다. 어떤 순간에도 알렉산드로는 전생의 기억을 잊고 싶다 여긴 적이 없었다. 유일한 사랑. 그녀와 함께했던 모든 순간들이 그의 영혼을 이루는 근간이었다. 추억이라는 이름을 붙여 지나간 기억으로 치부하기도 한없이 아깝기만 했다.
그가 꼼짝을 않자 결국 집시가 그 약을 손에 쥐여 주었다.
"하지만 알고 계십시오. 모든 것은 결국 와야 할 순간에 올 겁니다."
그는 세월의 흔적이 고스란히 묻은 집시의 얼굴에서 애써 희망을 찾았다. 소리 없이 애원하는 그 파란 눈동자를 바라보며 집시는 고개를 저었다.
"너무 괴로워하지도, 너무 슬퍼하지도 마십시오. 많은 걸 겪은 분이니 저보다 통달하셨을 것 아닙니까?"
"……."
알렉산드로는 제 손에 들어온 약병의 이질적인 감각에 얼어붙었다.
차갑다. 너무나…….
꼭 그녀를 알기 전의 제 삶처럼.

아무것도 없는, 먼지만 가득할 것 같은 그 작은 병 안에서 알 수 없는 액체가 출렁거렸다. 자신을 죽이려는 독약 같았다. 아니, 생명을 앗아가는 맹독보다 더 지독하게 느껴졌다.

알렉산드로는 거칠게 그 집의 문을 열고 나와 버렸다. 뜯겨져 볼품없이 너덜거리는 문짝이 꼭 제 순정 같았다.

"제발 모임만 참석해 주십시오. 남부의 귀족들이 도련님을 만나려고 날짜까지 미뤘답니다!"

그는 공작성에 돌아와 집사장의 잔소리를 들었다. 애원하는 모습이 퍽 불쌍했지만 알렉산드로에겐 어떤 감흥도 주지 못했다.

그때였다. 시종이 시끄럽게 뛰어오며 딸랑딸랑 종을 울려 댔다.

"큰일입니다! 큰일 났습니다!"

"방정맞게 무슨 일이냐."

집사장은 한숨을 내쉬며 고개를 털었다.

"그 종은 침략이나 공습 같은 위급 상황에서만 쓰이는 거라고 시종장이 일러두지 않았느냐?"

"집사장님, 공습입니다!"

"뭐야?"

평화롭던 칼스버그 공작성에 초유의 사태가 벌어졌다. 일순 알렉산드로의 눈가에 날카로운 빛이 들어왔다.

"드미트리 쿠피히트가 무장한 사병 백여 명을 데리고 성문을 개방하라 외치고 있습니다!"

기막힌 일이 벌어졌다. 시종이 숨을 헐떡이며 말했다.

"일가의 죄인인 밀런 쿠피히트를 데려가 단죄한다 합니다!"

성문 앞에 진을 치고 대기 중인 무장한 사병들이 소리쳤다.

"어서 이 문을 열어라!"

알렉산드로가 도착할 때까지 멀리서 쩌렁쩌렁한 목소리가 울려 퍼졌다.

"성문을 열고, 죄인 밀런 쿠피히트를 내보내라!"

제국의 역사보다 더 긴 시간 평화를 유지했던 칼스버그 공작성에선 좀처럼 본 적 없는 무시무시한 대치 상황이었다. 성의 모두가 성곽으로 뛰어나와 이를 구경했다.

알렉산드로는 대번에 드미트리 쿠피히트를 알아보았다.

사병들 중간에 선 거만한 표정의 사내. 한 번도 날을 간 적 없을 육중한 칼로 무장한 채, 화려한 망토를 걸치고 말 위에서 꼿꼿한 자세를 유지하려 인상을 쓰고 있는 남자.

연회에 자주 불참해서 서로 본 적이 없었기에 알렉산드로는 그 칼로 정체를 알아보았다.

"이럴 수가."

이어서 도착한 밀런의 얼굴이 하얗게 변했다. 그를 따라온 클로이는 말할 것도 없었다. 이 와중에 그녀가 밀런의 손을 꼭 붙들어 주는 게 보여 알렉산드로는 눈을 돌렸다.

"칼스버그는 더 이상 감추지 말고 죄인을 내놓아라!"

드미트리가 무슨 죄목을 들먹였을지 안 봐도 뻔했다.

"피로 동맹을 맺은 거룩한 양 가문 간의 불화를 초래한 죄! 무고한 드미트리 쿠피히트 경을 후계자 암살 사건의 배후로 지목한 죄! 쿠피히트 가문의 이름을 더럽힌 죄!"

가장 앞에 선 부관이 목이 터져라 소리쳤다.

"이는 목숨으로 갚아 마땅하다!"

걱정 어린 눈으로 구경 중인 사람들이 모두 수군덕거렸다. 그러자 말에서 뛰어내린 드미트리가 성문 앞까지 다가왔다.

철컥. 칼스버그의 경비병들은 긴장한 채 공격 자세를 갖췄다.

"밀런. 네 겁먹은 얼굴이 정말 볼만하구나."

"백부님, 어떻게 이럴 수 있습니까?!"

진부한 대화들이 오고 갔다.

"너 같은 애송이가 어떻게 대가문의 후계자가 된단 말이냐!"

"아무리 욕심에 눈이 멀었다 해도 어떻게 이런 짓을 하십니까? 창피하지도 않으십니까!"

다 뻔한 얘기였다. 그래도 알렉산드로는 드미트리의 기백은 높이 샀다.

하지만 귀가 따가웠다. 운도 실력이라고 적장자로 태어나지 못한 것도, 후계가 없는 것도 다 불운한 그의 운명이었다.

"닥쳐라! ……해서 난 가문을 지키려 했을 뿐이다!"

"변명 그만하십쇼! ……하셨을 때도 전 숙부님을 믿었는데!"

끝없이 이어지는 설전에 알렉산드로는 인상을 구겼다.

"밀런."

"어떻게 이런 배신을……! 응?"

"그만 떠들고 내려가라."

알렉산드로는 목청을 높이는 밀런에게 성곽 아래를 가리켰다.

"가서 백부를 죽여. 그의 목을 따 버리고 저들에게 승리자가 누구인지 보여 줘라."

조용한 그의 말에 모두가 집중했다.

"거저먹은 그 핏줄만으로 인정받은 후계자가 아님을, 가서 모두에게 증명해."

낮게 읊조리는 알렉산드로의 입가에 잔인한 미소가 서렸다.

"마침 구경꾼이 많다, 밀런."

잘되었다는 듯, 그가 겁먹은 제 친구를 위해 친히 먼저 성곽의 계단을 내려갔다.

"문을 열어라."

"하지만 저들은 무장한 사병들입니다."

시종장이 소심하게 말을 보탰다. 하지만 이내 떨어진 살벌한 눈빛에 손바닥 뒤집듯 말을 바꿨다.

"성문을 열어라!"

무거운 철문이 서서히 올라갔다. 그러자 드미트리의 사병들이 당장이라도 문으로 뛰어 들어올 기세로 칼을 움켜쥐었다. 위에서 내려다보던 것보다 훨씬 위압적이었다.

"죄인 밀런 쿠피히트의 죄를 증명하는 가문의 서신이 있다. 이를 확인하라."

드미트리의 부관이 굳은 얼굴로 다가와 봉인된 서신을 건넸다.

로드리고의 문장. 미쉘의 편지였다.

"볼 것 없다."

알렉산드로가 만류했지만 밀런은 이미 봉해진 왁스를 뜯었다.

사랑하는 동생아.

백 번, 천 번을 생각해도 네가 거저 받은 그 자리를 나는 도저히 용납할 수가 없구나. 너는 그 막중한 자리에 결코 어울리지 않는단다.

그러니 내가 아버지께 직접 물려받지 못한다면 내 아들에게라도 줘야겠다.

추신.

사랑하는 밀런. 나뿐만 아니라 큰아버지께서도 간절히 네 죽음을 원하고 계신단다. 투항하면 거세하고, 대신 그 목숨만은 살려 줄 것이다. 현명하게 생각하렴.

쿠피히트의 첫째, 미쉘 로드리고

야무지게 인장까지 찍힌 걸 보니 급조한 가짜는 아니었다.

'정말 누님께서.'

제 머리를 쓰다듬어 주던 손길이 아직도 선명한데, 배신감이 이루 말할 수 없었다. 큰 충격을 받은 밀런은 다리의 힘이 풀려 그만 비틀거리고 말았다.

"기사님, 정신 차리세요."

옆에서 클로이가 소곤거리며 몸을 부축했다.

"죄인은 당장 나와라!"

드미트리가 당장이라도 밀런을 끌고 갈 것처럼 소리쳤다. 결국 알렉산드로가 그들의 앞으로 나아갔다.

"무척 예의가 없군."

그러자 드미트리도 한 발자국 가까이 다가섰다.

"칼스버그의 차남."

출입문 경계선을 앞에 두고, 두 남자가 대치했다. 긴장감으로 순식간에 주위가 고요해졌다.

"이 땅을 넘어오는 순간 죽이겠다."

이는 가문 간 맺어진 조약에 명시된 사항이었다. 무장 사병이 땅을 침범했을 경우, 가주는 정당한 조치를 취할 수 있다.

"밀런만 넘겨라, 차남."

그와 시선을 부딪치던 알렉산드로는 이내 밀런의 멱살을 쥐고 몸을 일으켰다.

"너를 증명해라."

클로이가 안 된다며 팔을 붙들고 매달렸지만 알렉산드로는 꿈쩍도 않았다.

"기회다, 밀런."

그는 밀런을 떠밀었다. 칼을 쥐라고 눈짓했지만 밀런의 칼끝은 여전히 힘없이 아래를 향했다.

"저 한심한 꼴 좀 봐라!"

드미트리가 제 사병들과 함께 밀런을 비웃었다.

"저런 녀석을 후계자라고 받들었다니, 우리 가문의 수치다!"

그 상태로 고개를 떨군 밀런은 미동도 하지 않았다. 믿어 의심치 않았던 혈육의 배신에 큰 충격을 받은 모양이었다.
알렉산드로는 어쩔 수 없다는 듯 낮은 한숨을 내쉬었다. 한바탕 웃음을 터뜨린 드미트리가 자신만만한 얼굴로 소리쳤다.
“내가 직접 죄인을 데려가지!”
그가 성문 안으로 발을 내딛는 순간이었다.
“커헉!”
거침없이 날아온 칼날이 그의 가슴을 베고, 찰나에 다시 휘둘러진 칼이 그의 목을 베었다.
퍽, 데구루루.
눈을 까뒤집고 죽은 드미트리의 머리가 모래 바닥을 뒹굴었다. 믿을 수 없는 일이 벌어졌다. 주위는 찬물을 끼얹은 듯 고요해졌다.
한 박자 늦게, 성곽 위에서 하인들의 비명이 울렸다.
“도련님, 어떻게…….”
새된 시종장의 말이 허공에 흩어졌다. 조용한 칼스버그 가문에서 이런 참극이 벌어지리라곤 아무도 예상치 못한 일이었다.
이는 드미트리 쪽도 마찬가지였다. 다들 칼스버그를 범생이 꼰대 집안으로 만만히 알고 있었기에 이런 일이 벌어지리라고는 상상도 못 했다.
“칼스버그의 차남이 드미트리 님을 죽였어.”
“정말 가문 간 전쟁이라도 벌일 작정인가?”
“맙소사…… 그냥 밀런 쿠피히트만 데려오는 거라고 했는데.”
식겁한 사병들은 어찌할 바를 모르고 웅성댔다. 심지어 알렉산드로는 죽은 드미트리의 머리를 발로 툭툭 성의 없이 굴려 댔다.
사방에서 경악한 신음이 들려왔다. 오직 밀런만이 이런 상황을 미리 예측한 것처럼 빗진 얼굴로 제 친구를 응시했다.

이제 이 일은 쿠피히트의 후계 경쟁이 아닌, 쿠피히트와 칼스버그 가문 간의 불화가 되었다.

'나 때문에.'

알렉산드로가 스스로 짊어진 짐이었다. 밀런은 고맙고, 또 미안해서 친구에게 고개를 들 수 없었다.

알렉산드로는 떨어진 드미트리의 머리를 들어 보였다.

"칼스버그의 땅을 침범하면 이렇게 된다."

곳곳에서 놀란 신음이 터졌다. 적군도 아군도, 충격의 연속이었다. 드미트리의 부관마저 놀라서 얼굴이 하얗게 변했다.

"이 우매한 놈처럼 개죽음을 맞이하겠느냐?"

알렉산드로의 물음을 끝으로 감히 아무도 입을 열지 못했다. 짧은 침묵이 감돌았다.

"집사장."

"예…… 예!"

계단 위에 있던 집사장이 허둥지둥 뛰어 내려왔다.

'맙소사, 도련님께서.'

그마저도 저 배포가 놀라워 등에 전율이 흘렀다. 어느 누구도 두려워하지 않는 담대함은 선천적인 것이었다. 그러지 않고서는 모두를 아래로 내려다보는 저런 위엄을 가질 수 없으리라.

"이 머리를 미쉘 로드리고에게 보내라."

알렉산드로는 도발하듯 부관에게서 눈을 떼지 않은 채 말했다.

"또다시 이 땅을 침범하면 그녀와 그녀의 남편, 자식들까지 모두 찢어 죽이겠다고 전해라."

그가 피와 모래로 엉망이 된 드미트리의 처참한 머리를 건넸다.
"목을 잃은 저 시체는 성문에 걸어 둬라. 개머리를 위에 대신 꽂아 줘."
"알겠습니다."
집사장이 손짓하자 시종들이 질겁하며 그 시체를 옮겨 갔다. 그들이 시체를 가져갈 때까지, 부관을 비롯한 드미트리의 사병들은 꼼짝도 하지 못했다.
알렉산드로가 턱을 치켜든 채로 부관에게 눈짓했다.
"네 사병들에게 명해라."
부관은 움찔하며 다시 칼을 움켜쥐었다. 위압감이 엄청났다.
"이 성문을 넘어 전쟁을 벌이자고. 해 봐."
"……."
"어서 해 보거라. 네 배포는 어느 정돈지 구경하지."
"……."
손 떨리는 긴장감에 숨만 몰아쉬던 부관은 결국 칼끝을 떨어뜨렸다. 동시에 사병들의 무기가 전부 아래로 축 늘어졌다.
"……퇴각하라!"
부관이 소리치자 기다렸다는 듯이 사병들은 먼지를 일으키며 뒤로 멀어졌다. 알렉산드로는 그 모습을 지켜보다 명령했다.
"성문을 닫아라."
"예!"
잔뜩 기합이 들어간 외침이 퍼졌다.
순간 몸을 돌리던 알렉산드로는 누군가 미약한 힘으로 제 망토를 움켜쥐고 있단 걸 깨달았다. 동시에 질겁한 클로이의 하얀 얼굴이 한눈에 들어왔다.

'이 손이 정말 미쳤나 봐!'

얼른 제 건방진 손을 거둔 클로이는 급히 밀런을 부축했다.

"난 자격이 없어. 알렉스처럼 될 순 없다고."

모두의 앞에서 크게 자존심을 다친 밀런은 눈물로 범벅이 된 채 중얼거렸다.

"죽었다 깨어나도 그럴 수가 없어. 미쉘 누님…… 어떻게 내게 이럴 수가."

클로이는 그를 위로해 주려다가 금세 입을 다물었다. 섣불리 뭐라고 위로한단 말인가.

"어서 일어나세요. 어서요."

그녀가 끙끙거리며 덩치를 힘겹게 일으켰다. 밀런은 클로이의 두 배는 되는 체격이지만 상황이 상황인지라 아무도 그녀를 도와주지 못했다.

먼저 계단을 올라가던 알렉산드로 힐긋 그 꼴을 쳐다보곤 이를 갈았다. 못 본 척, 모른 척하려 했지만 그렇게 되지 않았다.

"……정말 못 봐주겠군!"

쾅! 벽을 내려친 그가 몇 걸음 만에 계단을 뛰어 내려왔다.

"따라와라."

거칠게 밀런의 목덜미를 움켜쥐곤 어디론가 향했다. 밀런은 나무끼는 깃발처럼 알렉산드로의 손에 붙들려 지하 감옥으로 끌려갔다.

"이러지 마세요! 우리 기사님께 이러지 마세요!"

알렉산드로는 엉겨 붙는 그녀를 한 손으로 떼어 내며 시종장에게 당부했다.

“이 하녀를 침실로 데려가라. 안정을 취하게 내버려 둬.”

“예!”

시종들이 반항하는 그녀의 팔을 양쪽에서 하나씩 붙들고 사라졌다.

일련의 상황을 지켜보던 집사장의 눈썹이 꿈틀했다. 한 끗 차이로 전쟁에 가까웠던 이 긴박한 순간에 여자를 챙긴단 말인가!

‘그것도 우리 도련님께서!’

집사장의 눈이 야심으로 빛났다.

‘그래, 기혼이라도 괜찮다!’

아마 대공 부부도 같은 생각일 거다.

‘안 된다고 해도 괜찮다!’

소싯적 제국을 들었다 놨다 하던 유명한 상인이었던 집사장에겐 다른 방편도 있었다. 그가 시종장에게 손짓했다.

“하녀를 어디로 데려가는 거지?”

“그야 별관에…… 하녀의 침실이겠죠.”

“아니, 그렇지 않다.”

“예?”

“도련님께선 지금 당신의 침실로 하녀를 부르신 거다.”

“네에?!”

시종장이 번뜩 고개를 돌려 멀어지는 클로이를 응시했다. 안 간다고 발을 구르더니 금세 얌전해진 그녀가 시종들과 나란히 걷고 있었다.

그 옆에선 잔인한 광경에 까무러친 어떤 시녀가 시종의 등에 업혀 갔다. 그래서 더 비교되었다.

“집사장님, 도련님께서 싫어하는 걸 잘 아시지 않습니까?”

시종장은 비밀스레 목소리를 낮췄다.

"무슨 생각이신지는 압니다. 저도 느꼈으니까요. 하지만 멋대로 일을 벌였다간 큰일 납니다."

잔뜩 겁먹은 그는 집사장을 보며 고개를 저었다.

"도련님 성격을 잘 아시잖습니까? 방금 무슨 일이 있었는지 못 보셨어요?"

"잔소리 말고 도련님의 침실로 보내."

"하지만…… 둘째 도련님은 그런 뜻이 아니셨을 텐데요?"

알렉산드로는 정말 그런 뜻이 아니었다. 하지만 이를 알면서도 집사장은 결연하게 고개를 끄덕였다.

"전부 내가 책임진다."

알렉산드로가 밀런을 지하 감옥으로 데려온 건 입단속 때문이었다.

"본론만 말하지."

밀런은 낡은 벽에 기대선 채 땅만 쳐다봤다. 실망스럽다는 말도 아까웠다. 알렉산드로는 거두절미하고 얘기를 꺼냈다.

"반도라스 영애와 결혼을 취소해라."

그녀는 너무 세력이 컸다. 반도라스 공작가와 결혼한다면 밀런이 더 이상 가문의 후계자 자리를 욕심내지 않는다 해도 미셸은 끝내 의심을 거두지 않을 것이다.

"보잘것없는 여자와 결혼해라. 네 아버지께 쓸모없는 아들이 되어 실망감을 안겨 드려."

지금처럼만 하면 된다는 말은 굳이 덧붙이지 않았다.

"최대한 빨리 네 조카를 양자로 들여라."

밀런이 뒤늦게 고개를 들었다.

"미셸 누님의 아들……?"

"그래. 조카를 사랑으로 키워. 네 친아들처럼."

귀가 축 늘어진 강아지처럼 밀런은 젖은 눈을 깜빡였다.

"네 조카에게 쿠피히트 가문을 안겨 줘라."

미셸은 결코 포기하지 않을 것이다. 영악하게 드미트리를 앞세우고 자신은 뒤로 빠져 있는 것만 봐도 그랬다. 그렇다고 밀런은 제 누님을 죽일 만한 성정이 못 되었다. 그는 유약했다.

쿠피히트 공작은 이미 하나뿐인 아들을 포기했다. 아니면 미셸을 막을 방도가 없거나. 어느 쪽이어도 답은 같았다.

"네가 살 길은 그것뿐이다, 밀런."

밀런의 조카, 즉 미셸의 아들은 이미 열두 살이었다. 4년만 기다리면 성인이 되니 요건이 갖춰진다.

"아니면 미셸과 그 일가를 참수하든가. 내가 증인이 되어 주겠다."

밀런은 대번에 고개를 저었다. 아기 때부터 봐 온 조카들의 모습이 눈앞에 아른거렸다. 동생이 없는 밀런에게 그 아이들이 태어났을 때의 기쁨은 말로 다 설명할 수 없었다. 그런데 그 애들을 참수하라고?

"그럴 순 없어."

미셸의 아이들, 즉 제 조카들은 착하고 예쁜 아이들이었다. 그리고 아무런 죄도 없었다.

"그 애들을 죽이고 쿠피히트 공작이 되어서 날더러 뭘 얻으란 말이냐. 누님은 이런 짓을 벌이고도 발 뻗고 잘 수 있을지 모르지만 난 아니야."

그래, 어쩌면 미쉘이야말로 진정 그 자리에 어울리는 사람인지 모르겠다.

"못할 짓을 저지르고 평생 후회하며 살고 싶진 않다. 한심하게 보일지 모르지만……."

이미 한계선이 바닥을 쳤기에 알렉산드로는 더는 밀런이 한심하지 않았다. 안일하고, 순진한 모습은 크게 실망스러웠지만 이제라도 깨달았다면 다행이었다.

'자신이 뭘 원하는지도 모른 채 사는 것보단 낫다.'

죽을 때까지 타인의 욕망을 제 것인 줄 알고 인형처럼 살다가 후회하고 원망하는 사람도 많았다.

밀런은 착잡하게 마른세수를 했다.

"내가 참 신세를 많이 진다. 원한다면 빨리 떠날게."

"네가 지금 떠나면 칼스버그의 꼴이 우스워진다."

쿠피히트 가문이 진상을 밝히는 성명문을 발표하거나, 미쉘의 공식적인 사과를 받기 전까진 밀런을 보낼 수 없었다. 그는 이제 진짜 볼모가 되었다.

"그리고 넌 이제 갈 곳이 없어. 정신 차려라, 밀런."

안타깝게도 알렉산드로의 말이 사실이었다. 밀런은 가문 간 불화가 해결되지 않고는 수도의 쿠피히트 공작저로 돌아갈 수 없었다. 더 머무는 것도 곤란하지만 마땅히 갈 곳도 없었다.

"이 일은 이제 내 몫이다. 모든 문제가 해결될 때까지, 네 거처와 안위를 책임지지."

제 입장을 배려하여 하는 말이었다. 밀런은 경악과 존경이 담긴 눈으로 친구를 응시했다. 그동안 그가 얼마나 가문의 일을 멀리 해 왔던가? 한데 저 대신 드미트리를 죽이고, 후계 경쟁을 가문 간의 불화로 바꿔 홀로 모든 걸 책임지겠다는 알렉산드로가 마치 거인처럼 보였다.

"알렉산드로, 넌 대체…… 넌 누구냐."

그의 관대함과 책임감, 담대함이 놀라워 밀런이 허탈하게 읊조렸다. 건장한 제 친구가 오늘은 하늘 위에 있는 사람 같았다.

"누가 시킨대도 못 할 짓을, 날 위해서……."

"착각 마라. 너 때문에 벌인 일이 아니야."

알렉산드로는 냉정하게 말을 잘랐다.

"땅을 침범한 무뢰한을 살려 보낼 순 없지. 그뿐이다."

감히 다시는 덤빌 엄두도 내지 못하게 싹을 완전히 잘라 버려야 한다.

"네가 그자와 같은 짓을 벌인다면 그땐 네 목을 자를 것이다."

"그래, 하여간……."

"남자라면 마땅히 가족과 가산을 지켜야 한다, 밀런."

'저 자식, 집만 지킬 줄 알지 입술에 가시가 돋쳐선. 에휴…….'

밀런은 속으로 불쌍한 제 친구를 한탄했다. 어쨌든 알렉산드로에게 신세를 진 건 사실이었다.

"언젠가 이 은혜를 갚을게."

"필요 없으니 네 앞가림이나 하면서 살아."

'말만 곱게 하면 진작 결혼도 가능했을 텐데.'

얼굴 멋져, 몸매 뛰어나, 집안 좋아, 능력 있어…… 그런데도 며칠 같이 지내 본 클로이는 싫다고 질색을 하니, 전부 저 입이 문제였다.

'사실 영웅이나 다름없잖아.'

알렉산드로는 드미트리를 단죄한 것이었다. 저 대신에, 가문 간 전쟁의 위험을 무릅쓰고서. 아까 그 자리에서 이를 모르는 사람은 없었다. 밀런은 새삼 얼굴이 뜨거워졌다.

"……네 말이 전부 맞았다, 알렉스. 난 쿠피히트 공작이 되길 간절하게 원하지 않았던 거야."

그가 힘없이 중얼거렸다.

"난 그냥, 나를 아껴 주고 또 내가 아끼는 사람들과 걱정 없이 살고만 싶다."

또 주절거리는구나 하고 무시하려던 알렉산드로는 넋 나간 밀런이 뒤이어 하는 말에 멈칫했다.

"그냥 행복하게."

대치하듯 마주 보고 서 있던 알렉산드로가 벽에 등을 기댔다. 행복. 행복이라…….

"행복은 갖기 어려워, 밀런."

"왜."

"가지려고 욕심내면 더 어렵다."

간절하게 행복을 욕심내는 자들은 이미 불행의 늪에 빠진 상태가 아니던가. 혼자서는 헤어나기 어려웠다.

"남들만큼만 평범하길 기도해라. 사랑하고, 함께 먹고 마실 친구가 곁에 있고. 사는 건 그것만으로 충분하니까.”

밀런이 전혀 예상치 못한 사람처럼 눈을 크게 떴다.

“네게 이런 말을 들을 줄이야.”

“나도 사람이다.”

“그래, 안다. 알지만 넌…… 모든 걸 초월한 신 같다고!”

언제나 한발 앞서서 생각하고, 모든 걸 다 경험해 본 사람 같다. 알렉산드로가 집착하는 건 오직 그 운명의 여자뿐이었다.

“가끔은 네가 평범한 사람이 아닌 것 같다는 의심이 들어.”

“판단은 스스로 해. 난 네 앞에 있다.”

그러면서 알렉산드로는 감옥을 나갈 것처럼 몸을 일으켰다.

“늦지 않게 빨리 움직여라.”

적을 죽일 수 없다면 원하는 것을 주고 타협을 하는 게 맞다.

“고민 좀 해 볼게.”

“고민은 누구나 할 수 있다. 행동은 용기 있는 자만이 할 수 있는 것이지.”

“아, 시간을 좀 줘!”

밀런이 버럭 소리쳤다. 머릿속은 혼돈 그 자체였다. 갑자기 어떻게 결혼을 취소하란 말인가. 하지만 골이 아파도 그 길이 맞는 것 같았다. 안 그러면 미셸은 포기하지 않을 테니.

‘반도라스한테 뭐라고 하지?’

밀런은 어려운 것보다 쉬운 것부터 해결 보기로 했다.

‘보잘것없는 여자라…….’

밀런은 알렉산드로가 말한 여자가 누구인지 대번에 눈치챘다. 이는 그가 준 암시였다.

'클로이.'

자신은 더 이상 관심도 없고, 또 그녀의 신세도 안쓰러우니 제게 거둬 주라고 하는 말이 분명했다.

'알렉스가 일러 준 대로만 하면 더는 누님과 다투지 않아도 돼.'

그럼 클로이의 신세도 나아질 테고, 자신의 일도 해결되니 일석이조 아닌가? 밀런은 어이가 없어 픽 웃고는 제 머리를 헝클였다.

"남자가 넷이 얽혀 있다더니."

내가 그중 한 명이 될 운명이었구나. 그 순간 멀어지던 알렉산드로가 멈칫하며 돌아섰다.

"……지금 무슨 소리냐?"

"아, 그 집시가 그러더군. 클로이한테 남자가 네 명이나 있다고."

"뭐?"

잘생긴 얼굴이 뒤통수를 맞은 사람처럼 멍해졌다.

"풋, 네가 그런 얼빠진 표정을 하다니 생전 처음 보…… 뭐야, 어디 가?!"

알렉산드로는 급하게 지하 감옥을 뛰쳐나갔다. 당장 해결해야 할 문제가 생겼다.

침실로 돌아가던 길이었다. 걱정이 많은 얼굴로 문 앞에 멈춰 선 클로이가 물었다.

“저와 기사님은 곧 떠나야겠죠? 가문끼리 척을 지게 생겼잖아요.”

“어흠, 그건 아직 단정할 일이 아니다.”

시종장은 고개를 빳빳이 들었다.

“쿠피히트 가문과 칼스버그 가문은 다른 어느 공작가보다 더 끈끈한 동맹을 맺어 왔다. 이렇게 끝나진 않을 거다.”

드미트리가 죽긴 했지만 마땅한 벌을 받은 셈이었다. 쿠피히트 공작은 할 말이 없을 터. 아마 칼스버그 대공도 적당히 사과만 받으면 없었던 일로 칠 것이다.

‘원체 정쟁을 싫어하는 점잖은 분이시니까.’

연락을 받으면 당혹스럽긴 해도 내심 차남의 대처가 자랑스러우시겠지. 아무렴, 제국 대공작의 성에 무장한 사병들이 저렇게 무례하게 쳐들어왔는데.

시종장을 비롯한 오래된 사용인들은 오히려 속이 시원했다.

“넌 걱정 말고 쉬거라. 우리 도련님과 소공작이 알아서 처리하실 거다.”

이렇게 말하는 게 옳은 것 같았다. 알렉산드로가 ‘이 하녀는 안정을 취하게 내버려 두라’고 했으니까.

“알겠습니다. 저희 기사님이 절 찾으시면 불러 주세요.”

“그래, 이만 쉬거라. 크흠.”

시종장은 침실 문이 닫히는 걸 확인한 뒤, 그녀가 먹을 만한 간식과 음료를 갖다 주라고 명령했다. 아무래도 이게 맞는 것 같았다.

‘늙은이가 노망이 났나.’

알프레도는 이 하녀를 알렉산드로의 침실로 안내하라고 했지만, 시종장은 그 말을 따르지 않았다.

'도련님께 무슨 벌을 받으려고.'

물론 저 하녀를 바라보는 눈빛이 심상치 않은 건 사실이었다.

하지만 알렉산드로는 고귀한 성품의 남자였다. 하는 말과 눈빛에 가시가 돋친 듯 오만하고 날카롭긴 해도, 그는 한 번도 여종을 희롱하거나 유희거리로 삼지 않았다. 음담패설도 즐기지 않을 만큼 고결한 남자였다.

'마음에 드는 여자가 있다고 대뜸 침실로 데려가는 건 절대 우리 도련님의 방식이 아니지. 암.'

게다가 저 잘생긴 얼굴이 인상을 콱 쓰고 있는 걸 보니 별로 기분도 좋지 않은 것 같았다.

'으응?'

순간 시종장은 눈을 크게 떴다. 알렉산드로가 급하게 별관의 계단을 오르고 있었다.

'아니, 우리 도련님이 왜 여기에! 어째서?!'

별관 서쪽은 그가 걸음 할 곳이 아니었다. 굳이, 굳이 찾는다면…….

시종장의 놀란 얼굴을 보고 알렉산드로가 눈을 가늘게 떴다.

"하녀는?"

"치, 침실에 있습니다."

정말 그 하녀를 찾아온 게 맞았다. 그것도 이 저녁에! 알렉산드로가 언제 여자를 찾은 적 있던가? 대낮에도 없었다. 시종장은 펄떡대는 가슴을 애써 진정했다.

"앞으로의 거처를 걱정하기에 일단 휴식을 취하라고 했습니다."

"잘했다."

깊은 한숨을 내쉰 그가 시종장에게 이만 가 보라고 손짓했다.

“예, 그럼.”

시종장은 자신을 지나치는 알렉산드로의 무심한 뒷모습을 보며 머리를 긁적였다. 알렉산드로가 향하는 곳은 의심의 여지 없이 그 하녀의 침실이었다.

‘그냥 도련님의 침실로 보낼 걸 그랬나.’

걸음이 다급해 보였다. 그것도 몹시나! 시종장은 체면도 잊은 채 계단 벽 뒤에 숨어서 그를 훔쳐봤다.

하녀의 침실 문 앞.

경비병도 없는 텅 빈 복도에 홀로 선 건장한 알렉산드로의 뒷모습에 시종장은 만감이 교차했다.

“후…….”

알렉산드로는 긴 한숨을 내쉬며 숨을 정돈하고 천장을 한 번 올려다보다 이내 정중하게 문을 두드렸다. 그 일련의 몸짓이 긴장한 것처럼 보였다.

이윽고 침실 문이 열렸다. 몇 마디 말을 나눈 뒤 그가 침실 안으로 들어가는 모습이 마지막이었다. 시종장은 거의 뛰어내리듯 계단을 내려갔다.

‘우리 도련님이 결혼하신다! 결혼이다! 결혼이야!’

얼른 예식을 준비해야 한다. 당연히 수도에서 하겠지만 그래도 혹시 모르니까! 주례로 유명한 집사장이 있어 시종장은 혹시 모를 기대에 가슴이 뛰었다. 이 기쁜 소식을 당장 알리려던 시종장이 멈칫했다.

‘그 노인네가 알았다간 일을 그르칠지 몰라. 함구하자.’

남녀 사이 어떻게 될지 모르는 일. 입방정은 금물이었다.

‘아니지, 누가 우리 도련님을 거부하겠어?’

얼마나 늠름하고 멋있는데!

‘가만, 드레스를 잘 만드는 디자이너가…….’

결국 시종장은 혼자 조용히 결혼식을 대비하기로 했다.

‘상황이 참 난감하게 됐네.’

전부 드미트리가 자초한 일이긴 하지만 어쨌든, 사람이 죽었다. 클로이는 걱정스러웠다. 밀런을 따라 수도에 가면 쿠피히트 공작저에서 그나마 안정된 생활을 할 수 있을 거란 기대를 품고 있었는데…….

‘일이 크게 번지지 말아야 할 텐데.’

속으로 구시렁거린 클로이는 옷가지를 정리하다 멈칫하며 침대를 응시했다. 달콤한 유혹이 밀려왔다.

‘잠깐 눈 좀 붙일까.’

길을 떠나면 또 하루 종일 말 위에 매달려 있어야 했다. 언제 떠나게 될지도 모르는 상황, 알렉산드로에게 쫓겨나도 할 말이 없는 입장이었다.

밀런은 필요하면 자신을 부를 테고, 이 별관은 원래 다니는 사람이 몇 명 없었다. 그마저도 저녁 식사 준비를 하러 다들 나가서 사방이 고요했다. 고민하며 클로이가 물끄러미 침대를 바라보던 그 때였다.

똑똑.

문을 두드리는 소리에 흠칫한 그녀가 얼른 거울을 돌아보고 매무새를 다듬었다.

'밀런이 찾나 봐.'

네, 하고 대답하며 벌컥 문을 열어젖힌 클로이는 순간 자리에 굳어 버렸다. 알렉산드로였다. 대번에 그녀의 표정이 얼어붙었다.

'이 남자가 여길 왜?'

좋은 일로 자신을 찾은 건 아닐 것 같았다.

'설마 날 드미트리의 첩자라고 오해한 건 아니겠지?'

암살자들이 쫓아온 게 마침 동행을 시작하고부터였으니 의심받을 동기도 확실했다. 당황한 그녀가 굳어만 있자 그가 손을 말아 쥐고 짧게 헛기침을 했다.

"네게 물을 것이 있다."

"저한테요? 무…… 무엇을요?"

그녀가 도통 앞을 비켜 줄 생각을 않자 알렉산드로가 안쪽을 눈짓했다.

"일단 들어가지."

"네? 아니."

그가 막무가내로 들어오는 바람에 클로이는 옆으로 비켜 줄 수밖에 없었다. 침실이래 봤자 침대 하나와 탁자, 나무 의자 하나뿐인 조촐한 공간이었다. 당연하게 알렉산드로가 그 의자에 앉자 클로이는 엉덩이를 붙이고 있을 데가 없었다.

침대 귀퉁이에 앉자니…… 그건 괜히 기분이 묘했다. 좁은 침실 한가운데에 저 커다란 남자가 앉아 있으니 방 안이 꽉 차는 느낌이었다.
결국 그녀는 알렉산드로는 마주 보는 위치에 멀뚱히 서서 귀를 긁적였다.
'여자 혼자 머무는 침실에 왜 들어오고 난리람.'
하지만 그 역시 여자의 침실에 들어온 건 처음이었다. 아니, 여자와 단둘이 한 공간에 머문 것도 처음이었다.
따지고 보면 그는 클로이에게 처음인 게 많았다. 소리치고 화낸 것도 처음이고, 누군가에게 이렇게 많은 궁금증을 가진 것도 처음이었다. 거부감 없이 손을 붙든 것도 그녀가 처음이었다.
왜 그랬을까. 왜 클로이에겐 모든 예외들이 비껴가고 그의 처음이 꼭 처음이 아닌 것처럼 낯설지 않은 것일까. 다른 여자에겐 그럴 수 없었던 것들이, 그러고 싶지도 않았던 것들이 왜 그녀에게만은 가능할까.
'남자가 넷.'
바로 그 해답을 얻고자 왔다.
—폐하께선 이미 다 알고 계시지 않습니까?
자신이 알고 있는 것, 그리고 그녀가 숨기고 있는 것. 진실을 대조해 볼 생각이었다.
'남자가 넷이라고.'
그녀가 베아트리체가 맞든 아니든 더 이상 피할 수 없었다.
"왜…… 저한테 뭘 물어보시려고요?"
알렉산드로는 시원한 대답 대신 애꿎은 입술만 물었다. 긴장으로 굳었던 가슴이 다시 두근거렸다. 집시 노인 앞에선 술술 나오던 얘기들이 막상 클로이 앞에선 나오지 않았다.

너무나 낯선 눈빛으로, 낯선 이를 대하듯 하는 저 겁먹은 얼굴 때문인지…… 클로이는 이리저리 눈만 굴릴 뿐 시선을 맞출 생각도 않았다.

그 모습을 빤히 바라보던 그의 입에서 불쑥 다른 질문이 나왔다.

"나와 함께 있는 것이 불편한가?"

"예?"

땅에 고개를 처박고 있던 클로이가 번쩍 얼굴을 들었다.

—그렇다는 대답보다 더 솔직하군.

그녀는 알렉산드로의 도톰한 입술과 담담한 눈동자를 번갈아 응시했다. 분명 입을 다물고 있었는데.

'그런데 지금 내가 들은 말은 뭐지?'

또다. 또 어디선가 들어 본 것 같은 말…… 또 환청을 들었다. 클로이는 자책하듯 얕은 한숨과 함께 눈을 꽉 감았다 떴다.

이제 제발 환청 같은 건 그만 듣고 싶었다. 자신을 이렇게 만든 목소리의 주인공, 그 남자가 원망스러웠다. 다른 인연도 찾지 못하게 하고 그렇다고 실체도 없는 허깨비 같은 사랑 때문에 제 삶은 완전히 엉망이 되었다.

"너는 정말, 내가 낯설고 불편하기만 하느냐?"

알렉산드로는 저도 모르게 자리에서 일어섰다. 서로 멀찍이 떨어진 거리 때문에 자신이 더 멀게만 느껴질 것 같아서였다.

"솔직하게 말해 봐. 어서."

그러자 클로이의 포도알 같은 눈동자가 불안하게 흔들렸다. 알렉산드로는 심연까지 꿰뚫어 볼 기세로 그녀에게서 눈을 떼지 않았다. 그러면서 안색을 달리하며 조심스레 물었다.

"네게도…… 말 못 할 비밀이 있느냐?"

—나는 네가 무슨 말을 해도 화내지 않아. 약속한다.

"……!"

또다시 환청이 들렸다. 식겁한 클로이가 도망치듯 주춤했다. 자꾸만 제게 말을 거는 이 남자는 대체 누구일까. 그리고 이 목소리의 주인공과 알렉산드로는 무슨 관계일까.

'나랑은 무슨 사이길래 이렇게 시도 때도 없이 속삭거려서 사람을 곤란하게 하는 거야!'

어느새 그는 클로이의 어깨를 붙들고 조금씩 뒷걸음질 치는 몸을 따라갔다.

"클로이."

그의 입술에서 제 이름이 나오자 그녀가 흠칫 놀랐다.

—클로이.

—클로이!

—정신 좀 차려 봐! 클로이!

머리가 깨지게 아팠다. 누구지, 나를 부르는 저 목소리. 간절하고 애타는 저 눈빛. 사파이어 같은 영롱한 저 눈동자를 분명히 예전부터 알고 있던 것 같은데…….

'사파이어?'

그 순간 웬 보석 목걸이가 그의 눈동자에 비쳐 보였다. 무거워 보일 만큼 호화로운 보석 목걸이였다. 서른 개가 훨씬 넘을 듯한 사파이어가 주렁주렁 매달렸다. 한데 그보다 놀라운 건 따로 있었다.

'저 남자가…… 웃고 있어?'

클로이는 알렉산드로가 저렇게 웃는 얼굴을 단 한 번도 본 적이 없었다. 한데 저 화려한 목걸이를 들고서 그가 웃고 있었다. 마치 품 안의 아주 사랑스러운 것을 지켜보듯, 다정한 미소를 띠고 그 보석 목걸이를 제게 걸어 주었다.

목이 무거운 기분이 들어 클로이는 제 목을 만지작거렸다. 하지만 보석 목걸이 같은 건 없다. 그는 웃고 있지도 않았다.

전부 자신의 환상이었다. 그의 눈동자에 아른거리던 환상들이 깨지고, 동시에 클로이의 등줄기를 따라 소름이 쭉 끼쳤다.

"너는 나를 안다. 그렇지?"

어마어마한 크기의 사파이어 목걸이, 그가 입고 있던 옷, 그가 걸치고 있던 금빛 망토. 온 세상을 발밑에 둔 사람 같은 당당하고 위엄 있는 눈빛. 그리고 제 머리 위에 얹혀 있던 묵직한 관의 느낌…….

모든 게 예사롭지 않았다.

'이게 뭐지.'

대체 어디서 이런 불경한 상상들이 비롯되었단 말인가. 클로이는 자신이 본 환상을 들킬세라, 필사적으로 고개를 저었다.

"모, 모릅니다."

그를 안다고 말하려면 제가 본 이 환상을 먼저 인정해야 했다. 그리고 황실 모욕죄는 사형이었다.

"정말 모르겠어? 나를 잊었느냐?"

그가 상체를 숙여 몸을 가까이하며 애절한 얼굴로 제게 매달렸다.

"네가 사랑했던 나를?"

식겁한 클로이의 눈꺼풀이 파르르 떨렸다. 심장이 뛰다 못해 밖으로 튀어나올 것만 같았다.

"왜…… 왜 이러세요. 사, 사, 그런 것 한 적도 없고, 잊은 적도 없습니다. 기사님을 정말 모릅니다."

정숙한 처녀가 환청을 듣는다. 그것도 어떤 젊은 남자의 사랑 고백을 어릴 때부터 들어왔다. 더군다나 실존하지도 않는 그 남자 때문에 결혼식에서 도망쳤다.

그런데 이제는 황궁에서 관을 쓰고, 보석 목걸이를 목에 거는 상상까지? 정신 나간 여자라고 손가락질만 받으면 다행이었다.

'마녀라고 끌려갈지도 몰라.'

클로이는 이미 엉망진창인 제 인생이 제발 더는 망가지지 않길 바랐다. 알렉산드로는 명문가의 차남이지만 자신은 신분도 증명할 수 없는 처지 아닌가.

'날 지켜 줄 사람은 아무도 없어. 나 자신밖에는.'

번뜩 현실로 돌아온 클로이가 제 어깨를 붙든 그의 손을 떨쳐 냈다. 아니, 그러려고 했지만 그가 놓아주질 않았다.

"이거 놔주세요……."

눈을 꼭 감으며 어깨를 비틀고 몸부림치자 알렉산드로가 정신 차리라는 듯 그녀를 바짝 당겼다. 약간 화가 난 것 같았다.

"넌 거짓말을 했다. 나에게."

놀란 클로이는 숨도 제대로 쉴 수 없었다.

"내겐 정인이 죽었다고 말했지만 밀런은 네가 어떤 남자를 찾고 있다고 했어. 그건 누구지?"

어깨를 감싸고도 남는 커다란 손. 힘이 들어가니 뼈가 부서질 듯 아팠다.

"왜 거짓말했느냐? 왜 모르는 척했어?"

그가 어깨를 쥐고 흔들며 별안간 소리쳤다.

"나를 찾고 있었으면서! 나를 알고 있었으면서!"

귀에서 천둥이 떨어지는 것만 같았다. 클로이는 있는 대로 몸을 움츠렸다.

"왜! 왜 나를 낯선 남자를 보듯 그렇게 쳐다보느냐!"

그의 목에 핏대가 솟았다. 서로의 숨이 닿을 만큼 가까운 거리였다. 끓는 열기가 고스란히 느껴졌다.

왜 하필이면 제게 이러는지 이러다 심장 마비로 죽겠구나 싶어 클로이는 겨우겨우 입술을 떼었다.

"제가, 저, 제가 어떤 남자를 찾는 건 맞지만…… 그건 그쪽 기사님이 아닙니다."

"하."

알렉산드로에게서 기막힌 탄식이 흘러나왔다. 여태껏 클로이는 단 한 번도 그를 이름으로 부르지 않았다.

그랬다. 그녀는 알렉산드로를 어떻게 불러야 할지조차 생각해 본 적이 없었다. 서로 부르고 대답하는 그 어떤 얕은 관계라고도 여긴 적이 없었다.

"저는 맹세코, 안테노르 공작령의 그 야산에서 도련님을 처음 뵈었습니다."

질겁한 얼굴로, 힐끔힐끔 제 눈치를 보면서도 결코 듣길 원하는 말을 해 주지 않는다.

"어떤 오해를 하셨는지 모르겠지만…… 말씀하신 어떤 것도, 저는 아닙니다."

이 잔인한 소리를 듣는 와중에도 알렉산드로는 자꾸만 그녀와 베아트리체가 겹쳐 보여 미칠 것만 같았다. 자신을 모른다는 저 포도 알 같은 눈동자를…….

"그럼 네가 찾는 그 남자는 누구냐."

겨우 숨을 돌리려던 클로이가 우물쭈물했다.

"어서 말해!"

"저, 저도 모릅니다!"

질끈 눈을 감은 그녀가 소리쳤다.

"황당하게 들리시겠지만 저도 누군지 정확히 모릅니다. 기사님께서 꿈속의 여인을 찾으시듯, 저도 안개처럼 희미합니다."

"나는 내 여자를 안다. 내가 누구를 찾는지, 그녀가 어떤 사람인지 누구보다 잘 알고 있어."

그러니 너도 알지 않느냐며 알렉산드로가 자꾸만 자신을 다그쳤다.

"그냥 어렴풋이, 느낌만 압니다."

클로이는 그에게 벗어나려 어쩔 수 없이 사실을 털어놓았다.

"어떤 남자이겠구나, 하는 흐릿한 느낌만……."

갈수록 그녀의 목소리가 작아졌다. 그가 이해나 할 수 있을까? 제가 듣는 환청과 환상에 대해서 설명하지 않는 이상 모를 텐데.

으스러뜨릴 듯 어깨를 쥐고 있던 손이 스르르 풀어졌다. 기회를 틈타 클로이는 재빨리 두 발자국 멀리 거리를 벌렸다. 워낙 좁은 단칸 침실이라 쳇바퀴 돌 듯 빙글 돌아 도망치는 게 전부지만 마주 서 있는 것보다 훨씬 나았다.

알렉산드로와 코앞에 있는 동안 클로이는 바위에 깔린 사람처럼 숨도 제대로 쉴 수 없었다. 의도했든 의도하지 않았든 그에겐 사람을 내려다보는 압도적인 분위기가 있었다.

"그럼 그 남자가."

한결 기세가 누그러진 그가 부드러운 어조로 다시 캐물었다.

"나일 수도 있겠군."

"예?"

"네가 찾는 남자."

클로이는 멍해졌다. 그런 의심은 해 본 적이 없기에 도리어 그가 저런 생각을 했다는 게 믿기지 않았다.

'내가 찾는 남자가 자기라고……?'

그렇지 않느냐는 듯, 그의 눈썹이 치켜 올라갔다. 오금이 저려 저도 모르게 동조할 뻔했지만 클로이는 애써 고개를 저었다. 사나운 그 표정을 못 본 척 눈을 내리깔았다.

"아니요, 그건 아닙니다……."

"어째서?"

땅에 고개를 처박은 그녀가 솔직한 이유를 댔다.

"모든 게 다릅니다. 제 남자, 아니 제가 찾는 남자는 그쪽 기사님과 어떤 공통점도 없습니다."

드미트리의 목을 날렸던 그 순간을 상기하고, 클로이는 제 두 손을 공손히 모은 채 설명했다. 목소리, 말투, 언행이 전부 다르다고.

"지금 무슨 오해를 하시는지 모르겠지만 저는 정말 기사님을 모르던 사람입니다. 그러니까……."

"알렉산드로."

팔짱을 끼고 가만히 듣던 그가 말을 잘랐다.

"거슬리는군. 호칭을 정리해라."

벙찐 클로이가 무례란 것도 잊고 그를 물끄러미 응시했다.

"지금…… 저더러 이름을 부르라고 하신 건가요?"

"그래."

이 남자를 대체 어떻게 불러야 할지 모르겠어서 고민되긴 했었다. 칼스버그의 사람도 아닌데 도련님이라 부르기도 어색하고, 기사님이라고 하기엔 서임을 받지 않았고. 소공작이라 하면 편하겠지만 본인 입으로는 절대 후계자가 아니라 부정하니 그렇게 부를 수도 없었다. 마음 같아선 그냥 '그쪽'이라고 부르고 싶지만 그건 무례였다.

평민들은 진위에 상관없이 검술에 능한 귀족들을 '기사님'이라고 부르니 클로이도 그냥 그렇게 불렀다. 검술도 특출 나니까.

"나를…… 나를 알렌이라고 부르는 이들도 더러 있다."

그녀가 고민하자 알렉산드로가 딴 곳을 쳐다보며 덧붙였다.

'알렌?'

이곳에서도 이름으로 그를 부르는 이가 한 명도 없는데, 갑자기 제게 그렇게 다정한 애칭을 허락한다는 게 어이가 없었다. 클로이는 머리가 하얘지는 기분이었다.

'나한테 왜 이러지?'

도무지 이해가 되지 않았다. 자신을 뚫어져라 깊게 쳐다보는 그의 시선이 항상 느껴졌던 건 사실이다. 하지만…….

"대체 왜 그러십니까? 분명히 처음엔 저를 혐오에 가깝게 싫어하셨습니다. 그러시더니 갑자기."

"그런 적 없다."

억울하지만 딱 잘라 부정하는 그에게 감히 더 따질 수 없었다.

"……예, 기사님이 아니라고 하시면 아닌 거지요. 어쨌든 전 이름으로 부를 수는 없습니다."

"클로이."

한숨을 내쉰 그가 못내 답답한 얼굴로 다가왔다.
“네가 찾는 그 남자가 바로 나다. 왜 모르는 것이냐?”
“네에?”
“일부러 모르는 척을 하느냐? 내게 서운해서?”
클로이의 눈이 확 커졌다.
“제가 왜 서운하겠습니까? 그럴 사이도 아닌걸요! 그리고 말씀드렸다시피 그…… 기사님께서는 제가 찾는 남자가 아니라니까요?”
“네가 누굴 찾는지도 모른다면서 왜 나는 아니라는 거지?”
“글쎄 누군지는 몰라도 기사님은 아닙니다!”
“클로이!”
어깨를 확 잡아당기자 놀란 그녀가 숨을 들이켰다.
“엄마야!”
“왜 나를 모르는 척하고, 부정하려고만 하느냐? 어째서? 어째서!”
클로이에게 서운하냐고 물었지만 진짜 서운하고 서러웠던 건 바로 알렉산드로였다. 이름도 같고, 얼굴도 같다. 지금까지 10년간 베아트리체와의 재회만을 기다려 왔다. 전생을 기억한 이후부터 알렉산드로의 모든 행보는 베아트리체에게 맞춰졌다.
결혼도 거부했고, 기사 서임도 받지 않았다. 스무 살 전에 결혼을 못 하면 객사한다는 예언조차 무시했다. 아버지 칼스버그 대공의 기대를 저버리고 수도를 훌쩍 떠나 버린 것도 그랬다.
전생과 달라진 건 그레이엄이라는 성 하나뿐이건만. 그런 자신을 코앞에 두고도 몰라보는 그녀에게 서운했다.
마침내 참고 또 참았던 질문이이 터져 나왔다.
“정말…… 나를 잊었느냐?”

아니다, 아닐 거다……. 그렇게 수없이 스스로를 다독였지만 알렉산드로는 모를 수 없었다. 영문 모르는 낯선 시선으로 자신을 바라보는 저 동그란 눈동자를 보고 있자면, 결코 모를 수 없었다.

"뭐…… 뭘 잊었냐고 하시는 건지……."

그녀는 나를 잊었다.

이 사실을 확인하자 버려진 것만 같았다. 모든 게 돌로 만들어진 얼어붙은 세상에 온몸이 갈기갈기 찢긴 채 홀로 내버려진 기분이었다.

"어떻게 잊었어. 어떻게!"

그가 우악스럽게 어깨를 쥐곤 악을 질러 댔다.

"네가 어떻게 나를 잊어!"

그녀가 소심하게 '왜 이러세요.' 하고 울 것처럼 중얼거렸다. 그의 평소 모습과는 완전히 딴판이라 클로이는 경악을 넘어서 이 남자가 혹시 지금 미친 게 아닌가 무서울 정도였다.

"영원히 사랑하겠다고 하지 않았느냐! 날 기다리겠다고 하지 않았어!"

아무래도 정신이 나간 것 같았다. 눈물이 찔끔 나오면서도 클로이는 그가 내뱉는 말들 하나하나가 다 놀라웠다.

'사랑? 영원히……?'

결코 함부로 내뱉을 수 있는 말들이 아니었다. 그래서 감히 그를 설득하거나, 아니라고 대꾸할 생각조차 들지 않았다.

"절대로 헤어지지 않겠다고 맹세했잖아!"

어차피 제가 뭐라 말한대도 귀에 새겨듣지도 못할 무아지경 상태였다.

"나만은 남겨 뒀어야지! 아무것도 기억을 못 한대도 나는 남겨 뒀어야지!"

쾅! 벽을 내려친 그의 손이 미끄러지듯 클로이의 어깨에서 팔뚝까지 내려왔다. 그녀를 벽과 자신의 사이에 둔 알렉산드로가 쓰러지듯 고개를 묻었다.

설움이 섞인 거친 그 숨소리가 클로이에겐 천둥소리처럼 들렸다. 이 거대한 남자가 무너지는 소리가 세상이 갈라지는 것만큼이나 충격이었다.

화를 내면서 동시에 그는 슬퍼하고 있었다. 깊은 수렁에 빠진 채 제발 살려 달라 애타게 소리치고 있었다. 결코 어떤 말도 그를 위로할 수 없으리라.

제게 물어볼 게 있다더니 회유하다가, 화내다가, 설득하다가, 하다 하다 이제는…….

'진짜 미쳤나 봐. 어떡하지?'

클로이는 이러지도 저러지도 못 한 채 인형처럼 굳어 버렸다.

"정말 모르겠어?"

그가 불쑥 고개를 들었다. 금방이라도 서로의 입술이 닿을 것처럼 가까워 덜컥 가슴이 뛰었다.

'나도 미쳤나 봐. 어떡하지?'

방금까지 그가 정신이 나갔다고 생각해 놓고는 이런 상황에 두근거렸다. 이제는 둘 다 미쳐 버린 게 아닐까 헷갈렸다.

"내가 누구인지 정말 모르겠느냐?"

보석 같은 그의 파란 눈동자가 촉촉하게 젖어 들었다.

"네가 사랑하던 남자다, 나는……."

한탄과 애원이 섞인 진실 고백은 설움 속에 흩어졌다.

그가 전한 순정은 감히 그 크기가 짐작되지도 않을 만큼 너무나 짙고, 질긴 감정이었다. 클로이는 도저히 감당이 되지 않았다.

아름다운 그의 눈동자 가득 눈물이 너울댔다. 그녀는 못 볼 걸 본 사람처럼 화들짝 놀라 시선을 돌렸다. 당황스러운 나머지 등골이 다 오싹했다.

그가 미친 사람처럼 화를 내던 순간보다 소리 없이 눈물을 삼키는 지금이 더 무서웠다.

"저어, 흠흠, 이러지 마시고……."

알렉산드로가 자신을 마치 우물에 던져진 동아줄처럼 하도 꽉 쥐고 있어, 어깨는 물론이고 머리가 다 어지러웠다.

몸을 피하려고 옆으로 걸음을 옮기던 클로이는 그만 다리가 꼬여 혼자 넘어지고 말았다.

"어엇!"

다행인지 불행인지 하필 침대였다.

알렉산드로는 자빠진 그녀를 일으켜 주지 않았다. 대신 지그시 침대를 짚으며 그녀를 타고 올랐다.

슬픔에 잠긴 거대한 그림자가 클로이를 덮쳤다. 간신히 찾은 제 여자가 정말 자신을 기억하지 못할까 봐, 마음이 조급해진 알렉산드로는 사색이 된 그녀의 손을 잡곤 제 몸으로 가져갔다.

"만져 봐라."

클로이는 붙들린 손으로 제 의지와는 상관없이 그의 단단한 가슴을 만져야 했다. 두꺼운 옷감 위로도 더운 열기가 전해질만큼 체온이 높았다. 펄떡거리는 심장 박동이 느껴질 정도였다.

"다 만져 봐, 어서."

목, 쇄골, 턱, 볼까지. 뜨겁고 매끈한 그의 피부가 손바닥에 닿자 꼭 달궈진 쇳물처럼 느껴졌다. 그 벼락같은 감각에 클로이가 주먹을 쥐려 하자 그가 억지로 손을 펴선 제 얼굴로 가져갔다.

"모르겠어? 기억나지 않느냐?"

쭉 뻗은 콧날과 부드러운 입술. 그의 모든 게 그녀의 손가락에 닿았다. 촉촉한 눈물까지도.

"정말 아무것도 모르겠어……? 아무것도?"

설움에 잠겨 있던 그가 별안간 인상을 쓰곤 버럭 댔다.

"네 것인데 모를 리가 있느냐? 이 전부가 다 네 것인데! 왜 모르느냐, 왜!"

알렉산드로는 입만 벙긋대는 그녀가 기억을 되짚는 거라고 생각했다.

하지만 자세히 보니 클로이의 얼굴에 서린 건 두려움뿐이었다. 단둘뿐인 이 좁은 침실에서, 행여 제게 겁탈이라도 당할까 봐 반항조차 하지 못한 채 숨을 집어삼키고선…….

그 공포심을 읽고 알렉산드로는 찬물을 뒤집어쓴 기분이었다. 제기랄. 욕설을 지껄인 그가 거칠게 몸을 일으켰다. 그러자 그녀가 허둥지둥 뒤따라 일어섰다.

침묵만 가라앉은 둘 사이에 침대가 삐걱대는 소리가 적나라했다.

'전부 부질없어졌다.'

그는 클로이가 어떤 눈으로 자신을 보는지 알 수 없었다. 더는 궁금하지도 않았다. 참담했다. 차마 그녀를 똑바로 쳐다볼 수 없어 돌아선 알렉산드로가 사과했다.

“……실수했다.”

클로이는 아무것도 모른다. 이미 예상하고 있었으면서 제 귀로 직접 듣는 게 무서워서 피하고만 있던 주제에 진실을 확인하곤 세상이 뒤집어지는 것 같았다. 그래서 성급하게 그녀를 다그치느라 어떤 입장인지 헤아리지도 못하고 불안하게 만들었다.

‘아무것도 모르는 여자를.’

수치스럽고 미안했다. 홀로 연민에 빠져선 저 조그만 여자를 협박하듯…….

의도와 다르게 만들어진 상황이지만 어쨌든 자신이 초래한 일이었다. 최악이었다.

‘겨우 이것밖에 안 되는 남자였나, 내가.’

기껏 찾아와 호감도 사지 못하고 그녀가 저에 대한 어떤 기억도 없다는 사실만 확인했다. 지난 추억을 되새기며 연인의 사랑을 그리워하는 건 오직 저 혼자뿐이었다.

‘제발 꿈이길.’

꿈이라도 너무 잔혹했다. 변명도 나오지 않을 만큼 모든 게 비참했다. 시간을 돌리고만 싶었다. 백 번 천 번을 다시 죽는데도 그녀가 저를 기억하는 세상에서 살고 싶었다.

‘끝인가.’

그런 것 같았다. 모든 게 끝났다. 그의 가슴속에 남은 건 아무것도 없었다. 베아트리체를 찾을 수 있으리라는 희망, 다시 그 운명 같은 사랑을 이어 가리라는 설렘.

사랑하는 여자에게 사랑만 받고 싶었던 제 소원…….

그 모든 게, 전부 끝이었다.

'차라리 몰랐다면 좋았을 텐데.'

차라리 오늘 클로이를 찾아오지 않았더라면. 자신이 찾던 여자가 클로이라는 걸 몰랐다면.

그럼 영원히 저 혼자서 베아트리체를 찾아 헤매며 살았을 텐데. 어딘가에 지난 추억을 간직한 그녀가 나를 기다리고 있을 거란 희망을 가진 채 부질없는 여행을 계속할 수 있었을 텐데. 그랬다면 차라리 좋았을 것을…….

순간 놀란 클로이는 두 손으로 제 입을 틀어막았다.

'헉.'

거울로 알렉산드로를 훔쳐보며 상황을 살피다 심장이 멎을 뻔했다.

'저 얼음장 같은 남자가?'

그의 잘생긴 얼굴 위에 눈물이 흘렀다. 그것도 기어코 막았던 봇물이 터지듯 줄줄 흘러내렸다. 클로이는 이상하게 속이 탔다.

'정말 눈물이야……?'

찔러도 피 한 방울 안 나올 것 같은 남자가 저러니 충격이 이만저만이 아니었다.

순간 손을 뻗은 클로이가 멈칫했다. 저도 모르게 다가갈 뻔했다. 가서 달래 줄 뻔했다. 뒤에서 안아 줄 뻔했다. 저 강인한 남자가 당장 쓰러질 것처럼 위태로워 보여서.

그가 자신의 커다란 한 손으로 급하게 얼굴을 훔쳐 냈다.

"두 번 다시 네게 곤란한 질문을 하지 않겠다."

언제나 오만할 정도로 당당하던 그 남자가 아니었다. 기품 있는 말투는 평소와 같았지만 낮게 가라앉은 마른 목소리가 그의 애끓는 결핍을 드러냈다.

"너를…… 다른 누군가로 의심하지도 않을 것이다."

말을 마친 동시에 그는 도망치듯 침실을 나갔다.

클로이는 한참이나 못 박힌 듯 서서 알렉산드로가 있던 자리를 응시했다.

'뭐지. 기분이 너무 이상해.'

평소에 한참 아래서 올려다보는 그는 거인 같았다. 아무것도 두려울 게 없는 커다란 남자.

하지만 오늘의 그는 그렇지 않았다. 처참하게 박살 난 속내가 눈에 보여 불쌍할 정도였다. 순정을 이렇게나 소중히 여긴다는 것도 놀랍지만 그가 저만큼 상처받는 사람이라는 것도 놀라웠다.

알렉산드로가 방금 제게 저질렀던 무례한 행동들, 미친 사람처럼 사랑을 말하고 자신이 기억나지 않느냐며 다그치던 그 모든 일들은 금방 잊혔다.

'저 사람…… 괜찮을까?'

클로이에게 남은 건 오직 그의 눈물뿐이었다.

밀런은 타협이라 생각하고 미셸에게 서신을 보냈다.

반도라스 공작가와 약혼을 취소하고, 다른 여자와 결혼하여 미셸의 아들을 양자로 삼아 그 아이가 쿠피히트 공작이 될 때까지 정성을 다하겠다는 내용이었다. 그러자 그간 어떤 답장도 없던 미셸에게서 곧장 회신이 돌아왔다.

그럼 그렇게 하자꾸나.

이로써 모든 게 확실해졌다.

'알렉스 말이 맞았어.'

밀런 자신이 진정 원하는 건 공작위가 아니었다. 물론 시켜 준다면 하겠지만, 화목한 가문에 분란을 만들면서까지는 아니었다. 미쉘이 저토록 원하는데 그걸 빼앗아 오고 싶진 않았다. 그 정도였다.

닦달하는 아버지와 어머니가 옆에 없으니 결정이 더 쉬웠다.

'어쩌면 아버지는 이미 알고 계셨는지도 몰라.'

제 힘으로 미쉘과 드미트리를 해결하길 바라며, 시험하듯 일부러 방관했는지도 모른다.

하지만 밀런은 그러지 못했다. 이 또한 그의 선택이었다. 온전히 홀로 고민하고 결정한 결과인 만큼 감내해야겠지만 우선 마음이 홀가분했다.

밀런은 미쉘과의 약속을 이행하기 위해서 첫 번째로, 클로이를 찾았다.

"……해서 난 결혼하자마자 누님의 아들을 양자로 들여야 한다. 우리 가문의 후계자로. 아마 이런 조건을 받아들일 여자는 많지 않겠지."

"정말 그렇겠네요."

그런데 고개를 끄덕이는 클로이의 눈빛이 텅 비어 있었다.

"제 자식이 장차 가문의 후계자가 되길 바라는 건 당연하니까.

그것도 이 밀런 쿠피히트와 결혼하는데 말이다.”

말을 마친 밀런은 저와 그녀의 사이에 있는 탁자를 노크하듯 똑똑 두드렸다.

“……네?”

“지금 듣고 있어? 중요한 얘기란 말이다.”

“네에, 듣고 있었어요.”

클로이는 어색하게 웃었다.

‘이런 얘길 왜 나한테 하는 거야, 정신없어 죽겠는데.’

이 늦은 시간에 갑자기 부르더니 결혼이며 양자 얘기를 꺼내는 것이다. 알렉산드로와의 일로 혼란이 다 가시지 않았는데.

밀런이 양자를 들이든 결혼을 하든 말든, 자신은 쿠피히트 공작저에서 일만 열심히 하면 될 거라고 생각했다.

그보다는 알렉산드로가 그녀의 가슴에 돌덩이처럼 얹혀 있었다.

‘내가 미안할 게 없는데…….’

아니, 그가 제게 실수하지 않았던가? 그런데도 이상하게 빚진 기분이 들었다.

눈물을 봐서 그런가. 제게 해일처럼 몰아치고 가 버린 알렉산드로 때문에 밀런의 말을 귀 기울여 듣기 힘든 게 사실이었다.

‘그래도 이 밤중에 나까지 불러서 하소연하는 걸 보면 고민이 많나 보네. 불쌍하니까 성의껏 들어 주자.’

클로이는 애써 떠오르는 상념들을 지우고 최대한 밀런에게 집중했다.

“그래서 나는, 결혼할 여자에게 최선을 다할 생각이다. 내 아내는 양자를 친아들처럼 키워야 하고, 우리 사이엔 사랑도 없을 테니까.”

클로이는 '그렇군요.' 하는 추임새를 간간이 넣으며 밀런의 결심을 들었다.

"대신 돈과 지위, 명예만큼은 반드시 지켜 줄 거야. 반드시."

"다짐이 대단하시네요."

"난 여자한테 야박하지 않아. 그건 너도 알지 않느냐?"

"그럼요, 알죠. 얼마나 다정하신지."

"하물며 아내라면."

눈을 빛낸 밀런이 상체를 숙이고 얼굴을 가까이 했다.

"내가 얼마나 잘해 주겠느냐?"

"맞아요. 정말 그러실 거예요."

클로이의 동의로 용기를 얻은 밀런이 멀끔한 치아를 빛내며 환하게 웃었다.

"클로이."

"네."

그가 조심스레 손을 뻗어 무릎 위에 올려 둔 그녀의 손을 잡았다.

"네가 내 아내가 되겠느냐?"

"예?"

그야말로 마른하늘에 날벼락 같은 소리였다. 동그랗게 변한 클로이의 눈을 보고 밀런은 안심하란 듯 고개를 저었다.

"물론 네가 거절하면 강요할 생각은 없어. 하지만 네게도 나쁜 수는 아니지 않느냐?"

클로이는 예상치 못한 제안에 그저 당혹스러웠다.

"너와 동행하는 동안 난 무척 즐거웠다."

밀런의 선한 눈가가 반쯤 접혔다. 호수를 연상케 하는 저 녹색 눈동자엔 거짓이 없었다.

"가족이 아닌 여자와 이렇게 가깝게 지낸 게 처음인데도 편안했고, 꼭 오래 알던 사이처럼 네게 많은 걸 얘기했지."

"그건 저도 마찬가지예요."

"하녀와 주인의 관계이긴 했지만 사실 우리는 친구…… 에 더 가깝다고 생각했다, 나는."

그가 진솔하게 속을 터놓자 클로이도 점차 밀런의 입장을 이해했다.

견제를 피하려면 거창한 친정도 없고 뒷배도 없는, 허수아비 같은 아내가 필요할 것이다. 쿠피히트 가문의 후계에 욕심이 전혀 없는 여자.

게다가 밀런은 정말 친구처럼 그녀를 꽤 마음에 들어 했다. 클로이는 직감적으로 알고 있었다.

"만약 결혼을 한다면 우리 둘 사이엔 복잡한 이해관계가 얽힐 테고, 또 수많은 결정들이 놓이겠지만……."

그도 밤새 고민했다. 물론 '보잘것없는 여자와 결혼해라'란 말을 들었을 때 곧장 클로이의 얼굴이 떠오르긴 했지만, 결혼은 중대사니까. 조건을 다 떠나서 클로이는 같이 지내기에 참 편한 사람이었다. 그래서 하는 제안이었다.

"다른 여자보다 너와 함께라면, 앞날을 헤쳐 가는 그 길이 조금은 쉬울 것 같아."

밀런은 소파에서 내려와 그녀에게 한쪽 무릎을 꿇었다.

"클로이, 나와 결혼해 주겠느냐? 제발."

그가 항상 제 검지에 끼고 다니던 반지를 빼냈다.

"우리 가문의 반지다."

그의 눈동자 색을 닮은 에메랄드 반지는 쿠피히트의 보물이었다.

"지금은 줄 게 이것뿐이라 미안하다만."

반지는 밀런이 끼던 것이라 클로이의 손가락엔 맞지 않았다. 그녀의 약지에 끼워 넣자 헐렁거리다 못해 우스울 정도였다. 이를 보고 클로이가 피식 웃었다.

그 미소에 자신감을 얻은 밀런은 두 손으로 떠받들 듯 그녀의 손을 쥐었다.

"약속할게. 매년 네가 원하는 만큼 드레스와 장신구를 사 주고, 절대 네게 돈과 정성을 아끼지 않겠다."

"정성까지요?"

그녀가 제법이라는 듯 되묻자 밀런은 크게 고개를 끄덕였다.

"꽃도 자주 선물하고, 네가 연회에 가면 내가 항상 데려다주고 데려올게. 남들의 부러움을 살 수 있도록. 그래, 그게 제일 중요하지. 안다."

긴장을 풀어 주려고 그가 장난스럽게 말했다. 클로이는 그 정성이 갸륵해서 애써 웃어 주었다.

"너무 거창한데요."

"이 정도는 당연한 것 아니냐. 여자에게 결혼해 달라고 매달리는 중인데."

"지금 하녀에게 청혼하신 건가요?"

"아니. 미안하지만 난 레이첼 도미닉 백작 영애에게 청혼하는 거야."

그럴 줄 알았다. 클로이는 담담히 고개를 끄덕였다.

"네게 이런 난감한 요구를 해서 정말 미안하다. 신분을 버리라고 한 것도 나인데……."

평민 처녀보다는 한 번 결혼했던 귀족 영애가 나았다. 아버지가 알면 이혼시킬 게 분명하니까.

"괜찮아요. 어차피 결혼식 뒤에는 더 이상 도미닉 가문의 사람이 아니잖아요."

"네 가문에도 알려야 할까?"

"아니요. 그러지 마세요."

"그래, 어차피 결혼하면 수도에서 생활할 테니 네 가문을 아는 사람도 없을 거다."

"네, 맞아요. 그런데 기사님은 저랑 결혼해도 정말 후회하지 않으시겠어요?"

"물론 나도 고민했다. 한데 네가 도통 알렉스에겐 관심이 없어 보여서."

그리고 알렉산드로도 더 이상 클로이에게 미련이 없어 보였다. 영지에 들어온 이후부터 그랬다. 바빠서인지, 아니면 제가 클로이와 놀러 다니느라 셋이 있는 걸 보지 못해서인지.

아니, 그녀와 결혼하라고 넌지시 등을 떠민 사람이 바로 알렉산드로 아닌가?

'내가 죄책감을 느낄 필요는 없지.'

따지고 보면 알렉산드로가 그냥 내버려 두고 가자던 클로이를 힘들게 구출해서 데려온 것도 바로 저였다.

게다가 둘은 어떤 관계도 아니었다. 사귀었던 것도 아니고.

아마 그러니 제게 클로이와 결혼하라고 부추겼을 테지만.

"사실 여자 입장에선 알렉스보단 내가 낫지. 안 그러냐?"

알렉산드로는 마음에 안 드는 사람은 죄다 베어 버린다고, 무서워서 어디 대꾸나 하겠냐며 밀런이 밉지 않게 제 친구의 흉을 봤다.

어이가 없어서 클로이는 딱히 동조하진 않았다.

"고민되면 더 생각해 봐. 하지만 난 남편감으로 나쁘지 않다. 사실 썩 괜찮은 편이지."

밀런이 가볍게 웃으며 말했다. 자화자찬에도 클로이는 내심 공감했다.

"양자를 들여야 하지만 그래도 내 아내가 되고 싶어 하는 여자는 많을 거야."

"맞아요. 그럴 거예요."

"그래도 나는 네가 내 아내가 되었으면 좋겠다. 그러니 잘 생각해 봐."

밀런은 클로이의 약지에 꼈던 반지를 빼냈다. 그리고 그 반지를 다시 그녀의 손에 쥐여 주었다.

"거절하고 싶으면 날 찾아와 반지를 돌려줘. 밤이든 낮이든 언제든지."

시간이 늦었는데 오래 붙잡아 뒀다며 밀런이 먼저 몸을 일으켰다. 그의 침실에 딸린 응접실이라 클로이가 나가야 했다. 밀런은 자상하게도 그녀를 문까지 열어 주며 배웅했다.

"네 침실까지 데려다줄 수도 있지만 여긴 보는 눈들이 있어서."

"네, 안 그러셔도 돼요."

"잘 자."

안 그래도 가시방석인데, 시종들의 입방아에 오를 짓은 하지 말아야 했다.

바로 그래서였다.

"할게요."

밀런이 가벼운 밤 인사를 건네는 동시에 클로이가 대답했다.

"응?"

"그 결혼, 할게요."

지금 밀런이 얼마나 곤란한 상황인지 누구보다 잘 안다. 클로이는 그에게 돌파구가 되어 주고 싶었다.

"이런 건 필요 없어요."

그녀가 반지를 돌려주자 밀런의 표정이 묘해졌다.

"반지는 나중에 사랑하는 사람이 생기면 그 사람에게 주세요."

"그럼 그냥 결혼하겠다는 거냐? 반지도 없이……?"

"그동안 기사님께 은혜를 입었으니까요."

사실은 영원히 갚지 못할 빚이라고 생각했다.

"그 은혜를 갚을 기회가 생겼다고 생각할게요."

"반지는 그냥 받아도 돼."

"아니에요. 제 체면 때문에 주신 거잖아요. 서로 아무 감정 없는 결혼인데도 이만큼 신경 써 주셔서 감사해요. 방금 청혼도 꽤 로맨틱했어요."

클로이는 담담했다. 상황 파악이 빨라서 놀라웠지만 말투가 무심해서 밀런은 아리송했다.

"예물도, 예식도 굳이 필요 없어요. 예전에 기사들은 출정 전에 모든 의식을 생략하고 결혼하는 경우도 있었다고 하니 우리도 그냥 그렇게 해요. 상황이 여의치 않으니까요."

"혹시 화난 거냐?"

"아니요, 전혀요. 왜 그런 생각을 하세요?"

클로이는 결혼을, 은혜를 갚을 기회라고만 여겼다. 밀런은 제 목숨을 구해 준 은인이니까.

"그럼…… 정말 나랑 결혼해 줄 거야?"

"네. 양자가 성인이 될 때까지 아내가 필요하신 거잖아요."

"그렇지."

"나중에 아내가 필요 없어지면 그때는 이혼해 드릴게요. 전 지참금도 드리지 않았으니까요."

"알았다."

흔쾌히 답한 그가 커다란 강아지처럼 눈을 빛냈다.

"너도 나중에 이혼하고 싶어지면 말해. 4년만 있으면 되니까."

"네, 그럴게요."

"예물과 상관없이 깨끗하게 정리해 줄게."

아주 쉽게, 가장 큰일을 해결한 밀런이 안도의 한숨을 내쉬었다.

"그럼 이 결혼으로 기사님께 더 이상 빚은 없는 거예요."

"당연하지. 그럼 예식은 생략하고 증인을 세워서 서약만 하는 걸로?"

"좋아요."

상당히 쿨한 거래였다.

"남자가 넷이라더니 내가 그중 한 명인가 보다. 하하."

클로이는 꾸벅 고개를 숙이며 어색하게 웃어 주었다. 모든 게 깔끔했다. 한데 뭔가가 얹힌 것처럼 가슴이 답답했다.

'왜 그 남자 얼굴이 자꾸 아른 거리는 거야.'

알렉산드로. 그의 처참한 표정이 도무지 잊히질 않았다.

오늘 밤은 잠이 오지 않으리라.

밀런은 아침부터 기쁜 소식을 전하러 알렉산드로의 침실을 찾았다. 그의 조언대로 행했으니 칭찬을 좀 듣고 싶어서였다.

'노인네처럼 꼭 해도 안 뜬 시간에 일어난단 말이지.'

아침마다 검술 훈련을 하는 알렉산드로의 일정한 생활을 알기에 밀런은 일부러 일찍 일어났다.

그런데 복도부터 이상한 냄새가 진동했다.

"어휴, 웬 술 냄새가."

누가 술을 뿌려 놨는지 지독한 술 내음으로 머리가 다 아플 정도였다. 밀런은 코를 틀어막고 걸음을 빨리했다.

"아, 쿠피히트 소공작님."

"좋은 아침입니다."

알렉산드로의 침실을 지키는 경비병 둘이서 그를 알아보곤 고개를 숙였다. 밀런은 가벼운 손인사로 그들에게 답하며 물었다.

"이봐, 이게 웬 술 냄새지? 밤새 주정뱅이라도 다녀갔나?"

질문을 받은 경비병들의 표정이 난감해졌다.

"누가 술통을 들이부은 것 같은데 얼른 치우질 않고 뭐 해? 알렉스는 술을 즐기지도 않는데 불쾌해하겠어."

두 사람이 말을 잇지 못하고 서로 쳐다보며 눈치만 살폈다.

"알렉스는?"

"저, 그게……."

“설마 벌써 나갔어? 나 참, 무슨 부귀영화를 누리겠다고 이 꼭두새벽부터 검술 훈련이야. 기사 서임도 안 받으면서. 안 그런가?”

밀런이 넉살 좋게 웃으며 농을 걸었지만 경비병들은 웃지 못했다.

“안에…… 계십니다.”

“엉?”

“둘째 도련님은 아직 기상하지 않으셨습니다.”

“아, 그래? 오늘은 별일이네.”

밀런은 머쓱하게 머리를 긁적였다.

“그럼 좀 깨워 줘. 알렉스는 어차피 매일 같은 시간에 일어나니까, 늦게 일어나면 오히려 불쾌해할 거야.”

알렉산드로는 아침마다 하는 검술 훈련을 중요시했다. 여정을 하면서도 한 번도 빼먹지 않았다.

“죄송하지만 그럴 수 없습니다.”

“둘째 도련님이 몸이 별로 좋지 않으셔서…….”

밀런은 제 귀를 의심했다.

“알렉산드로 칼스버그가 몸이 안 좋아……?”

그런 일이 있을 리가. 수도에 온갖 잡병이 몰아쳐도 산으로 승마를 가고 무투회에 나갔는데!

그런 알렉산드로가 몸이 안 좋아 훈련도 제치고 침실에 누워 있다는 게 도저히 믿기지 않았다.

“네놈들 혹시 에이드리안 형님의 끄나풀이냐?”

“예?”

밀런은 온갖 의심이 다 들었다. 제게 벌어진 끔찍한 후계 경쟁 다툼이 이 집안에도 벌어진 건 아닐까?

"알렉스한테 무슨 짓을 한 거야! 저리 비켜!"

"안 됩니다, 소공작님!"

"아무도 들이지 말라고 하셨습니다!"

밀런은 알렉산드로의 가장 친한 친구이고, 침실 응접실에서도 몇 번이나 독대를 한 적 있었지만 경비병들은 그를 안으로 들일 수 없었다.

"둘째 도련님은 지금 기분이 별로 안 좋…… 으윽!"

"비켜!"

머리는 나빠도 힘은 센 밀런은 손쉽게 두 사람을 밀쳤다.

벌컥, 문을 열어젖히고 멋대로 침실에 들어선 그가 다급히 코를 부여잡았다.

"우욱, 술 냄새!"

들어가기 싫었지만 밀런은 우정과 의리로 간신히 한 발자국씩 내딛었다.

'뭐야, 침실 꼴이 왜 이래?'

액자는 다 떨어져 있고 바닥엔 박살 난 꽃병과 술병이 나뒹굴었다. 의자와 탁자도 멀쩡한 게 없었다. 전부 부서져 옆으로 쓰러져 있었다.

침실 꼴에 놀란 밀런이 급하게 안쪽으로 뛰어들었다.

"알렉스!"

다행히 알렉산드로는 멀쩡했다. 아니, 외출복 상태로 침대 위에 쓰러져 있는 게 영 편해 보이진 않지만…….

"이게 무슨 일이냐? 네가 왜 술이 떡이 돼서 뻗어 있어?"

식겁한 밀런이 다가가 보니 심지어 그는 잠들어 있지도 않았다.

상태를 보아 하니 뜬 눈으로 밤을 샌 것 같았다.

"알렉스, 이게 대체 무슨 일이야?"

침대 아래에 술병이 한가득이었다. 그것도 흥을 돋우기 위한 포도주가 아니라 증류주였다. 밀런은 전부 비워진 병 하나를 들어 올렸다.

"세상에, 이거 압생트잖아."

환각 작용을 하는 약초로 만들어진 이 술은 70도를 웃돌았다. 유명한 화가가 압생트를 마시다가 취해서 스스로 귀를 잘랐다는 소문으로 이름이 알려졌다. 병 바닥에 미미하게 남은 초록 빛깔의 액체가 밀런에겐 독약처럼 보였다.

"이걸 다 마셨어……?!"

압생트뿐만 아니라 온갖 증류주가 가득이었다. 이러니 술 냄새가 복도까지 나지!

"어이, 칼스버그. 죽으려고 환장했냐? 이 정도면 치사량이야!"

정색한 밀런이 따지듯 말했다.

"제발 좀 같이 마시자고 사정해도 입에 대지도 않았으면서 갑자기 이게 무슨 미친 짓인데?"

밀런의 잔소리에도 알렉산드로는 눈길 한 번 주지 않았다.

"이봐, 듣고 있어? 혹시 눈 뜨고 기절했나?"

그가 알렉산드로의 얼굴 위로 이리저리 손을 흔들었다. 하지만 어떤 반응도 없었다. 밀런은 무서워졌다. 미동도 없고, 천장에 꽂힌 무감한 눈빛이 꼭…… 시체 같았다.

"알렉스, 살아 있는 거지?"

그가 알렉산드로의 어깨를 흔들었다. 입술 근처에 손가락을 가져가니 미약하지만 일정한 숨결이 느껴졌다. 심장은 멀쩡히 뛰는지, 가슴에 귀를 가져다 대는 그 순간이었다.

"나가."

낮고 거친 목소리. 지친 듯하지만 평소보다 훨씬 고압적이고 분명한 명령이 떨어졌다.

"아니, 난 무슨 일이라도 있나 해서……."

"나가!"

갑작스런 호통에 화들짝 놀란 밀런이 몸을 일으켰다.

"알았어, 알았다고. 나가면 될 거 아냐. 왜 화는 내고 그래."

깨갱 한 밀런은 슬금슬금 침실을 나왔다. 제게 소리치는 걸 보니 충분히 멀쩡해 보였다.

'기분이 별론가? 대체 무슨 일인데 저러지?'

저런 모습은 또 처음 본다. 자신이 20년 평생을 알던 알렉산드로가 맞는지 의심될 정도였다.

문을 닫고 나오니 경비병들이 재빨리 달려들었다.

"소공작님, 둘째 도련님은 좀 어떠십니까?"

"지금은 괜찮으신가요?"

꼴을 보아 하니 이들도 걱정이 되는데 감히 침실에 들어가질 못했나 보다.

'그래서 내가 들어가는 걸 막지 않았나 보군.'

알 만했다. 알렉산드로가 들어오지 말라고 했는데 누가 저 침실에 들어간단 말인가? 겁도 없이.

"시종을 불러서 도련님께 물을 갖다 드려도 될까요?"

"그냥 나가라고만 하시던가요? 아직도 화가 많이 나셨습니까?"

"일단 가만히 내버려 둬라. 고함을 들어 보니 아직 팔팔하다."

그때 복도 저 멀리에서 시종장과 집사장을 비롯한 사용인들이 소리 없이 달려왔다. 아침 일찍 이를 알게 돼선 부리나케 온 모양이었다.

"소공작님, 대체 무슨 일입니까?"

"나도 모른다."

"도련님께서 밤새 술을 드셨다던데요. 저희 도련님은 술은 입에도 안 대시는 분입니다."

"그래, 안다. 나도 저런 모습은 처음 봐."

"혹시 드미트리의 일로 걱정이 많으신 게 아닐까요? 칼스버그 대공님께서 '네가 알아서 처리하라'고 하셨다면서요."

시종장이 눈썹을 축 늘어뜨리곤 말했다. 집사장은 단호히 고개를 저었다.

"자주 뵙질 않아서 모르나 본데 둘째 도련님은 걱정 같은 걸 하는 분이 아니시다."

"그럼 무슨 일이길래 저러시죠?"

"안 되겠다. 그 독한 술을 드셨으니…… 어서 물이라도 좀 갖다 드리지 않고 뭘 하느냐?"

"제, 제가요?"

지목당한 시종장이 딴청을 부리다 결국 푹 한숨을 내쉬었다.

"안 됩니다. 도련님께서 들어오지 말라고 하지 않으셨습니까? 명령을 어기는 겁니다."

"지금 명령이 문젠가? 이 술 냄새 좀 보게. 우리 도련님이 죽어 가실 걸세!"

“그럼 시녀를 들여보내죠. 도련님께서 여종을 벌한 적은 없으시잖습니까?”

“말 같은 소리를 하게! 평소에도 시녀들의 시중을 좋아하질 않으신데, 지금처럼 기분이 안 좋으실 때는 반기겠나!”

“그럼 집사님이 들어가시죠! 전 목이 하나라 명령을 어기기는 싫습니다!”

“어허, 시종장!”

사용인들이 소리를 낮추고 옥신각신했다. 밀런은 짜증스레 손을 내저었다.

“그만들 하고 물이나 갖고 오지.”

“소공작님이 들어가시게요?”

“그래.”

시종장과 집사장은 반색하며 시종에게 이것저것 가져오라 명령했다. 물과 수건, 간단한 아침 식사와 숙취 해소에 좋은 차까지. 시종들이 트레이 가득 가져온 걸 들고 밀런은 다시 알렉산드로의 침실로 들어섰다.

‘설마 날 죽이겠어? 욕이나 좀 먹고 말겠지.’

친구인 저도 이렇게 겁나는데 사용인들은 오죽할까. 밀런은 널브러진 잔해를 피해서 그의 침대 옆 탁자에 트레이를 내려놓았다.

“흠흠, 기분이 많이 안 좋아 보이니 할 말만 얼른 하고 갈게.”

알렉산드로는 조금 전과 다르지 않았다. 그저 침대에 누워 텅 빈 눈동자로 하염없이 천장만 응시했다.

“네가 시킨 대로 하기로 했다. 반도라스에겐 차마 알리지 못했고, 그냥 내가 결혼부터 해 버리려고. 다음 주에.”

반도라스 영애는 지금 요양 중이라 수도에도 없었다. 파혼하자고 했다간 서신이 오고 가는 데만 한 달은 족히 걸릴 터였다.

"무례라는 건 알지만 약혼도 그녀가 일방적으로 밀어붙인 거였으니 자업자득이지, 뭐."

밀런은 일단 양자부터 들인 뒤에, 반도라스 영애에게 결혼 사실을 통보하고 사과하기로 했다. 과연 그녀가 조용히 넘어갈까 싶지만…….

'이판사판이야. 나도 어쩔 수 없어.'

굉장히 마음에 걸리지만 괜히 이 사실을 알렸다간 더 큰 부스럼을 만들 게 분명했다.

"아직 아버님께 말씀드리지 않았지만 더는 후계에 욕심이 없으니 눈치 볼 필요도 없어졌어."

마음이 후련했다. 밀런은 자신을 인도해 준 친구에게 꼭 감사를 표하고 싶었다.

"고맙다. 다 네 덕분이야."

그러거나 말거나, 알렉산드로는 여전히 미동 없이 인형처럼 천장만 쳐다봤다. 듣고 있는지 알 수 없지만 밀런은 그가 자신을 아까처럼 내쫓지 않는 것만으로도 다행이라 여겼다.

"나도 클로이가 그렇게 흔쾌하게 청혼을 받아 줄 줄은 몰랐거든."

피식 웃은 밀런은 그녀의 쉬운 대답을 떠올리며 머리를 긁적였다.

"아마 네가 조언해 주지 않았다면 나도 청혼하지 못했을 거야. 그 애랑 결혼이라니, 상상도……."

순간 알렉산드로가 스르르 몸을 일으켰다. 그 모습이 꼭 시체가 일어나는 것처럼 보여 밀런은 입을 다물었다.

"지금."

마른 입술, 벌게진 눈가.

"지금, 뭐라고?"

항상 오만할 정도로 기품 있고 당당하던 알렉산드로가 지금은 제정신이 아닌 것 같았다.

"어이, 칼스버그. 아무래도 의사부터……."

"내가 묻잖아!"

순식간에 멱살을 휘어 잡힌 밀런은 겁먹은 자라처럼 목을 움츠렸다. 알렉산드로의 눈에 광기가 돌았다.

"알렉스, 대체 왜 이러는 거냐. 너무 무섭잖아."

"누구랑 결혼을 한다고?"

언제나 점잖고 어른스럽던 그가 이러니 갑자기 미친 게 아닌가 의심됐다.

"어서 말해!"

괴력에 이리저리 흔들리던 밀런은 간신히 뒤의 탁자를 짚으며 몸을 지탱했다.

"클로이랑…… 아, 네가 하라며!"

그가 소리치자 알렉산드로가 숨을 멈췄다. 시간이 정지한 것처럼 그의 모든 게 굳어졌다. 하지만 이내 동공이 다시 또렷해졌다. 풀어 헤쳐진 셔츠 위로 두툼한 그의 가슴이 크게 오르락내리락했다.

그 분노를 읽은 밀런의 얼굴이 새파랗게 질렸다.

"보잘것없는 여자가, 네겐 그녀였나?"

"그, 그럼 클로이를 암시한 게 아니었어?"

"하."

알렉산드로는 어처구니가 없어서 밀런을 던지듯 놓아 버렸다. 우당탕 소리가 요란했지만 그가 넘어지든 말든 눈에 들어오지도 않았다.

'네 아비의 눈으로 보기에 하찮을 혼처를 구하란 뜻이었다' 하려다가 알렉산드로는 그냥 입을 다물어 버렸다.

이제 와서 다 무슨 소용인가?

'흔쾌하게 청혼을 받아 줬다…….'

흔쾌하게. 밀런이 찾아가 청혼하자 '흔쾌히' 고개를 끄덕이며 웃어 줬을 클로이의 모습이 저절로 상상되었다.

자신이 찾아갔을 때, 단둘이라는 부담스런 자리에 불편함을 참지 못하던 그 모습과 상반되어 너무나 생생했다.

그녀는 원래 밀런에게 호감이 있었다. 제게 가진 불쾌한 감정과는 완전히 달랐다.

알렉산드로는 침대에 털썩 주저앉았다. 발밑이 사라지고 끝없이 아래로 추락하는 것만 같았다. 어둠 속으로 빨려 들어가듯 암담하고 처참하기만 하다.

그리고 혼자뿐인 그곳엔 아무것도 존재하지 않았다…….

"우리는 예식을 전부 생략할 거라서 사실은 네게 결혼의 증인을 서 달라고 부탁하려 했는데…… 너 설마 여태껏 클로이에게 마음이 있었던 거냐? 아직도?"

그가 망연자실한 눈으로 원망하듯 밀런을 돌아보았다.

"그럼 나더러 클로이랑 결혼하라고 조언해 준 게 아니었어?"

"……."

알렉산드로는 대답 대신 한 손으로 얼굴을 덮었다. 그런 의도가 전혀 아니었지만 이제 와서 다 무슨 소용인가 싶었다.

베아트리체는 자신을 기억하지 못하고, 클로이는 자신을 치한이나 무뢰한쯤으로 여길 것이다. 무엇보다 그녀는 밀런에게 마음이 있어 청혼까지 승낙했다. 두 사람은 곧 결혼할 것이다.

"아니, 나는 빨리 양자를 입적해야 하니까 사정이……."

예식을 전부 생략하고, 심지어 양자를 들이는 결혼. 클로이는 그 최악의 조건까지 허락했다.

'흔쾌하게.'

머리가 빙글빙글 돌았다. 내장이 뒤틀려 속이 터질 것만 같았다. 분노가 치밀었다. 온몸의 피가 끓고 있었다.

알렉산드로는 천천히 자리에서 일어나 침대를 벗어났다.

"알렉스, 지금 어디 가는데? 정확히 말을 좀 해 봐. 응?"

밀런이 조심스레 뒤를 따라오며 물었다.

"이 결혼 그냥 취소할까? 네가 내키지 않으면 나도 굳이 친구의 여자를 가로채면서까지 결혼할 생각은 없어."

하지만 알렉산드로는 끝내 입을 열지 않았다. 그저 칼과 망토를 집어 든 채 넋 나간 얼굴로 침실을 걸어 나갔다.

"비켜."

그 한 마디에 문 앞을 지키던 모든 이들이 해일처럼 갈라졌다. 그에게 흐르는 위험한 분위기에 아무도 말을 걸지 못하고 고개만 푹 숙였다.

"세상에, 하룻밤 사이에 무슨 일이 있었던 거야? 우리 도련님 저 잘생긴 얼굴이 수척하셔."

"그보단 눈빛이 꼭 마약이라도 먹은 사람 같지 않아?"

사용인들은 걱정스레 그의 뒷모습을 지켜보며 수군거렸다.

"이러다 혹시 우리 도련님, 그 예언처럼."

길에서…… 객사…….

웅성대다 차마 말을 끝내지 못한 이들이 입을 다물자 복도엔 차가운 적막만 감돌았다.

"불손한 소리!"

"죄송합니다. 잘못했습니다."

집사장은 '그 예언'에 대해 사용인들이 입방정을 떨까 봐 신신당부했다.

"그런 일은 절대 일어나지 않는다. 두 번 다신 그 불길한 예언을 입에 올리지도 마!"

그들 때문에 잠깐 멈칫한 사이, 밀런은 알렉산드로를 놓치고 말았다.

'어디로 간 거지? 혹시 클로이를 찾아갔나?'

걱정된 밀런은 당장 창밖으로 고개를 빼고 살폈다. 다행히 알렉산드로가 향하는 곳은 클로이가 머무는 별관이 아니었다.

"마구간……?"

속이 답답할 때마다 말을 타고 훌쩍 떠나 버리는 그를 알기에 밀런은 조금 안도했다. 물론 알렉산드로가 여자에게 해를 끼칠 사람은 아니지만 영 불안했던 것이다.

'그런 모습은 정말 처음 봐.'

항상 또렷하게 빛나던 보석 같은 눈동자가 꼭 영혼이 빠져나간 사람 같았다. 버럭 소리치던 날선 분위기도 낯설었고, 무엇보다 술에 그렇게 잔뜩 취해서 엉망이 된 침실에 쓰러져 있던 모습은 충격에 가까웠다.

뭐가 그렇게 알렉산드로를 괴롭게 만든 걸까.

'아무래도…… 결혼은 다른 여자랑 해야겠어.'

죄책감에 가슴이 쓰렸다.

홀로 마구간에 향하던 알렉산드로의 머릿속에 불손한 생각들이 스쳤다.

'이대로 클로이를 데리고 도망쳐 버릴까.'

그러면 날 끔찍해하겠지. 지금보다 더.

'매일매일 얼굴을 보고 같이 살면 언젠가 기억이 돌아오지 않을까.'

그러면 나를 다시 사랑해 주지 않을까. 예전처럼…….

난폭한 충동들이 몰아쳤다. 그러나 어떤 것도 행동으로 옮겨지진 않았다.

알렉산드로는 미움받기 싫었다. 그건 정말이지 무서웠다.

그녀가 낯선 이를 보듯 경계심 가득한 눈으로 저를 쳐다보는 것도 싫었다. 가슴 아프고 속상해서.

예전 우리의 좋았던 추억처럼 제발 나를 다시 사랑해 달라 애정을 구걸하기도 싫었다. 비참하고 서러워서.

적선으로 얻어지는 게 사랑이라면, 기꺼이 그녀의 발밑에 엎드려 제발 사랑해 달라 빌겠지만 사랑은 그렇게는 얻어 낼 수가 없는 것이었다. 이는 자신이 제일 잘 알았다.

게다가 베아트리체의 기억을 잊은 클로이를, 자신이 사랑했던 그 여자와 같은 사람이라 할 수 있을지도 혼란스러웠다.

평생 딱 한 여자만 사랑했고, 또 영원히 그러길 바랐는데…….

'모든 게 헛수고였다.'

멈춰 버린 제 세상과 달리 여전히 시간은 흐르고 사람들은 그를 찾았다. 잔인하게도. 제발 이대로 그냥 죽어 버렸으면 좋겠는데 시간은 결코 멈추지 않았다. 그래서 미칠 것만 같았다.

이 성에, 클로이와 같은 공간에 더 있다간 자신이 무슨 짓을 저지를지 몰랐다. 어디든 도망치고 싶었다.

—너무 힘들면 이 약을 드리지요.

알렉산드로는 제 안주머니를 의식했다. 집시에게 받아 온 이후부터 한 번도 존재를 잊은 적 없었다.

기억을 잊는 약이라고 했던가. 그 작은 약병의 무게가 천 근 같았다. 그래, 그런 방법도 있다.

전생의 추억들은 아름다웠다. 사랑하는 여자와 나누었던 사랑 때문에 모든 순간이 행복이었다.

하지만 지금은 되새기면 되새길수록 바닷물을 들이켜듯 갈증 나고 더 아프기만 했다. 살아도 사는 것 같지가 않아서 이럴 거면 그냥 다 잊는 게 나을지도 몰랐다.

'그러면 사는 게 더 의미가 있을까.'

추억을 다 잃어버리면…… 그러면 그게 정말 '나'일까?

모든 게 너무나 혼란스러웠다. 산이든 강이든 훌쩍 떠나 있고 싶었다. 누군가 제발 옆에 있어 주기를 바랐지만 온전히 그를 이해하고 달래 주는 건 안타깝게도 아끼는 말 한 마리뿐이었다.

"도련님, 아침부터 외출을 하시려…… 어어."

마구간에 직접 들어서자 마부가 어쩔 줄 모르고 옆을 쫓아왔다.

"제가 말을 데려올까요? 아, 직접 데려가시겠습니까? 알겠습니다. 그러시죠."

알렉산드로는 묵묵히 자신의 애마에게 걸어갔다. 그사이 마부는 얼른 뛰어가 안장을 가져왔다.

"안 그래도 놈이 많이 답답해했습니다. 매일 달리다가 가둬 두기만 한다고요."

그가 우람하고 매끈한 검은 말 앞에 섰다. 어릴 때부터 오랫동안 봐 온 이 말은 주인을 닮았다는 소리를 많이 들었다.

알렉산드로는 지난 추억 속에서, 이 말에게 그가 가장 아끼던 말의 이름을 붙여 주었다.

"크산토스가 지금 막 먹이를 다 먹어서 배가 많이 부를 텐데……."

이름을 불린 크산토스가 푸르릉거리며 다정하게 아는 척을 해왔다.

"혹시 산으로 가십니까? 그럼 다른 놈을 데려가시는 건 어떠십니까?"

알렉산드로가 아니, 됐다고 고개를 젓는 그 순간이었다.

옆 우리에서 바스락거리는 소리가 들렸다. 밀런의 말이 있는 곳이었다. 뭐냐고 정체를 묻듯, 그의 시선이 옆으로 향했다.

그러자 마부가 난처한 얼굴로 설명했다.

"아, 그게 소공작님의 하녀가 말을 좀 보고 싶다고 해서……."

짧은 침묵이 흘렀다. 결국 몸을 웅크리고 숨어 있던 누군가 비척

거리며 모습을 드러냈다.

당근을 양손에 쥔 클로이였다. 하나는 반쯤 먹혀 있었고 밀런의 말은 친근한 척 그녀에게 계속 머리를 들이밀었다. 어색하게 꾸벅 묵례한 그녀가 변명하듯 말했다.

"며칠 안 보니까…… 너무 보고 싶어서요."

알렉산드로에겐 그녀가 웅얼거리는 입술만 보였다.

"그새 정이 들었는지……."

눈을 내리깔고 소심하게 구는 모습이 영락없이 그가 알고 있는 전생의 그 여자였다.

순간 머릿속의 뭔가가 툭, 끊기는 느낌이 들었다. 속이 뒤집어지는 것 같았다. 둥둥거리며 가슴이 뛰고 피가 거꾸로 솟았다.

"어어, 도련님……?!"

칼을 던져 버린 그는 달려가 클로이를 거꾸로 메고 크산토스에 올라탔다.

"도련님! 두, 둘째 도련님!"

식겁한 마부가 뒤에서 불러 댔지만 알렉산드로에겐 들리지 않았다.

"왜 이러세요?!"

놀란 클로이가 버둥거리며 등을 때려 댔지만 역시 아무것도 느껴지지 않았다.

알렉산드로는 그대로 말을 몰아 마구간을 달려 나갔다.

"꺄아아악!"

제게 매달린 클로이가 경악스런 비명을 질러 댔다. 그를 알아본 사용인들도 질겁하긴 마찬가지였다.

"어, 도련님……? 도련님!"

성의 출입문을 지나, 해자를 뛰어넘고서도 크산토스는 멈추지 않았다.

갇혀 있던 답답한 마구간을 벗어나, 원하던 대로 신나게 달리는 흑마를 멈출 수 있는 건 아무것도 없었다.

그들이 멈춘 곳은 까마득한 폭포 앞이었다. 절벽이나 다름없는 그곳에서 클로이는 흙바닥에 쓰러진 채 숨을 골랐다.

거칠게 달리는 말 위에서 한참을 버텼다. 그것도 무서웠지만 아직도 아무런 말이 없는 알렉산드로가 더 무서웠다.

'미쳤나 봐. 정말 미쳤어!'

자신을 납치했다. 그래, 이건 명백한 납치였다.

'혹시 내가 아침부터 꿈을 꾸는 건가?'

저 남자가 어떻게 이런 짓을 하지? 그럴 사람으로 보이진 않았는데. 아마 그 역시도 한순간 충동이었던 게 분명하다.

사용인들의 표정으로 봐선, 갑작스런 도련님의 일탈에 다들 놀라다 못해 경악하던 지경이었으니까.

말없는 알렉산드로의 뒷모습을 노려보던 클로이는 서둘러 주변을 살폈다.

이 와중에 산세가 무척 아름다웠다. 산 정상에서 맞는 아침이라 그런지 상쾌하기도 하고, 폭포수 특유의 시원한 기운이 사람을 기분 좋게 만들었다. 일부러 이런 멋진 광경을 보여 주려고 이 먼 곳에 데려왔구나, 생각할 만한 경치였다.

'이런 상황만 아니었다면 말이지.'

클로이는 저 한참 아래에 작게 보이는 공작성을 알아보았다. 걸어서 돌아가기는 무리였다.

"……이만 돌아가죠."

이렇게 빨리 마음이 가라앉다니. 클로이는 금방 진정된 제 상태에 감탄했다.

'그래, 설마 나를 뭐 어쩌겠어.'

분명 납치를 당했는데, 더는 당황스럽지 않았다. 언젠가 한번 이런 일을 겪었던 사람처럼, 이상하게…… 정말 이상하게도 익숙했다.

'저 남자도 지금 당황해서 어찌할 줄 모르는 거야.'

클로이는 알렉산드로를 째려보며 속으로 혀를 찼다. 그 역시 이럴 계획은 없었을 것이다. 마구간에서 마주친 그 표정에서 알 수 있었다.

그 역시 이런 짓을 벌이고 싶지는 않았을 것이다. 충동이었을 것이다. 자기 자신도 이해 못할 충동.

클로이는 '날 왜 여기까지 데려왔느냐'는 질문은 생략했다. 그래 봤자 또 혼자만 아는 사랑 타령이나 읊을 게 뻔했으므로.

'밀런의 말이 맞았어. 저 남자는 정말 바보야.'

사랑만 아는 바보. 왜 저렇게 힘들게 살까? 저 남자를 좋아하는 여자도 분명 많을 텐데.

클로이는 분노와 당혹을 떠나서 이젠 알렉산드로가 불쌍했다. 저 남자가 찾는 운명의 여자가 바로 저라고, 그렇게 혼동하지만 않았더라면 화를 냈겠는데…….

'왜 저렇게 미련하게 구는 걸까.'

그는 왜 굳이 그 여자여야만 하며, 왜 그 한 명만 찾는 걸까. 대체 왜.

'알렉산드로…….'

제겐 등짝만 보여 주는 못난 남자. 클로이는 더는 그가 무섭지 않았다.

"저기요. 돌아가자고요."

다만 여기까지 끌려온 게 억울해서 말이 삐죽하게 나왔다.

'난 그 여자가 아닌데.'

한참이나 말없이 폭포 아래를 내려다보던 알렉산드로가 드디어 몸을 돌렸다.

예상외로 그는 당황하지 않고 담담한 표정이었다. 그 또한 이런 일을 저질러 본 경험이 있는 듯이.

"클로이."

움찔한 그녀가 천천히 자리에서 일어섰다. 신기했다. 저 남자는 어떻게 저렇게 제 이름을 쉽게 부르는 걸까. 꼭 많이 불러 본 사람처럼.

설마 모르는 걸까? 이름을 부르는 게 얼마나 무서운 건지.

"……너무 멀리 와서 혼자 걸어갈 수가 없어요. 여기가 어디인지도 모르겠고요."

폭포수에 반사된 밝은 햇살에 클로이가 눈을 찌푸렸다.

"돌아가요."

말에게 다가가는 그녀의 등에 대고, 별안간 그가 물었다.

"내게…… 호감이 있느냐? 조금이라도 좋으니."

영 자신이 없는지 알렉산드로의 목소리가 점점 작아졌다.

"내게도 밀런만큼의 호감이……."

"……."

정말이지 어이가 없었다. 클로이가 돌아서 그를 노려보자 그는 이미 대답을 잘 아는 사람처럼 금세 눈을 피했다.

"아니…… 있겠어요?"

화가 치솟았다. 모질게 구박하던 처음부터 지금까지. 그가 어떤 행동을 했고, 또 뭐라고 했던가.

"여태껏 제게 어떻게 하셨는데요? 네?"

첫 만남에 제발 좀 구해 달라고 옷자락을 붙들고 빌었는데 그는 무시하고 떠나 버렸다.

'밀런이 아니었다면 이미 죽었겠지.'

동행이 시작되고부터 알렉산드로에게 받았던 수많은 구박들은 일일이 나열하기도 모자랐다.

"제게 호감을 살 만한 어떤 행동을 하셨나요. 한번 얘기 좀 해 보세요."

꾹 입을 다물고 있는 모습이 죄인 같았다. 물론 알렉산드로는 입이 열 개라도 할 말이 없었다. 클로이는 도무지 이해가 안 됐다.

"그렇게 애절하신 분이 여자 마음은 왜 모르세요?"

그제야 알렉산드로가 변명하듯 답했다.

"한 명만 알아서……."

스스로도 너무 답답했다. 대체 어쩌다 이 지경이 된 건지.

“여자는 모르겠다, 잘.”

그가 답지 않게 말끝을 흐렸다. 클로이는 고개를 돌리고 있는 알렉산드로의 조각 같은 옆모습을 빤히 바라보다 픽 웃었다.

‘뭐야, 귀엽게.’

순간 들이친 생각에 당황한 그녀가 입술을 깨물었다.

‘안 되겠어. 정신을 똑바로 차려야지, 저 얼굴에 넘어갈 뻔했잖아.’

하지만 다짐과 달리 눈은 알렉산드로의 이곳저곳을 살폈다.

풀어 헤쳐진 하얀 셔츠에 살짝 드러난 맨가슴이라든지, 팔뚝과 손등에 솟은 핏줄이라든지, 강한 느낌을 주는 단단한 쇄골, 목젖…….

약간 수척해 보이는데도 완벽한 콧날과 도톰한 저 입술 때문에 마냥 섹시했다. 심적으로 지쳐서 그런지 길게 뻗은 시원한 눈매가 오늘따라 나른해 보였다.

‘눈을 왜 저렇게 떠.’

짙은 눈썹 아래, 남자치곤 제법 긴 속눈썹이 우아했다. 세상 온갖 사연이 다 담긴 듯한 바다 같은 눈동자가 너울거렸다.

“정말 이대로…… 밀런과 결혼할 것이냐?”

하마터면 스르르 고개를 저을 뻔했다. 클로이는 번뜩 정신 차렸다.

“네. 그게 저희 서로에게 좋을 거 같아서요.”

흠흠, 헛기침을 한 그녀가 뒤늦게 상황을 정리했다.

“전 곧 밀런의 아내가 될 거예요. 그러니 이런 행동은 삼가 주세요.”

알렉산드로는 듣고도 믿지 못하겠다는 듯이 멍하니 그녀를 응시했다.

"그쪽…… 아니, 기사님. 아니지."
호칭을 고르던 클로이는 그냥 가장 무난한 이름을 택했다.
"칼스버그 님은 밀런의 친한 친구이신데 자꾸 이러시면 제가 무척 불편합니다."
"마지막이다."
지금이 아니면 끝이었다. 두 사람 모두 이게 마지막 대화라는 걸 직감적으로 알고 있었다. 결혼은 예식도 없이 곧 치러질 테고, 밀런이 떠나고 나면 이제 다시는…… 서로를 만나지 못할 것이다.
"클로이."
"그렇게 제 이름을 부르시는 것도……."
알렉산드로는 성큼 다가가 그녀를 붙들었다.
"정말 날 기억하지 못하겠느냐? 내가 누구인지, 정말 아직도 모르겠어?"
마지막.
마지막으로 물을 수 있는 기회.
"네가 나를 뭐라고 불렀는지 떠올려 봐. 처음에는 작위로 불렀고, 나중에는 이름을 불렀다. 오직 너만이 내 이름을……."
"정말 몰라요. 모릅니다! 몇 번을 더 말할까요!"
그가 하도 물어보니 저도 답답할 지경이었다.
"왜 이렇게 자꾸 사람을 괴롭히세요! 모른다는데!"
대체 자신이 모르는 게 뭔지, 이 남자는 왜 이렇게 애절한지! 다른 일에는 이러지 않으면서……!
"전 약속대로 밀런과 결혼할 거예요. 그러니까 자꾸 이렇게 흔들지 마세요."

저라도 끊어 내야 한다. 굳게 마음먹은 클로이는 손을 뿌리쳤다. 전과 달리 그는 손쉽게 멀어졌다.

"안 가실 거면 혼자 갈래요."

그대로 몸을 돌리려던 클로이는 질끈 눈을 감고 말했다.

"전 이제 만날 수 없는 정인은 잊고 살 거예요."

더는 환상 속에 살지 않으리라.

"그러니까 그쪽도 이렇게 미친 사람처럼 부질없는 인연에 목매지 말고 잘 사세요."

알렉산드로가 안쓰러워서 남긴 조언이었다. 더는 바보같이, 미련하게 굴지 말라고. 세상에 없는 인연을 혼자 그렇게 제 전부인 양 붙들고 있지 말라고.

어릴 때부터 들어 온 그 남자의 사랑 고백 때문에 제 인생이 얼마나 고달파졌던가. 물론 그 선택을 한 건 자신이지만 클로이는 더 이상 그렇게 살고 싶지 않았다. 신분도 잃고 가족도 잃었으니 도망친 대가도 치렀지만, 그와 별개로 허무함이 너무 컸다. 그 남자가 진짜 존재하는지 아닌지도 확신하지 못한다는 허무함.

어쩌면 전부 제 환상일 수도 있고, 환청을 듣는 정신병일 수도 있었다.

'저 남자도 이제 금방 정신 차리겠지. 내가 그 여자가 아니란 걸 깨달았을 테니까.'

허무하고, 허탈하지만…… 자신이 찾던 운명의 여자 같은 건 없었고, 모든 게 부질없었다고 그렇게 생각하고 단념하겠지.

그런데 몇 발자국 가지 않아서였다.

"사랑한다."

순간 클로이가 멈칫했다. 낮은 목소리이지만 또렷하게 들렸다. 지독한 오기가 섞인 진심이.

"너를 사랑한다."

사랑 고백이 아니라 꼭 원수에게 하는 선전 포고 같았다. 반드시, 무슨 일이 있어도 그리하고야 말겠다는 억세고 질긴 다짐. 섬뜩할 정도였다.

"영원히…… 베아트리체."

클로이는 못 들은 척 모르는 척하고 공작성으로 돌아가려 했다.

'영원한 건 존재하지 않아.'

이 세상 모든 게 변한다. 그림처럼 멈춰 있는 것만 같은 강산도 변할진대 사람의 마음이야 말해 무엇할까. 미련하고 바보 같은 남자라고 속으로 되새기며 걷는데, 뭔가가 데구루루 굴러오는 소리가 들렸다.

'뭐지?'

의문의 물건이 그녀의 발밑에서 멈췄다. 어떤 액체가 가득 출렁이는 작은 약병이었다.

'혹시 이걸 떨어뜨렸나?'

호기심에 약병을 주워 든 클로이는 문득 주위가 조용해진 걸 깨달았다. 인기척도 없고 이상했다. 불길한 예감이 들었다.

휙 둘러보자 그새 알렉산드로는 어디 갔는지 텅 빈 낭떠러지만 보였다.

'그 남자가 없어졌어.'

곧장 그가 있던 자리로 달려간 클로이는 절벽에서 폭포 아래로 추락하는 장신의 몸을 알아보았다.

심장이 내려앉았다. 저 까마득한 높이에서 떨어지면서 그는 작은 비명조차 지르지 않았다. 추락하는 그 모습이 평온해 보이기까지 했다.

설마.

설마 저 미련한 남자가……!

"대공님!"

경악한 그녀가 앞뒤 생각 없이 폭포로 몸을 던졌다. 두려움도, 머뭇거림도 없었다. 까마득한 절벽에서 본능이 그녀의 등을 떠밀었다.

"대공님-!"

클로이의 외침은 엄청난 폭포수 소리에 묻히는 듯했다.

'저 남자를 구해야 돼!'

오직 그 일념에 사로잡힌 나머지, 클로이는 자신이 수영을 전혀 못한다는 사실조차 잊어버렸다.

두 사람은 폭포에서부터 강 하류까지 떠내려갔다. 강의 상류는 물살이 매우 거칠었고 수심도 제법 깊었다.

알렉산드로가 클로이를 데리고 물 밖으로 나온 건 기적이었다.

'신의 손길이 닿았다.'

그렇게밖에는 설명할 수 없었다. 물론 알렉산드로는 정신만 똑바로 차리면 충분히 살아 나올 수 있었다.

만약 혼자였더라면 말이다.

딱 제 반만 한 여자가, 물속으로 가라앉으며 보였다 안 보였다 생사를 넘나드는 긴박한 상황이 계속되자 차가운 물속에서도 속이 타들어 가서 열이 났다.

애타게 서로를 부르다가 멀어지고, 간신히 붙잡았다 싶으면 물살에 떠밀려서 다시 멀어지고. 알렉산드로는 거친 물살 때문이 아니라 클로이 때문에 미칠 것 같았다.

'수영도 못하는 주제에……!'

수영을 하는 평범한 남자도 아마 무사하지 못했을 것이다. 그만큼 물살이 거세어서 알렉산드로도 그녀를 구조해서 데리고 나오기까지 꽤 애먹었다.

대체 무슨 생각으로 이런 짓을 했을까? 정말이지 믿을 수가 없었다. 자기 몸도 가누지 못하는 주제에 어떻게 날 구하겠다고. 물론 죽으려고 뛰어든 게 맞긴 하지만…….

뭍으로 나오자마자 알렉산드로는 곧장 크산토스를 불렀다.

휘익-!

휘파람은 산세를 헤치고 메아리쳤다. 영리한 그 말은 신호 한 번이면 주인을 찾아온다.

"클로이! 클로이!"

알렉산드로는 정신을 잃은 그녀를 양지 바른 곳에 눕혔다. 코밑에 손을 대 보니 숨소리가 일정치 않았다. 직전의 아찔한 상황을 떠올려 보면 살아 있는 게 기적이었다.

알렉산드로는 당황하지 않고 흉부를 압박했다. 그러자 다행히 그녀가 얕은 기침을 시작했다.

"쿨럭쿨럭!"

클로이는 크게 물을 토해 내며 천천히 눈을 떴다. 알렉산드로는 아직 몽롱한 얼굴의 그녀와 시선이 마주쳤다.

'살았다.'

그제야 긴장이 풀린 그가 안도의 한숨을 내쉬었다. 클로이는 몇 번 눈을 깜빡이며 간신히 정신을 차리고 상황을 파악했다.

가뜩이나 왜소한 체구가 쫄딱 젖어 더 작아 보였다. 그 모습이 하도 애처롭고 마음이 쓰려서 알렉산드로는 짜증이 치밀었다.

"넌 수영도 못하면서……!"

"이게 무슨 짓이에요."

하지만 클로이는 그보다 훨씬 더 화가 난 상태였다.

"이러면 어떡해요. 정말 미쳤어요?!"

물에 젖은 덤덤한 얼굴을 보니 분노가 솟구쳤다. 잔뜩 격앙된 그녀가 빠득 이를 갈았다.

"제정신이냐고요!"

클로이는 온 힘을 다해서 퍽퍽 그를 때렸다. 어깨며 가슴이며 팔뚝이며…… 닿는 모든 곳을 내려쳤다. 제 주먹이 더 아팠지만 지금은 고통조차 느껴지지 않았다.

"죽고 싶어서 환장했어요?! 이러는 게 어딨어!"

몸이 덜덜 떨리는데, 추운 줄도 몰랐다. 머리까지 피가 거꾸로 솟았다. 격한 분노에 몸이 불살라지는 기분이었다.

자신이 그 낭떠러지를 뒤따르지 않았다면 그는 이미 죽었을 것이다. 살 의지가 없어 보였으니까.

지독하고, 멍청한 남자였다. 독약도 갖고 다녔으면서 그 약병은 열린 흔적이 없었다. 약은 가득 들어 있었다. 쉬운 길을 택하지 않고 굳이 낭떠러지로 몸을 던진 것부터가 그랬다.

클로이에겐 다시 생각해도 끔찍한 기억이었다.

"당신이 어떻게 되든 나하곤 상관없어요. 난 당신 같은 미련하고 멍청한 남자는 모르니까!"

악에 받친 클로이가 비명처럼 내질렀다. 그 격한 반응에도 알렉산드로는 면목이 없었다. 하마터면 그녀가 죽을 뻔했다. 고의는 아니지만 걱정시켰다. 남자로서, 그 점이 못내 미안했다.

"그럼 그냥 내버려 두지 그랬느냐. 왜 갑자기 뛰어들어선……."

"지금 그걸 말이라고 해요?"

기가 막혔다. 클로이는 답답해서 속이 터질 것 같았다. 똑똑한 사람인 줄 알았는데. 냉정하고, 이성적인 남자인 줄로만 알았는데!

"이럴 거면 대체 왜 그렇게 애써서 살아 나왔는데요?!"

"그거야…… 너 때문에."

멋쩍은 듯 그가 딴 곳으로 눈을 돌리며 담담히 말했다.

"너 때문에 살았다. 너를 구하느라."

"고집스럽고, 미련하고, 멍청하고……!"

클로이는 울컥해선 숨이 턱 막혔다. 이런 식으로 누군가를 비난해 본 적이 있던가. 너무 화가 나서 눈가가 뜨겁게 달아올랐다. 이만큼 답답한 남자는 처음인데, 도저히 신경을 끌 수가 없었다.

"짜증 나. 당신이 정말 싫어."

결국 클로이는 펑펑 눈물을 쏟았다. 그의 이 미련한 바보짓에 마음이 아프고, 화가 나는 제 자신이 억울했다.

이런다고, 이렇게 순정을 지킨다고 과연 그 운명의 여자가 기뻐할까. 당신이 이런 모진 삶을 살길, 과연 그 여자가 바랐을까? 하는 짓이라곤 멍청하기 짝이 없어 눈물만 쏟아졌다.

'운명의 여자를 찾는답시고 답 없는 여정을 할 때부터 알아봤어야 했어.'

이런 남자는 절대로 좋아하지 말아야 한다는 걸.

"그만 좀……."

알렉산드로는 안절부절못했다. 결국 조심스레 눈물을 닦아 주려 하자 그녀가 날카롭게 손을 쳐 냈다.

"손대지 마세요!"

그는 묵묵히 제 주머니를 뒤졌다. 잔뜩 젖은 손수건을 꺼내 물기를 짜서 건넸지만 클로이는 그것마저 쳐 냈다. 착잡하지만 지은 죄가 있어서 마냥 미안했다.

다신 돌아보지 않을 것처럼 가 버리길래 정말 신경도 쓰지 않을 줄 알았다. 마음 아프지만, 그래서 안심하고 절벽으로 뛰어들었다. 그랬건만…….

이윽고 어깨의 들썩거림이 잦아졌다. 언제 울었냐는 듯 클로이는 벌떡 일어나 씩씩하게 걸어갔다.

"갈래요. 밀런이 걱정할 거예요."

오한이 끼쳤다. 대낮이라 망정이지 밤이었으면 체온이 떨어져 죽을 뻔했다. 뒤에서 말발굽 소리가 들렸지만 클로이는 모른 척했다. 가슴이 세차게 뛰었다.

'상종도 하기 싫어.'

바보 같은 남자는 이래서 위험하다. 저런 남자와 사랑에 빠졌다간 이별해도 그를 잊지 못하고, 둘이서 함께한 시간을 그리워하며 평생 미련하게 살게 될 것이다.

서로가 운명이라는 착각 속에서 살다가 영원한 사랑을 약속하며 죽어 가겠지.

'죽을 때까지, 어쩌면 죽어서도…….'

영원한 건 아무것도 없는데도.

지독한 순정은 아프기만 하다. 환청에 귀가 멀어 결혼식에서 도망치고, 신분을 잃었으면 됐다. 젊어선 고생도 사서 한다지만 이만하면 충분했다.

'이제 그렇게 살지 않을 거야. 나도 미련한 바보짓은 안 해.'

순간 그녀의 어깨에 포근한 감촉이 내려앉았다. 움찔한 그녀가 눈을 돌려 정체를 확인했다.

녹색, 칼스버그의 망토였다. 알렉산드로가 안장 위에 얹어 둔 망토를 제게 걸쳐 준 것이었다.

'말이 주인을 찾아 돌아왔구나.'

매끈하고 늠름한 저 말은 영특하기까지 했다. 외양만 주인을 닮았나 했더니…….

'홀딱 젖은 건 자기도 마찬가지면서.'

그를 흘겨본 클로이가 망토를 벗으려 하자 알렉산드로는 이를 저지하듯 도리어 그녀의 어깨를 감싸 안았다.

"아까…… 나를 뭐라고 불렀느냐?"

조심스런 물음이 흘러나왔다.

클로이는 무시하려 했지만 그의 눈빛이 하도 간절해서 그럴 수 없었다. 괜히 민망해진 그녀는 딴청 피우듯 애꿎은 망토 자락을 꼼

지락거리며 대답했다.

"언제요."

"날 구하겠다고 절벽에서 떨어지면서…… 저 폭포에 빠져서도 나를 부르지 않았어."

내가 그랬었나? 뭐라고 불렀지? 입술을 삐죽인 클로이는 살며시 인상을 찡그렸다.

"몰라요. 지금 그게 중요해요?"

"내겐 중요해."

그가 대답을 꼭 들어야겠다는 듯 말없이 기다렸다. 침묵이 찾아왔다. 클로이는 고개를 갸웃했다.

'뭐라고 불렀더라.'

그 호칭이나 떠올라야 하는데…… 아뿔싸. 젖은 셔츠가 달라붙어 그의 살색 실루엣이 고스란히 드러났다. 푹 파인 쇄골과 두툼한 가슴, 건장한 팔뚝. 클로이는 저도 모르게 눈앞의 절경에 시선이 뺏겼다.

"네가 애타게 나를 불러 대지 않았어. 그 다급한 상황에서…… 응? 클로이."

얼굴이 달아오른 그녀가 재빨리 시선을 돌렸다.

"모, 몰라요. 뭐라고 불렀는지 기억나지 않아요. 무의식중에 나온 말이라서."

그냥 잊으라고 덧붙이자 알렉산드로의 얼굴에 실망한 기색이 역력했다. 하지만 더 이상의 추궁은 없었다. 클로이가 추위에 몸을 떠는 걸 보고 그는 당장 마음을 바꿔 안장부터 채비했다.

"어서 돌아가야겠다."

알렉산드로는 그녀를 먼저 말 위에 올려 주고, 자신이 그 뒤에 앉았다. 커다란 손이 뒤에서부터 그녀를 감싸 안으며 자세를 정돈해 주었다.

클로이는 눈을 꾹 감았다. 그의 품은 든든하고 따듯했다. 가슴이 두근거렸다. 이 빠른 심장 박동이 제 등에서 느껴지는 그의 것인지, 아니면 자신의 것인지 분간하기 어려웠다.

'꼭 다정한 연인 같잖아.'

그녀가 부담스러운 기색을 보이기도 전에 그가 말했다.

"네가 떨어질지 몰라서."

그 말이 맞았다. 체력이 많이 떨어진 것도 사실이고, 전에 밀런의 뒤에서 떨어진 경험도 있었다.

'그래, 빨리 돌아가야 해.'

점점 몸이 얼어붙는 것 같았다. 그런 상태를 아는지 알렉산드로는 망토를 앞까지 꼼꼼히 여며 주었다.

서로 몸이 닿아도 불쾌하지 않도록 그가 상체를 꼿꼿이 세우고 부드럽게 고삐를 당겼다. 자신을 품에 안은 채 말을 모는 그 일련의 동작이 퍽 자연스러웠다.

'여자랑 말을 많이 타 봤나 봐.'

그러자 내심 포근하다고 느꼈던 그의 품이 순간 불편해졌다.

'그가 좋아했던 그 여자도…… 이 남자를 많이 좋아했겠지?'

그러지 않을 수 있을까. 다정하고 헌신적인 데다 이만큼 잘생겼는데. 몸도 좀 좋은가.

항상 눈으로만 몰래 탐하던 그의 단단한 근육들이 온몸으로 느껴져 클로이는 더 이상 추위도 느껴지지 않았다. 열이 올랐다.

게다가 뒤에서 불어오는 바람에 그의 향기가 실려 왔다. 꽃향기 같기도 하고 풀과 나무 내음 같기도 했다. 클로이는 몰래 킁킁거렸다.

'냄새 진짜 좋다…….'

솔직히 코를 처박고 싶을 정도였다. 허구한 날 말이나 타고 칼이나 휘둘러 대는 남자에게선 절대 기대할 수 없는 좋은 향기였다. 그 부조화에 호기심이 어린 클로이가 결국 입술을 떼었다.

"저기…… 그런데 이게 무슨 향인가요?"

"바이올렛, 장미. 샌들우드."

눈으론 돌아가는 길을 살피며 알렉산드로가 건조하게 짚었다.

"네가 좋아하던."

놀란 클로이가 고개를 젖혀 그를 응시했다. 심장이 콕 찔린 기분이었다.

'뭐지, 그 여자. 나랑 취향이 비슷했나 봐. 이 향기 진짜 좋은데…….'

클로이는 처음으로 그가 찾는 운명의 여자가 정말 자신이 아닐까 하는 의심이 들었다. 확신할 수 없었다.

'만약 내가 아닌데 맞다고 하면 어딘가에서 이 남자를 기다릴 그 여자가 너무 불쌍해.'

게다가 그가 자신이 착각했었다는 걸 나중에 깨달으면 얼마나 실망스러울까? 그토록 만나고 싶어 하던 연인인데.

무엇보다 클로이는 밀런과 결혼을 약속한 상태였다. 맞건 아니건, 관계를 따지는 것조차 해선 안 되었다.

'한 입으로 두말할 순 없어.'

두 사람은 조용히 공작성으로 복귀를 서둘렀다.

익숙한 경관이 보이고, 공작성에 다 와 갈 때쯤이었다. 알렉산드로가 긴 다리를 젖히며 먼저 말에서 내렸다. 그러곤 고삐를 쥐고 걸었다. 밀런과 곧 결혼할 클로이가 사람들에게 오해를 사지 않게 하려는 배려였다.

“제가 내릴게요.”

“됐다.”

클로이는 미안해서 안절부절못했다. 귀족들이 자신의 말을 얼마나 아끼는가. 특히 이 남자는 더했다.

“그래도…….”

“이게 내 마음이 편하다. 그러니 괜찮아.”

결국 그가 아무렇지 않아 하자 조금씩 죄책감이 수그러들었다. 알렉산드로의 뒷모습과 가끔 보이는 그의 옆얼굴을 힐끔거리던 클로이는 낮은 한숨을 내쉬었다.

아름다운 남자였다. 제게 베풀어 준 친절 때문인지 몰라도…… 더는 인정하지 않을 수 없었다.

그에게 끌리고 있었다. 그토록 사납고 포악하게 굴었던 남자인데. 저 남자는 안 된다고 수없이 다짐하고 아니라고 부정해도 제 의지를 벗어난 강력한 손길이 그녀의 눈과 귀와 심장을 그를 향하도록 만들었다.

어쩌면 처음부터 이렇게 되리란 걸 본능은 먼저 알았는지도 모른다. 그래서 눈이 마주쳤을 때 도망쳤고, 그래서 제발 구해 달라 매달렸는지 모른다.

'첫 만남이 달랐다면 모든 게 달랐을까.'

아니, 제게 환청 같은 게 들리지 않았다면? 그리고 저 남자가 제 운명의 여자를 찾아다니는 가련한 처지가 아니었다면? 그랬다면 이 모든 게 달랐을까. 자신이 이런 처지가 아니고, 그가 저런 처지가 아니었다면…….

아무 의미 없는 가정이었다. 그랬다면 기구한 이 만남조차도 없었을 테니까. 천천히 걷는 말 위에서 그녀는 착잡한 심경을 다스렸다.

그사이 두 사람은 다리 위에 다다랐다. 공작성의 문 앞이 가까워 멀리 경비병들이 보였다. 순간 앞서던 알렉산드로가 자리에 멈춰 섰다.

'당부할 말이라도 있나?'

그는 고민하듯 우뚝 서서 한참이나 침묵을 지켰다. 의아해진 클로이가 먼저 무슨 일이냐고 물어보려던 찰나. 알렉산드로가 천천히 몸을 돌려 그녀를 정면으로 마주했다.

"내가 너를 계속 곤란하게 한다는 걸 안다."

알면서도 어쩔 수 없었다. 그에겐 모든 게 걸린 문제였다.

"미안하다."

불쑥 나온 사과는 진심이었다. 클로이의 입장에선 같은 얘기가 피곤하고, 괴롭기만 할 테니까. 다 아는데도 도저히 포기할 수가 없었다.

"마지막으로 청하겠다. 거절하면 두 번 다신 네 앞에 나타나지 않아. 약속한다."

긴장한 클로이는 마른침을 삼켰다. 이미 절벽에서 뛰어내렸던 남자가 하는 말이라 그런지 두 번 다신 제 앞에 나타나지 않겠다는 약속이 사뭇 비장하게 들렸다.
말없이 시선만 오가는 중에 불쑥 그의 입술이 열렸다.
"결혼을 무르지 않겠느냐?"
클로이의 눈이 휘둥그레졌다. 알렉산드로는 안심하란 듯이 고개를 저었다.
"지금 당장 나와 결혼하자는 요구가 아니야. 단지."
"……."
"밀런과의 결혼을, 다시 생각해 볼 수 없겠냐는 말이다."
사실 알렉산드로는 그녀의 결혼을 취소시킬 여러 방법이 있었다. 굳이 그녀의 의사를 묻지 않고도 충분히 그럴 수 있었다.
하지만 그에겐 클로이의 허락이 중요했다. 그녀의 의지를 무시하고 빼앗듯 데려오고 싶지 않았다.
알렉산드로는 제 사랑을 다시 이루고 싶은 만큼이나 그녀의 행복을 바랐다. 실수는 전생에 그 한 번으로 족했다. 자신이 그녀가 떠안을 불행의 이유가 되고 싶지 않았다.
"그럴 수 없어요."
그러나 단호한 그녀의 대답을 듣고 나서는 마음이 흔들린 것도 사실이었다.
"밀런은 지금 아내가 꼭 필요하다고 했어요. 이미 내뱉은 말이니 약속을 지켜야 해요."
"밀런은 네가 아니라 다른 여자여도 돼."
"네, 알아요. 그렇지만 제가 그분께 진 빚을 갚을 수 있는 기회는 많지 않아요."

그녀의 또렷한 목소리가 아득하게만 들렸다. 긴 한숨을 내쉰 알렉산드로는 먼 곳을 응시했다. 답답하지만 그녀의 마음을 이해하지 못하는 것도 아니었다. 그래서 화가 났다.

"은혜를 입었으니, 저도 갚고 싶어요."

하늘이 원망스러웠다. 어쩌다 이렇게 되었을까. 그러나 인정하지 않을 수 없었다. 복잡하게 꼬인 이 매듭의 시작은 바로 자신이었다는 걸.

'왜 내가 그녀를 구해 주지 않았을까.'

제발 살려 달라고 제게 매달리던 그 안쓰러운 여자를!

밝은 대낮인데도 암담했다. 자업자득이었다. 알렉산드로는 참담한 심경을 애써 숨기고 입술을 움직였다.

"알았다."

정말 제 입에서 나온 말인가. 두 번 다신 그녀의 눈앞에 나타나지 않겠다고, 정말 그렇게 약속했나. 그렇게 살 수가 있던가. 살아지기나 할까.

알렉산드로는 그녀가 제 옆에 없는 삶이 어떤 것인지 잘 알았다. 언젠가 다시 만나리란 희망, 같은 하늘 아래 제 사랑이 존재한다는 위안. 그조차 없으면 사는 게, 사는 게 아니게 된다.

사람이 숨을 쉬고 눈을 뜨고 있다고 다 살아 있는 게 아니니까. 혼자이되 진짜 혼자인 것보다 못했다.

돌아선 알렉산드로는 다시 고삐를 쥐었다. 이제 어떻게 살아야 하나. 영혼이 육신을 빠져나간 사람처럼 두 다리로 걷고 있는데 어떤 감각도 느껴지지 않았다.

“저기, 그런데 혹시…… 저도 한 가지만 청해도 될까요?”

클로이가 머뭇거리며 말을 붙여 왔다. 알렉산드로가 ‘그래’ 하며 눈짓했다.

“뭐든지.”

“뻔뻔한 질문이긴 한데.”

침을 꼴깍 삼킨 그녀가 어색하게 입술을 움직였다.

“혹시 4년만 기다려 주실 수 있나요?”

순간 그의 눈썹이 꿈틀했다. 마침내 알렉산드로의 두 다리가 멈춰 섰다.

“밀런은 4년만 아내가 필요하다고 했거든요. 그 이후에는 각자 원하면 이혼해 주기로 했어요.”

드디어 숨을 쉬는 사람처럼, 흐릿했던 그의 눈동자에 번쩍 빛이 돌았다.

“솔직히 말해서 당신이 찾는 여자가 저인지는 모르겠어요. 하지만…….”

“하지만?”

“저는 확실하게 확인할 방법이 있거든요.”

잠시 주저하던 그녀가 다시 어렵게 입을 떼었다.

“제가 찾던 남자가 당신이 맞는지, 그 방법으로 정확히 알 수 있을 것 같아요.”

알렉산드로의 눈이 확 커졌다. 갑작스런 고백이 놀랍기도 하고, 고맙기도 했다. 숨통이 확 트이는 것 같았다.

그는 불쑥 그녀의 다리 근처로 다가갔다. 키가 월등히 큰 알렉산드로가 누군가를 밑에서 올려다보기는 처음이었다. 지금은 그녀가 구원자처럼 보였다.

"무슨 방법인지 말해 봐. 지금 확인시켜 줄 테니까."

"지, 지금은 말씀드릴 수 없어요."

"어째서."

"좀, 그래요."

그녀가 귀까지 벌게진 얼굴로 도리도리 고개를 저었다.

"나중에…… 모든 상황이 정리되면 말할 수 있을 것 같아요. 물론 저를 기다리는 건 자유예요. 4년은 결코 짧은 시간이 아니니까요."

겨우 그걸 못할 것 같냐고 다그치고 싶은 걸 알렉산드로는 꾹 참았다.

그녀가 제게 선사한 기다림이야말로 그에겐 자유였다. 족쇄에 묶인 채 어두컴컴한 통로를 촛불 하나 없이 걷던 그에게 그녀가 기다림이라는 이름의 희망을, 끔찍한 고통에서 벗어날 수 있는 자유를 선물했다.

"알았다. 그렇게 하지."

혹시 그녀가 그냥 없는 일로 무르자고 할까 싶어 그가 흔쾌히 고개를 주억거렸다. 저절로 웃음이 나왔다.

"기다릴게. 기꺼이."

한참 눈을 마주치던 알렉산드로는 기분이 좋은 듯 씩 웃었다.

'저 남자가 저렇게 웃다니…….'

클로이는 뜨거운 얼굴을 식히느라 푹 고개를 숙였다. 그의 잘생긴 얼굴에 서린 산들바람 같은 옅은 미소가 눈앞에 아른거렸다.

부끄러워하는 클로이 때문에 알렉산드로는 속이 간지러웠다. 누군가 깃털로 가슴을 문지르듯 그를 웃게 만들었다.

'귀엽기는.'

그가 고삐를 느슨하게 잡았다. 그러곤 그녀의 발 근처에서 나란히 걸었다.

4년이라는 시간은 무의미했다. 지금 그에게 중요한 건 그녀가 제게 기회를 주었다는 것뿐이었다.

살아 있는지, 어디에 있는지도 모르는 여자를 10년이나 애타게 그리워했다. 한데 그깟 4년이 대수일까? ……물론 머리로는 그런데, 저 귀여운 얼굴을 계속 바라보고 있으니 욕심이 났다.

"그…… 혹시 기사님 생각이 변하시거나 좋아하는 여자가 생기시면 언제든지 말씀하세요."

"클로이."

"네?"

"내 이름을 불러 주는 건 안 되겠느냐?"

말이 끝나기 무섭게 기겁한 그녀가 고개를 저었다.

"싫어요."

"싫어?"

스스로 생각하기에도 '싫어요'는 어감이 좀 심했는지, 클로이는 얼른 말을 바꿨다.

"안 돼요."

겨우 이름 좀 부르는 게 뭐라고 저렇게 아연실색하면서 거절하는지. 가슴이 찌르르했지만 알렉산드로는 애써 상심한 티를 내지 않으려 앞만 쳐다봤다.

"혹시…… 화나셨어요?"

"아니."

하지만 화난 것 같다. 클로이는 그의 기분을 살피다 조심스레 제 의견을 피력했다.

"그게, 별거 아닌 것 같지만 무서운 거라서요."

서로 이름을 부른다. 이는 두 사람 사이에 시작된 어떤 관계를 인정하는 것이었다.

친구, 연인, 혹은 정의할 수 없는 어떤 깊은 사이. 클로이는 후자가 가장 무서운 관계라고 생각했다. 시작도 끝도 서로에게 알릴 의무가 없으므로.

'지금 시작하면 우린 그런 관계가 되겠지.'

고별도 없이 이별하는 사이. 생각만 해도 끔찍했다.

"제가 조심성이 많아서……."

"안다."

"매정하게 들렸을지 모르지만……."

"그것도 안다."

알렉산드로는 픽 웃었다.

"네가 얼마나 매정한 여자인지 내가 제일 잘 알아."

"……."

할 말이 없어진 클로이는 애꿎은 말갈기만 만지작거렸다.

'흥. 날 언제 봤다고.'

고개를 치켜들고 그 모습을 올려다보던 알렉산드로는 저도 모르게 웃음을 터뜨렸다. 너무 귀여웠다. 그녀가 바로 자신이 알던 바로 그 여자였다.

'베아트리체.'

이토록 뻔한 것을 왜 그간 부정했을까. 이토록 선명한 것을. 그녀의 미소, 눈빛, 시선, 손길, 입술…… 모든 게 한 치의 틀림도 없이 확실하건만!

가슴이 몽글몽글한 동시에 씁쓸해졌다. 당장 달려들어 입 맞추고 싶은 이 충동을 대체 어떻게 참아야 할까.

벌써부터 막막했다.

알렉산드로는 클로이를 납치하듯 데려갔다가 홀딱 젖어 돌아왔다.

'대공의 유력한 후계자가 다른 가문의 하녀를 납치했다.'

이는 공작성이 뒤집어질 만큼 큰일이었다. 알렉산드로를 아는 사람들에겐 '전쟁 선포'보다 '여자 납치'가 더 충격이었다.

공작성은 고요하기만 했다. 마치 폭풍 전야처럼. 다들 하얗게 얼굴이 질려선 숨죽인 채 '어떡할까요, 어떡하죠.'만 반복했다.

돌아온 알렉산드로에게 가장 먼저 말을 건넨 건 밀런이었다.

"알렉스, 난 클로이와 결혼하지 않을랜다. 네가 그 애한테 아직도 마음이 있는 걸 알았다면 애초에……."

"해."

"뭐?"

"하라고. 결혼."

의리를 지키고 명분이 있는 행동을 하는 것.

또 본인의 의지대로 삶을 사는 것.

모두 그녀에게 얼마나 중요한지 잘 안다. 알렉산드로는 그녀가 숙고하여 내린 결정을 방해하고 싶지 않았다.

"단, 내 눈앞에서 해."

밀런은 훌쩍 떠났다가 훌쩍 나타나선 담담하게 이딴 소리를 지껄이는 그가 의심스러웠다.

"너 혹시 차였냐? 죽어도 너는 싫대?"

알렉산드로는 젖은 옷을 갈아입는 데 여념 없었다.

"목에 칼이 들어와도 너랑은 절대 결혼 안 할 거래?"

순간 기분이 나빴는지 그가 찌릿 차갑게 밀런을 노려봤다.

"아니, 내 말은 그게 아니라…… 뻔하잖아. 아직도 좋아 죽는 모양인데 왜 나더러 결혼을 계속 진행하라는 거야?"

알렉산드로는 얕은 한숨과 함께 차분히 입을 열었다.

"넌 당장 아내가 필요하고, 클로이는 네게 진 빚을 갚길 원한다. 둘에겐 이해가 맞는 거래 아닌가?"

"하지만 넌 그 애를 좋아하잖아. 그것도 아주 많이."

"맞아."

알렉산드로는 더 이상 부정하지 않았다. 밀런의 눈이 더 커질 수 없을 만큼 커졌다.

"내가 사랑하는 여자가 원해. 너와의 결혼을."

담담하게 말했지만 그는 속으로 탄식을 삼켰다.

조금만 덜 사랑하면 좋을 것을. 그랬다면 그녀가 뭘 바라든, 무엇을 결정하든, 그런 건 제 마음보다 더 소중히 여기지 않았을 텐데…….

"그래서 반대하지 않는 거다."

"난 좀 이해가 안 되는데……."

"더 캐묻지 마라."

아무렇지 않은 척했지만 알렉산드로는 솔직히 듣기도 싫었다. 저라고 좋겠는가? 둘이 결혼한다는 사실을 생각만 해도 짜증이 치밀었다.

"내가 클로이 남편이 돼도 정말 괜찮겠어?"

"입 다물어. 서류 정리나 빨리 끝내."

얼른 결혼하고 족보를 고쳐서 양자를 들이라는 소리였다.

"그럼 오늘 서약을 읊고 결혼 서류를 작성할까?"

"그러든가."

상의를 갖춰 입던 알렉산드로가 무심히 대꾸했다.

"그럼 그래야겠다. 클로이가 괜찮다고는 했는데 반지가 없어서 좀 미안했거든. 목걸이라도 좋은 걸 하나 구해 볼까 했는데 그냥 해야겠어."

조용히 옷을 갈아입던 알렉산드로는 화를 눌러 참으려 깊은 심호흡을 반복했다.

'내 결혼이 아니야. 참자, 참자…….'

다급한 그의 사정은 알지만, 그래도 그렇지. 어떻게 반지조차 준비하지 않고 결혼식을 치른단 말인가. 신부를 얼마나 우습게 알기에!

"두 번째 결혼이라 별로 욕심이 없나 봐."

그녀가 도미닉 백작가에서 치렀던 첫 번째 결혼을 염두에 두고 하는 말이었다.

"하긴, 그 애도 아마 네 번째 손가락에 또 반지를 끼워 넣기는 민망할 거야."

"……."

제게는 귀한 여자였다. 두 번째라도 어쨌든 그녀의 결혼식인데, 반지도 없이 서약을 한다는 사실에 알렉산드로는 내심 크게 분노했다.

그렇다고 자신이 반지를 대신 준비해 주면 클로이가 난감해진다. 저는 이 결혼에 나서지 않는 게 모두에게 최선이었다.

"그래도 드레스는 구해야겠어. 아무리 약식이라지만 신부가 드레스는 입어야 할 것 같아서."

"잘 생각했다."

기왕이면 반지도 구해 보라고 그가 덧붙였다. 네 말을 따르겠다며 밀런은 순순히 외출했다.

그리고 반나절 뒤에, 어둠이 내려앉을 무렵 그가 돌아왔다.

"이거 봐. 시가지에서 구해 온 드레스야."

제 연미복과 어울리는지 보라며 밀런이 주섬주섬 드레스를 꺼내 놓았다. 궁금하다고 물어보지도 않았는데, 보기도 싫었지만 저절로 눈이 갔다. 화사한 드레스를 입고 아름다울 클로이를 상상하며…….

"어때?"

"……."

알렉산드로는 조용히 찻잔을 내려놓았다. 밀런은 어디서 누가 20년 전에 입었다 벗어 준 것 같은 누런 빛깔의 원피스를 구해 왔다.

"클로이는 마음에 든대."

부글부글 속에서 화가 치밀었다. 밀런은 결혼반지도 한번 보라며 주섬주섬 작은 상자를 꺼내 놓았다.

"어때?"

"……."

알렉산드로는 조용히 등받이에 몸을 기댔다.

오팔. 누가 결혼반지에 오팔을 쓰나. 오팔은 평민들도 결혼반지로는 안 쓸 보석이었다.

"클로이는 마음에 든대."

이걸 죽여 버릴까. 클로이는 어떻게 이런 걸 받고 결혼을 하겠다는 거지. 아니다. 그녀의 문제가 아니야. 이 해맑은 모지리가 문제다.

'오팔 같은 놈.'

정말 죽여 버릴까. 내가 뭘 잘못했지. 아, 잘못한 게 있긴 하지. 잘못이…… 사실 많다.

"……원하는 게 뭐야."

"응?"

"차라리 나를 욕먹여라."

"엉?"

"왜 이딴 거지 같은 걸 갖고 와선 속을 뒤집어. 왜!"

"워워. 알렉스, 진정해. 대체 뭐가 문젠데 그래?"

"당장 내 침실에서 나가!"

밀런의 목덜미를 붙든 알렉산드로는 그를 직접 문 앞까지 끌고 나갔다.

"결혼식은 보름 뒤다. 그때까지 내 눈앞에 띄지 마. 꺼져!"

깨갱 한 밀런이 어깨를 축 늘어뜨리며 멀어졌다. 알렉산드로는 서슬 퍼런 눈으로 하인에게 일갈했다.

"시종장을 불러와. 지금 당장!"

시종장은 작게나마 밀런과 클로이의 예식을 준비했다. 알렉산드로의 지시였다.

'아이구, 이게 무슨 일이람. 우리 도련님이 결혼하실 줄 알았는데.'

어째서 밀런과 그녀가 결혼하게 되었는지 통탄스러웠다. 어쩌면 별관 침실을 찾았던 그날 밤, 밀런의 결혼을 의논하려고 그녀를 만났는지도 몰랐다.

'그런 것치고는 분위기가 너무 묘했어.'

알렉산드로가 그녀를 말에 태워 강제로 공작성 밖을 나갔다 온 일은 이미 알고 있었다.

그런데 왜 결혼하는 사람은 밀런과 클로이인가?

'그 하녀의 원래 신분은 백작 영애라고 했지.'

의심을 피하기 위해서 그간 신분을 감추고 함께 여행했다고 했다. 그래서인지 예절도 바르고 언행이 참 점잖았다. 생각할수록 아쉬웠다. 귀엽고 웃는 모습도 깜찍해서 제 도련님 옆에 나란히 서 있으면 꽤 잘 어울릴 것 같았는데 말이다!

'키 차이가 좀 나긴 하지만 풍성한 드레스를 입으면 그렇게 작아 보이지도 않을 텐데.'

하녀인 척 위장까지 했을 만큼 성격도 소탈한 데다, 사용인들에게도 깍듯했다 들었다.

'그런 분이 우리 마님이 되었어야 하는데…….'

마님을 놓쳤다. 쿠피히트 일가에게 빼앗겼다.

시종장은 그녀의 옷과 예물을 준비하느라 자주 마주쳤다. 너그럽게 웃어 주는 그 미소를 볼 때면 자꾸만 말 못 할 미련이 남았다. 시종장은 허탈해하면서도 밀런의 결혼식 준비에 성의를 다했다.

"뭘 그렇게 신경 쓰나? 가볍게 서약만 하신다고 하지 않았어."

"그게, 소공작님 말씀은 그랬는데…… 드레스와 예물을 가능한 최고 수준으로 준비하라고 하셨습니다, 집사장님. 도련님께서요."

"신부 드레스를?"

"그럼 신랑 드레스겠어요?"

짜증 난 시종장은 불퉁해졌다. 도련님은 본인 결혼식도 아니고, 친구의 결혼식을 왜 이렇게까지 해 주신담. 애써 구한 남부 최고 디자이너에게 남의 신부 드레스나 맞춰야 하다니.

"쿠피히트 소공작께선 우리 가문에 갚을 수 없는 큰 빚을 진 겁니다. 이 일은 제 평생, 두고두고 회자될 거예요!"

"어허, 이 사람."

"이만 가 보겠습니다. 도련님께서 반지까지 맞춰 주라고 하셨거든요!"

"반지까지……?"

놀란 집사장은 씩씩거리며 사라지는 시종장의 뒷모습을 보며 갸웃했다. 대체 누구의 결혼식이 될 것인가, 하며.

-2권에서 계속-

BLACK LABEL CLUB 024
베아트리체 외전 1

초판 인쇄 2020년 3월 20일
초판 발행 2020년 3월 30일

지은이 마셰리
펴낸이 신현호
편집부장 예숙영
편집 박상희
편집디자인 한방울
영업 · 관리 김민원 조은걸 조인희
물류 이순우 최준혁 박찬수

펴낸곳 ㈜디앤씨미디어
출판등록 2002년 5월 1일 제117-90-51792호
주소 서울시 구로구 디지털로 26길 111 JnK디지털타워 503호
대표전화 (02)333-2513 팩스 (02)333-2514
전자우편 dncbooks@dncmedia.co.kr
디앤씨북스 블로그 http://blog.naver.com/dncbooks

ISBN 979-11-264-5099-2 (04810)
ISBN 979-11-264-2727-7 (세트)